GLORIA AGENCY
АГЕНТСТВО
ГЛОРИЯ

Фридрих

НЕЗНАНСКИЙ

Заснувший детектив

МОСКВА
2004

УДК 821.161.1-312.4
ББК 84(2Рос=Рус)6-44
Н44

Серия «Агентство «Глория» основана в 2000 году

Серийное оформление А.А. Кудрявцева

Компьютерный дизайн А.В. Тихомирова

*В оформлении книги использованы
фотоматериалы Романа Горелова*

Эта книга от начала и до конца придумана автором. Конечно, в ней использованы некоторые подлинные материалы как из собственной практики автора, бывшего российского следователя и адвоката, так и из практики других российских юристов. Однако события, место действия и персонажи, безусловно, вымышлены. Совпадения имен и названий с именами и названиями реально существующих лиц и мест могут быть только случайными.

**Подписано в печать с готовых диапозитивов 18.05.04.
Формат 84×108[1]/32. Бумага газетная. Печать офсетная.
Усл. печ. л. 18,48. Тираж 20000 экз. Заказ 1548.**

ISBN 5-17-024312-X (ООО «Издательство АСТ»)
ISBN 5-7390-1313-5 (ООО «Агентство «КРПА «Олимп»)

Пролог

БОЛЬШЕ ТЫСЯЧИ ИНДИЙЦЕВ ПОГИБЛО ОТ ЖАРЫ. А ОДИН РУССКИЙ ПРОСТО РАСТВОРИЛСЯ

«Тяжелая ситуация из-за сильнейшей жары и острой нехватки пригодной для питья воды сложилась в отдельных районах штатов Тамилнад, Орисса, Джарканд, Мадхья-Прадеш, Харьяна и Раджастхан. В индийской столице, также оказавшейся в зоне распространения потоков горячего воздуха, накануне была зарегистрирована рекордная для нынешнего летнего сезона температура — 44,2 градусов. Это примерно на 4 градуса выше среднегодовой климатической нормы.

Согласно прогнозам метеоуправления, в ближайшее время погода в стране не изменится. Более того, сообщают синоптики, задерживается примерно на две недели наступление долгожданного для большинства индийцев периода муссонных дождей, которые, как правило, начинаются в конце мая.

Тепловые удары и обезвоживание организма стали причинами гибели в Индии не менее 1,2 тыс. человек. Наибольшее число жертв с летальным исходом приходится на юго-восточный штат Андхра-

Прадеш, где вчера столбик термометра поднялся до отметки плюс 52 градуса по Цельсию. Власти выплачивают родственникам погибших денежную компенсацию в размере 10 тыс. рупий (примерно $210).

По данным российского посольства в Индии, в момент природного катаклизма на территории штата Андхра-Прадеш находился только один гражданин Российской Федерации. Однако сейчас его местонахождение неизвестно. Местные власти в полном недоумении по этому поводу. Российский консул потребовал немедленных поисков своего соотечественника, однако они не увенчались успехом. Гражданин России по специальному приглашению некоторое время находился на территории закрытого для посторонних монастыря, поэтому узнать его имя, к сожалению, не представляется возможным».

ИТАР-ТАСС

БРИЛЛИАНТЫ ИЛИ ЖИЗНЬ

«Похищение звезды телевидения Леонида Кондрашина посеяло смуту в российском обществе. И дело не только в том, что все поклонники его журналистского дарования и даже люди, которых трудно отнести к любителям информационно-аналитической передачи «Итоги недели», страшно взволнованы судьбой популярного телеведущего. Передача Леонида Кондрашина открыла на российском телеэкране новый стиль ведения политических и новостных программ. Никому до Кондрашина не удавалось столь удачно сочетать юмор, иронию, развлечение вместе с серьезным и глубоким политическим анализом. Пока никому не удалось превзойти Леонида в разработанном им самим жанре. Без преувеличения и ложного пафоса можно считать, что он сумел войти в каждый дом и каждую семью. Не приходится сомневаться, что потеря Кондрашина станет невосполнимой утратой для России.

Новая демонстративная выходка чеченских боевиков опять ребром ставит вопрос перед российскими политиками: есть ли в Чечне те, с кем можно вести переговоры? Почему никакие действия по урегулированию конфликта в Чеченской республике не приводят к примирению сторон? Можно ли спокойно передвигаться по улицам наших городов?

Смятение и ужас — вот чувства, которые испытывают сегодня россияне. Если можно безнаказанно похитить такого незаурядного человека, как Леонид Кондрашин, то чего же ожидать рядовым гражданам?! Как защитить себя людям небогатым и отнюдь не знаменитым? Почему власти никак не могут справиться с чеченским беспределом? И насколько вообще уместны в контексте таких эпизодов, как похищение известного тележурналиста, переговорные процессы в Чечне? С кем и о чем там вообще можно договариваться?! В столице еще не было зафиксировано хулиганских выходок против чеченцев и других выходцев с Кавказа, но в Подмосковье скинхеды разгромили несколько торговых точек, принадлежащих торговцам неславянских национальностей. Телефоны редакции нашей газеты буквально разрываются от звонков читателей, обеспокоенных как судьбой Леонида Кондрашина, так и безопасностью их собственных детей. Комитет солдатских матерей проводит очередную акцию против отправки новобранцев в горячие точки.

Известный политический обозреватель Аркадий Бозин, проработавший в зоне арабо-израильского конфликта более двадцати лет, считает:

«Похищение Леонида Кондрашина — грамотно срежиссированная акция, направленная на то, чтобы посеять смятение и панику в рядах российских граждан. Цель этой акции прозрачна — любой ценой сорвать переговоры между федеральными властями и сепаратистами. Ни в коем случае нельзя всех жителей Чечни и выходцев из этого региона воспринимать одинаково. Есть достаточно широкая прослойка людей, вовлеченных в террористические банды. Есть мирные жители, которые хотят стабильности и окончания войны. К сожалению, исторический опыт показывает, что конфликты, замешенные не только на экономической, но и на религиозной почве, длятся годами и не проходят даже после самых успешных переговоров. Нашим спецслужбам ни в коем случае не стоит идти на поводу у террористов-похитителей и выполнять их требования. Необходимо провести точечную акцию и освободить Леонида. Тем более что зачастую похитители предпочитают убить заложника еще до получения выкупа».

Известный правозащитник Адам Поляков поделился с нами следующими соображениями:

«Конечно, подобной дерзкой и опасной выходке нет никакого оправдания. Но очень важно понимать, в каких условиях живут так называемые террористы, какова история их народа и каковы причины, которые заставляют народ Ичкерии использовать подобные методы в своей борьбе за независимость. Ведь в Чечне еще живут старики, которые были маленькими детьми в момент сталинской депортации чеченцев. Они помнят, как их матерей с маленькими детьми на руках вышвыривали из домов, не позволяя собрать вещи. Они помнят, как русские военные с автоматами глумились над немощными стариками. Конечно, сегодня очень трудно найти среди чеченцев людей, которые могут относиться искренне и дружелюбно к русским. Леонид Кондрашин в своей передаче

«Итоги недели» неоднократно позволял себе крайне резко оценить действия чеченских сепаратистов, в том числе и оскорбляя религиозные чувства приверженцев ислама, что совершенно непозволительно для людей искренне верующих. Я искренне надеюсь, что данный трагический инцидент будет воспринят как сигнал, что к чеченской проблеме нельзя относиться легкомысленно».

Хотелось бы обратить внимание читателей, что у данной истории есть еще несколько необычных деталей. Например, какой именно выкуп потребовали за Леонида Кондрашина. Его жизнь и здоровье похитители обменивают вовсе не на свободу независимой Ичкерии. За него требуют коллекцию драгоценных камней, которые владелец телеканала СТВ Степан Петрович Чегодаев подарил на свадьбу своей красавице жене. Совокупная стоимость драгоценностей превышает шесть миллионов долларов. Так как пока нет никаких известий об освобождении тележурналиста, можно предположить, что один из самых влиятельных олигархов сомневается, стоит ли жизнь одного из самых талантливых и популярных телеведущих такой суммы. Разумеется, у рядового обывателя может возникнуть вопрос: а какое, собственно, отношение имеет Чегодаев к похищенному Кондрашину, чтобы платить за него так дорого?

Краткая справка: Степан Петрович Чегодаев — один из самых влиятельных российских предпринимателей, его деловые интересы находятся как в нефтегазовом комплексе, так и в сфере массмедиа. Именно он владеет единственным частным телеканалом в России, вещающим на всю страну. В отличие, скажем, от других олигархов, ориентированных на западные методы ведения бизнеса, Степан Чегодаев вовсе не стремится к прозрачности, и размер его состояния держится в тайне. Единственно, что можно предположить, судя по образу жизни олигарха, владеющего солидной недвижимостью в Европе и грандиозным имением в Подмосковье, в котором обустроено поле для гольфа исключительно для самого Чегодаева и членов его семьи, а также роскошным подаркам, которые он делал известным светским красавицам до заключения своего текущего брака: его доходы сопоставимы с доходами тех российских бизнесменов, что попали в список самых богатых людей мира журнала «Forbes». Напомним, что состояния русских бизнесменов, попавших в этот престижный список, составляют от двух с половиной до восьми миллиардов долларов. С 39-летним Леонидом Кондрашиным 37-летнего Степана Чегодаева с давних пор кроме профессиональных связывали и тесные дружеские отношения. Но не только. Как это часто бывает, между двумя друзьями стала женщина.

Но кто же та женщина, драгоценности которой желают получить похитители в обмен на жизнь Леонида Кондрашина?

Анастасия Чегодаева, супруга олигарха, в девичестве Вереницына, та самая девушка, которой удалось несколько лет назад завоевать титул «Вице-мисс Вселенная». Она была первой россиянкой, удостоенной столь высокого титула, именно благодаря ей свершился прорыв, и русских красавиц стали снова ценить в международном модельном бизнесе. Общеизвестным фактом является и то, что обычно победительницы престижного конкурса «Мисс Вселенная» не делают карьеру модели. Как правило, после официальных пиар-мероприятий, мирового турне они получают значительно более выгодные предложения о замужестве, чем о работе. Например, Оксане Сидоровой, обладательнице короны «Мисс Мира» в 2001 году, по брачному контракту супруг, представитель древнего австрийского дворянского рода, выплачивает ежегодно содержание в миллион долларов, а вознаграждение за рождение наследника исчисляется уже семизначными цифрами. Анастасия же предпочла выйти замуж за своего соотечественника, не заглядываясь на иностранных миллионеров. Самые красивые женщины мира теперь не уезжают за границу, а остаются на родине, в России.

Но почему похитители требуют не просто денежную сумму, пусть и огромную, а именно коллекцию драгоценностей, имеющую столь важное значение для Анастасии и ее мужа? Пикантность ситуации в том, что Анастасия Чегодаева и Леонид Кондрашин являются хорошими и довольно близкими знакомыми. 25-летняя красавица до замужества с Чегодаевым была известна в светской тусовке как постоянная спутница и подруга журналиста Кондрашина. Леонид Кондрашин и Анастасия Вереницына были прекрасной парой, все их друзья считали, что они словно созданы друг для друга. Анастасия, в отличие от других подруг людей, имеющих определенное влияние на телевидении, никогда не использовала свою близость с Леонидом для того, чтобы пролезть на экран в качестве ведущей какого-нибудь женского ток-шоу. Стоит заметить, что те, кто знает Анастасию лично, отмечают, что девушка всегда отличалась скромностью, редким в наши времена тактом, изящными манерами, доброжелательностью, полным отсутствием стервозности, часто свойственной известным красавицам. К сожалению, после своего внезапного замужества Анастасия перестала появляться в свете, ее фотографии исчезли со страниц гламурных журналов. Вспомнить, как выглядит Анастасия, мы можем, только пролистав подшивку прошлогодней светской прессы: высокая статная фигура, горделивая посадка головы, густые каштановые волосы длиной до колена, огромные зеленые глаза, пленительная полуулыбка. Свежие изображения красавицы нам, увы, недоступны. Видимо, богатый и влиятельный олигарх Чегодаев придерживается ортодоксально-патриархальных взглядов и предпочитает наслаждаться красотой своей жены в одиночку. Правда, сейчас на них обоих устремлены взгляды всей страны.

В этом месте у проницательного читателя возникает закономерный вопрос: почему Анастасия внезапно рассталась с Леонидом Кондрашиным и поддалась ухаживаниям олигарха? Первое, что приходит в голову, из-за денег. Но ведь она никогда не бедствовала, будучи постоянной подругой известного тележурналиста. К тому же ее собственные заработки в качестве фотомодели, а также премиальные от побед в конкурсах красоты наверняка составляли значительные суммы. Что же остается предположить? Очевидно, что закрытый для общественности Степан Чегодаев обладает обаянием и энергией не меньшей, чем сила его денег. И также очевидно, что сейчас он пребывает в сомнениях: стоит ли талантливый, но все же простой смертный Кондрашин его миллионов? Вообще, это во все времена непростой вопрос: сколько стоит живой человек? Федор Михайлович Достоевский утверждал, что бесценна даже однаединственная слезинка ребенка. Чеченские боевики придерживаются иного мнения.

Теперь, когда мы знаем подоплеку этой истории, возникает вопрос: почему похитителям столь хорошо известны перипетии личной жизни журналиста? Почему они совершают столь иезуитский ход, требуя в качестве выкупа драгоценности его бывшей любовницы? Действительно ли похищение организовано чеченскими боевиками или оно просто инсценировано соответствующим образом?

Дорогие читатели, мы объявляем интерактивный опрос. Те из вас, кто считают, что драгоценности нужно отдать в обмен на жизнь Кондрашина, могут позвонить по телефону 8 800 905 6734, те, кто придерживаются мнения, что у террористов нельзя идти на поводу и их требования удовлетворять бессмысленно, должны звонить по телефону 8 800 905 6735. Для всех жителей России звонки бесплатны. Также вы можете принять участие в голосовании на нашем сайте в Интернете. Спешите! Возможно, от вашего мнения зависит судьба Леонида Кондрашина».

Газета «Товарищ либерал», редакционная статья

Глава первая

Генерал-лейтенант Спицын пренебрежительно относился к военной форме. При первой же возможности он одевался в штатское и старался не подчеркивать военную выправку, впрочем, подтянутость и моложавость ему скрыть не удавалось. На первый взгляд генералу можно было дать сорок с небольшим хвостиком, но несколько усталый взгляд свидетельствовал о том, что его жизненный опыт исчисляется уже не меньше чем пятью десятками лет. Сейчас он сидел во главе большого круглого офисного стола для переговоров и скептически оглядывал собравшуюся компанию. Три человека из чеченской милиции, замминистра МВД России, несколько офицеров ФСБ, ну и без чеченского правительства, конечно, не обошлось. В общем, каждой твари по паре. Спицын был опытным службистом и прекрасно умел играть в аппаратные игры, но тем не менее для него до сих пор оставалось загадкой, в чем заключается эффективность тотального сбора представителей разных правительственных и силовых структур. Все начинали нести полную околесицу напоказ, выпендривались друг перед другом, сваливали друг на друга ответственность и дружно расползались по своим ведомственным норам. Даже самое простое расследование в такой обстановке постепенно запутывалось, а уж сложные случаи раскрыть представлялось практически невозможным.

Но Николаю Николаевичу Спицыну было не привыкать строить упрямящихся эмвэдэшников или приводить к общему знаменателю региональные правительства: за три десятка лет работы в спецслужбах он овладел умением заставлять людей делать то, что нужно ему, без всякого видимого внешнего нажима, в совершенстве. Сейчас Ник-Ник, как втихаря его звали подчиненные, должен был разобраться с похищением этого горемыки-журналиста Кондрашина. И что его понесло в Грозный? Можно подумать, это курортный Сочи. Вбил себе в голову, что его цикл передач «Герои нашего времени» про русских военных в Чечне — это откровение, которое перевернет телеэфир, и потащился сюда. Вот результат — сидит сейчас где-нибудь в подвале, кровью истекает, дай бог, если силы ещё остались у мужика надеяться на благополучный исход.

Молодой старательный капитан стал излагать уже всем известные факты: террористов было четыре или пять человек, они прорвались в хорошо охраняемую федералами гостиницу, нейтрализовали пятнадцать сотрудников ФСБ, пока отрывались от погони, сменили не меньше шести автомобилей, двигались по направлению к горным районам Чечни, где сейчас, скорее всего, и скрываются.

Когда доклад закончился, все посмотрели на Спицына, ведь именно он был руководителем отдела по борьбе с терроризмом в ФСБ.

— Какие будут версии? — сурово спросил он участников совещания.

— Да опять боевики это! — в сердцах воскликнул представитель чеченского правительства. Он работал на единственного кандидата на пост президента республики и желал только одного: чтобы это «назначение через конституционную процедуру выборов» не сорвалось. Ради благой цели возвеличивания своего шефа, и сейчас исполняющего обязанности главы республики, он, наверное, не постеснялся бы собственными руками передушить всех чеченцев, когда они мешают воле Кремля.

— Почему вы так считаете, товарищ Ашаев? — вкрадчиво обратился к нему Спицын.

— Так до выборов осталось несколько недель всего. Конечно, есть силы, которым законный президент в Чечне не нужен.

— А вам, значит, нужен?

— Он всем нужен! — запальчиво вскрикнул чеченец.

— Хорошо, согласен, а почему тогда у вас через день шахиды самовзрываются? И пацаны совсем, и девчонки молодые? Кто с ними такую работу ведет?

— Это же международные террористы пропагандой занимаются.

— Ладно, допустим. А журналиста-то кому надо похищать?

— Им же и надо. Боевикам нашим, то есть террористам международным.

— Так они ваши или международные? — уточнил Спицын.

— Международные, только базируются тут, у нас.

— А почему вы позволяете им у себя базироваться?

— Николай Николаевич, так на нем же не написано, что он международный террорист. Вдруг это просто мирный житель? Как определить? А от зачисток народ уже устал.

Спицын прекрасно знал, как так называемые мирные чеченцы, лояльные к правительственному режиму, утром и днем занимались своим подсобным хозяйством, а по ночам топали в горы к боевикам. Жаль, что сейчас нельзя было принимать жестких мер: пресса раскричится на весь мир.

— Давайте послушаем еще доклады, — предложил Спицын и на время отключился от происходящего. Ничего нового ему сообщить сейчас не могли, но по законам жанра высказать свою версию должны были представители всех структур. Если не дать отбубнить каждому его заготовку — обидятся. Он огляделся по сторонам. Для совещания межведомственной комиссии отвели одну из самых «шикарных» комнат в правительственном здании. Интересно, как здесь оказался итальянский офисный стол в форме овала? Стены обшарпанные, кондиционеров нет и не предвидится, стулья, наверное, сохранились с годов семидесятых прошлого века, а стол как с картинки в буржуйском каталоге. Видимо, так загадочно идет восстановление Чечни. В частный дом офисный стол тащить особой необходимости нет, вот он и остался здесь, в конторе. Постарались перед приездом важных гостей, даже минералку поставили с одноразовыми стаканчиками. Попробовать, что ли? Спицын отхлебнул и с трудом сдержался, чтоб не выплюнуть теплую, уже давно выдохшуюся жидкость. Да, лорду Джадду надо было иметь крепкие нервы, чтобы с комиссиями по Чечне разъезжать. Наверняка даже отсутствие туалетной бумаги в отхожем месте навечно в его мозгу отпечаталось как самое страшное нарушение прав человека.

Чтение докладов закончилось, и Спицын взял быка за рога:

— Итак, а почему все выступающие сделали вывод, что это именно чеченские террористы? Что-то в данной истории далеко не все концы с концами сходятся. Вся охрана осталась жива — вырубили, но не ликвидировали. Обычно чеченцы не стесняются убивать федералов. Их Аллах на небе звездочками награждает за каждого неверного.

— Может, эти не хотели поднимать лишнего шума, — сказал кто-то со стороны чеченской милиции.

Не надо было про Аллаха лишнего болтать. Этих ребят не поймешь, даже когда они в погонах. Николай Николаевич продолжил:

— Наша статистика показывает, что в девяноста процентах случаев охрану ликвидируют. Остальные десять процентов приходятся на неудачные вылазки террористов, когда их обезвреживают раньше, чем они успеют напасть. Еще странный факт — не выдвинуто политических требований вообще. Все теракты последних нескольких лет таковыми требованиями сопровождались. Наконец ни одна исламистская организация не взяла на себя ответственность за похищение. Если целью похитителей было создать как можно больший общественный резонанс, то почему они никак не проявили себя после похищения? Дело громкое, не грех к нему и примазаться, даже если и не похищали сами. А что мы имеем — никаких заявлений. В каком случае такое может быть? Да только в том, если похитители вообще никак не связаны с чеченскими боевиками.

Неожиданно в комнату зашел помощник Спицына Петя Кудряшов:

— Товарищ генерал-лейтенант, разрешите доложить?

Парень был непривычно бледен. Служил он у Спицына совсем недавно, и, видимо, путешествия по Кавказу не добавляли ему бодрости.

— Что случилось?

— Вас вызывает центр.

— Прошу прощения, господа, сделаем небольшой перерыв, — сказал Спицын и быстро вышел из комнаты в отдельный кабинет рядом, любезно предоставленный ему мэром Грозного на время расследования. Кудряшов протянул ему мобильник, руки молодого человека заметно дрожали.

— Товарищ генерал-лейтенант! — раздался голос директора ФСБ. — Доложите, что там у вас происходит. Пока вы заседаете, этому журналисту уши отрезают.

— Простите, товарищ генерал-полковник, я не в курсе, — недовольно перекривился Ник-Ник, привыкший всегда добывать важную информацию раньше других. — Мы приступили к обсуждению ситуации сегодня в девять утра. Вы... не шутите насчет уха?

— Какие, к лешему, шутки! Похитители прислали отрезанное ухо Кондрашина прямо в телестудию СТВ, и в десятичасовых новостях телевизионщики сообщили об этом на всю страну, пока вы там штаны просиживаете!

— Они что, с ума сошли? — Про штаны Спицын пропустил мимо ушей, хотя, как правило, с ним так никто не разговаривал. — СТВ ведь лояльный к властям канал.

— Уши, с которых капает кровь, поднимают им рейтинг. В общем, Николай, ты понимаешь, что сейчас вонь поднимется на весь мир. Делай что хочешь, но этого бедолагу, желательно живым и здоровым, из рук террористов выцарапывай. И если сможешь ухо ему назад нарастить — вообще замечательно выйдет.

Спицын покашлял.

— Ну что такое? Не тяни, Николай, говори, что у тебя на уме.

— Пока совершенно не факт, что это террористы. Я даже не уверен, что это чеченцы.

— Ты там не фантазируй, а организуй зачисточку помощнее, чтобы Кондрашина отыскать. Действуй! Не время сейчас в интеллектуальные загадки играть, пусть этим имиджмейкеры на выборах занимаются, а мы с тобой должны спокойствие страны охранять. А я тут со своей стороны попытаюсь убедить Чегодаева заплатить выкуп или хотя бы выдать нам драгоценности на некоторое время... иначе пресса смешает силовиков с дерьмом и многим придется проститься со своими постами. Все, отбой.

В трубке послышались короткие гудки. Спицын крякнул от досады. Объяснять вышестоящему начальству, что тотальная зачистка стопроцентно приведет к тому, что журналист погибнет, да еще и мучительной смертью, было бессмысленно. Пока был один шанс из ста, что Кондрашина можно спасти. Слишком много в почерке похитителей непохожего на ставший уже за последние годы до боли знакомым «чеченский след». Спицын вернулся в комнату для совещаний и объявил:

— Продолжим. Мой помощник доложит о последних событиях.

Тот машинально оправил на себе и без того безукоризненный китель и сказал:

— Сегодня в десять утра в выпуске новостей канала СТВ сообщили, что похитители прислали посылку с отрезанным ухом журналиста в дом владельца телеканала Чегодаева. — Он смог справиться с волнением и произнес свое сообщение уже без видимого испуга.

Все присутствовавшие на заседании оторопели от такого поворота событий. Намного привычнее была бесследная пропажа похищенных. Обычно их долго искали, пока пресса не подкидывала обывателям очередную страшилку, тогда трагические исчезновения постепенно забывались.

Генерал-лейтенант Спицын опять взял управление заседанием в свои руки:

— Вывод один: выкуп надо платить, при передаче выкупа брать похитителей. Шанс спасти журналиста, пусть и небольшой, все еще есть, будем его использовать. Они требовали какого-то частного детектива для передачи камней. Что нам известно о личности этого человека? — И Ник-Ник снова посмотрел на своего помощника.

Тот раскрыл папку:

— Денис Андреевич Грязнов. Тридцать четыре лет... Э-э-э, то есть тридцать четыре года. Директор частного охранного предприятия «Глория», зарегистрированного в Москве. Лицензия № 01934 от 15 августа 1994 года. Кадровый состав служащих агентства — бывшие оперативники МУРа и «афганцы». Довольно матерые ребята. Что же касается их директора, тут особый случай. Денис Грязнов доводится племянником начальнику МУРа генерал-майору милиции Грязнову Вячеславу Ивановичу.

Спицын удивленно приподнял брови. Он, разумеется, знал начальника МУРа. Который, между прочим, и был учредителем этой охранной фирмы. В то время В. И. Грязнов, будучи старшим оперуполномоченным и подполковником милиции, уволился из МУРа, но позже вернулся, передав бразды правления в «Глории» своему племяннику.

— Но почему именно этот Грязнов? — выбросил в пространство общий немой вопрос Спицын.

Присутствующие только развели руками.

— А что, если согласно вашей версии, — высказался Ашаев, — о том, что чеченцы здесь ни при чем, этот самый Грязнов со своей компанией все и подстроил?

— Который? — уточнил Спицын. — Генерал-майор МВД?

— Нет-нет, я имел в виду молодого, того, что детективным агентством руководит?

— Слишком дерзко, чтобы быть правдой, — сказал Спицын. — Хотя... проверим, конечно, само собой.

— А может, этот Денис Грязнов сумеет использовать своих оперативников? — раздался другой вопрос с места.

— Не думаю, что такое возможно, — пробормотал Спицын. — Хотя нельзя исключать, что похитители знакомы и с Грязновым или его сотрудниками. Если оперативники из частного агентства будут сопровождать Грязнова, их быстро вычислят и нейтрализуют. Подвожу итоги: времени на оперативную разработку банды похитителей не осталось, выполняем их требования, прессе до окончания операции ничего не сообщать, за Денисом Грязновым установить постоянное наблюдение. На сегодня все.

...Грязнов-младший сидел в позе лотоса на берегу Индийского океана. День начинался с обязательной медитации на рассвете. Денис провел здесь, на безымянном атолле, уже несколько недель и, как говорил его наставник, неплохо продвинулся в искусстве быть независимым от влияний внешней среды. В общем-то, не так трудно быть нечувствительным к внешним импульсам, когда все средства коммуникации тебе недоступны, день подчинен привычному размеренному распорядку, а жизненные ритмы регулируются восходом и заходом солнца. Грязнов-младший уже давно не вспоминал об агентстве «Глория» и своих сотрудниках, его не слишком интересовало, как они там без него в Москве справляются, есть ли у них заказы, не возникает ли каких-нибудь неожиданных проблем.

Шум океана вселял в сердце спокойствие и уверенность. Денис чувствовал, что все житейские проблемы отпускают его, он видит мир как бы со стороны и немного сверху, проникая в сущность вещей. Он мог часами рассматривать экзотические растения, которые в изобилии цвели в окружающих поселение джунглях. В своей прежней жизни Грязнов-младший интересовался восточной философией ровно настолько, насколько это было необходимо для освоения приемов единоборств. Несмотря на широко распространенное мнение, что без глубокого проникновения в восточную культуру нельзя освоить технику боевого карате или джиу-джитсу, это были всего лишь сказки для тех, чья физическая подготовка оставляла желать лучшего. Денис помнил, как в разгаре повального увлечения ушу, айкидо и прочими боевыми искусствами, он спросил одного своего приятеля, прожившего в Индии и Китае много лет и общавшегося с самыми известными духовными учителями:

— Какое значение имела для средневекового китайского воина философия конфуцианства?

Ответ был неожиданным и циничным:

— Примерно такое же, какое марксистско-ленинская философия для рядового советского милиционера. Или даже для нерядового.

Тогда Денис обиделся, что его так «обломали», да не только его, а еще несколько юнцов, пришедших вместе с ним к опытному товарищу поговорить «за восточную мудрость», но скоро понял, что для того, чтобы хорошо драться и побеждать в схватках, особенно спонтанных, уличных, философия ни к чему, нужно просто мастерство рукопашного боя.

Почему же он оказался в этом поселении при буддийском монастыре и стал изучать какую-то малоизвестную широким кругам разновидность йоги, если был равнодушен к любым проявлениям ориентализма? Исключительно по случайному стечению обстоятельств. Однажды ему довелось оказать услугу представителю индийского посольства в Москве, и тот, узнав, что Грязнов-младший давно уже размышляет, куда бы ему съездить на отдых, расплатился с ним таким экстравагантным образом. Правда, сначала индус вкрадчиво осведомился:

— А как вы отдыхаете обычно?

— Да, честно говоря, никак. Каждый раз, когда соберусь куда-нибудь на Кипр или в Грецию, обязательно звонит мобильник и меня срывают к новому клиенту, у которого, как всегда, дело, не терпящее никаких отлагательств. Иногда удается у друзей в Подмосковье, на даче, спрятаться на пару-тройку денечков, но не больше. К тому же наши операторы сотовые, черт бы их побрал, уже протянули свою зону охвата чуть не до Антарктиды. В Москве, понимаешь, мобильник может заглохнуть, но зато, когда ты выехал отдыхать, можешь быть уверенным, что тебя достанут обязательно, и в самый неподходящий момент.

— У господина Грязнова есть невеста? — деликатно поинтересовался индус.

— Не понял? — Денис удивился такому вниманию к его личной жизни.

— Я хотел узнать, вы ездите на отдых с девушкой или предпочитаете проводить свой отпуск в уединении?

— А-а-а, теперь понятно. Невесты в классическом понимании у меня нет. У нас невестой называют девушку, с которой вы вот-вот поженитесь или, по крайней мере, твердо на это решились. Мне пока и одному хорошо.

— Так как же отпуск — с девушками или без? — индус был настойчив в своем любопытстве.

— Знаете, у меня время для отпуска обычно появляется неожиданно, вне всякого плана, поэтому согласовать свое расписание даже с самой чудесной представительницей прекрасного пола не представляется возможным.

— Уверен, что господин Грязнов пользуется большим успехом у дам и не остается обделенным вниманием юных прелестниц во время отдыха.

Денис равнодушно пожал плечами. Какой толк от кокетливых взглядов курортных красоток, если не успеваешь с кем-нибудь познакомиться, как тебя снова выдергивают в пыльную и жаркую Москву. Он задумался и сказал индусу:

— Если честно, для меня идеальный отдых — это полное, абсолютное уединение, чтобы мобильных и прочих телефонов в помине не было, желательно, чтобы никто рядом и по-русски не говорил, короче говоря, ни одного знакомого лица в радиусе одного километра не было, только покой и возможность не думать об обыденных делах. К сожалению, турагентства у нас такого не предлагают — засунут тебя в один автобус или гостиницу с соотечественниками, быдлом из среднего класса, и чувствуешь себя как в тюрьме.

— Господин Грязнов, мне кажется, у меня есть для вас подходящий вариант отдыха.

Денис засмеялся:

— Сомневаюсь. Разве что полярником в Антарктиду махнуть? Но говорят, такие вояжи занимают не меньше чем полгода. А в космос летать мне пока дороговато, да и подготовка весьма длительная.

Индус покачал головой и развел руками:

— Я имел в виду совсем другое. В одной из провинций Индии есть поселение при буддийском монастыре. Мой брат там — настоятелем. Туда приезжают со всех сторон света для того, чтобы овладеть редким видом йоги...

Название йоги было трудно выговариваемым, плохо повторяемым и абсолютно непереводимым на русский язык. С того момента Денис для себя определил ее как абракадабра-йогу и не затруднялся, чтобы выучить правильное название.

— Йога — это когда ноги за голову закладывают и сидят так часами? — на всякий случай грубовато переспросил Грязнов-младший.

— Что вы! — обиженно замахал руками индус. — Существует расхожий миф европейцев о том, что йога — всего лишь замысловатая гимнастика. В этом атолле основа тренинга заключается в том, чтобы сделать последователей нечувствительными к воздействиям внешней среды. Судя по тому, как вы издерганы, вам это жизненно необходимо.

— Не знаю, не знаю... — засомневался Денис.

— Я вижу, что вы, господин Грязнов, человек, как сейчас говорит молодежь, продвинутый. Обычно в этот монастырь приглашают только избранных, поэтому там никогда не занимается больше десяти человек одновременно. И туда не так просто попасть. Это место не рекламируется как туристический аттракцион. Вы окажетесь в полном уединении и даже можете не ходить на занятия к монахам, если не захотите.

— Но я ведь не буддист! — воскликнул Денис.

— Это не имеет значения. У нас в Индии терпимо относятся к представителям других конфессий.

— Ну да. Поэтому на границе с Пакистаном все время резня между мусульманами и индуистами.

Представитель посольства невозмутимо улыбнулся:

— Вы будете в противоположном районе Индии, и эти события вас никак не затронут.

На следующее утро Денис пришел в офис «Глории» на Неглинной улице, оглядел своих сотрудников и понял, что еще пара часов, проведенных им в обычной обстановке, и он свихнется.

— Итак, мужики, работа проделана большая, вы все молодцы, но дальше так не пойдет... Я уезжаю в отпуск, боссом остается Голованов.

Загранпаспорт у Дениса всегда был в полной боевой готовности, а визами и билетами его мгновенно снабдил тот самый индус. Надо сказать, что индус не обманул. Уединение действительно было полным. «Вольнослушатели», как Грязнов-младший называл про себя приехавших в монастырь за умом-разумом, могли жить в отдельных хижинах или вместе с монахами, кому как больше нравилось. К молитвам, медитациям и занятиям абракадабра-йогой никто не принуждал, но очень скоро Денис почувствовал, что его это искренне занимает. Не прошло и пары дней, как он полностью втянулся в ритм жизни монастыря и даже не помышлял о возвращении в Москву. Особенно хорошо ему удавалось мысленное перенесение во времени. С пространством было сложнее, но через некоторое время достиг и в этом кое-каких успехов.

Апофеозом его пребывания в монастыре стал день, когда он представил себя участником группы Руаля Амундсена — первой экспедиции к Южному полюсу. В тот самый день, когда немыслимая жара в пятьдесят градусов била по несчастным индусам тепловыми ударами. Денис же чувствовал себя настолько превосходно, что даже не посчитал нужным освежиться в океане. Ему и без того было прохладно...

Сотрудникам из отдела генерал-лейтенанта Спицына пришлось потрудиться, чтобы разыскать место, куда Грязнов-младший уехал отдыхать. Два капитана ФСБ чертыхались страшно, когда выяснилось, что для того, чтобы добраться до этого монастырского поселения, необходимо передвигаться на частных самолетиках с несколькими пересадками, а последний отрезок преодолевать пешком по джунглям в сопровождении проводника. Самолеты индусов очень напоминали консервные банки с впаянным в них двигателем. О кондиционерах речи не было. Каким образом эти развалюхи летали, тоже оставалось неясным.

— Может, они левитируют не с помощью законов аэродинамики, а по каким-то своим йоговским правилам? — спросил один фээсбэшник другого.

— Ладно, залезай, живы будем — не помрем. Здесь, по крайней мере, не стреляют так, как по нашим вертолетам в Чечне. А вот Ник-Ник нас точно убьет, если мы этого Фантомаса не привезем.

— Почему Фантомаса-то?

— Он же частный детектив.

— Фантомас жулик, а не детектив. Тогда уж Шерлока Холмса, что ли?

— Я смотрю, ты просто эрудит, — оборвал коллегу капитан. — Надеюсь, тебе это пригодится. Лучше воду пить не забывай, а то с этой жарой и копыта откинуть недолго.

Денис уже впал в нирвану и чувствовал себя неделимой частью вселенной. Он был и океаном, плескавшимся у его ног, и листьями деревьев в джунглях, он растворился во всем сущем, и душа его парила над землей. Мысли остановились, чувства успокоились и улеглись. Сознание было ровным, ничем не замутненным. Ничто не могло вывести его из этого состояния, кроме его собственной воли. Кроме набедренной повязки и бронзового загара, ничто не покрывало его тело, от окружающих его монахов-буддистов он отличался только высоким ростом.

Две фигуры белых людей в форме цвета хаки на территории монастыря выглядели необычно.

— Чем могу служить? — спросил их дежурный монах на входе.

— Нам нужен Грязнов. Денис Грязнов, — на ломаном английском рявкнул один из фээсбэшников, тот, что был пообразованнее и читал Конан Дойла.

— Не знаем такого, господин.

Второй фээсбэшник разъярился, схватил монаха за оранжевое одеяние и на чистом русском, сопровождаемым неформальной лексикой, а проще говоря, матом, заорал:

— Грязнов где? Говори, быстро!

Видимо, те, кто в совершенстве владел абракадабра-йогой, обладали способностью в экстренных ситуациях понимать иностранные языки. Монах послушно закивал бритой налысо головой, улыбнулся и показал дорогу на побережье океана, где в позе лотоса неподвижно сидел Денис.

— Ничего себе, чистый Маугли, — хмыкнул фээсбэшник, на этот раз не ошибившись с литературной ассоциацией. — Эй, парень, — похлопал он по плечу Грязнова-младшего, — собирайся. В Москву поедем, на президентском самолете фактически.

Йоговский тренинг Денис прошел не зря и обращение к себе проигнорировал. Фээсбэшники переглянулись, заметили неподалеку небольшие носилки, посадили на них Грязнова прямо в позе лотоса и транспортировали в нужном направлении.

— Что-то он вяловат, ты не находишь? Того и гляди заснет.

— Ничего, главное, чтобы в Москве проснулся. Говорят, индусы от этой жары как мухи дохли, а этот, смотри, — вполне ничего себе.

— Взгляд только немного стеклянный.

Вышел из нирваны Денис только в Москве. Выглянул из иллюминатора и обнаружил за окнами родной пейзаж. Перемещения из Индии в Москву он совершенно не помнил. Фээсбэшники затолкали друг друга локтями:

— Смотри, спящая царевна оживает!

— Гляди, сияет, как медный чайник.

Денис, не глядя на них, строго сказал:

— Это бхавагата-пурана сияет... словно... солнце. Она взошла сразу после того, как Господь Кришна удалился в свою обитель. Она несет свет людям, утратившим способность видеть в непроглядной тьме невежества века.

— Что за хрень?! — Фээсбэшники посмотрели друг на друга.

— Веды.

— Чего?!

— Неподвластная времени мудрость Индии нашла свое выражение в Ведах — древних санскритских текстах, охватывающих все области человеческого знания. Настоятельно рекомендую.

Фээсбэшники пожали плечами, а Денис ступил на трап.

— Слушай, этот чудик приторможенный какой-то. Всю дорогу вроде бы с нами был, а вроде бы и отсутствовал совсем. Зачем он Ник-Нику понадобился? Он же даун форменный.

— А это уже не наше дело, но одно могу сказать наверняка: Ник-ник ничего просто так не делает.

Подобного ему видеть давно не приходилось. Николай Николаевич Спицын сидел в просторном кабинете на Лубянке и с недоумением разглядывал доставленного ему Грязнова-младшего. Молодой человек не проявил ни капли растерянности или испуга, которые обычно были свойственны людям куда более опытным и крепким при посещении знаменитого здания КГБ. Денис развалился в расслабленной позе в одном из кожаных кресел, проигнорировав жест генерала, приглашающий его присесть на жесткий казенный стул рядом с его рабочим столом. Одет он был в высшей степени неподобающе для этого места: шорты-бермуды, яркая цветастая гавайская рубаха, на лбу нарисована красная точка, неприлично сильный загар, картину довершали босые ноги в тапочках-вьетнамках. На лице Дениса сияла приветственная улыбка, странность которой заключалась в том, что она не была обращена ни к кому определенно. Надо же, каким индусом заделался!

Генерал неожиданно обнаружил, что он сам глупо улыбается и чуть ли не подхихикивает. Он насупился и, нахмурив брови, приступил к делу:

— Вы знаете, зачем мы вас вызвали, господин Грязнов?

— Не имею ни малейшего понятия, генерал-лейтенант. Простите, не знаю, как вас по имени-отчеству.

— Николай Николаевич Спицын, начальник отдела по борьбе с терроризмом.

— Осмелюсь предположить, Николай Николаевич, что в деле борьбы с терроризмом на необъятных просторах нашей родины возникли непредвиденные и плохо преодолимые трудности, ведь так? — спросил Грязнов-младший, слегка позевывая. — И вам для разрешения задач государственной важности требуется мой ни с чем не сравнимый интеллект.

Спицын с трудом сдержался, чтобы не заорать на наглого посетителя.

— Не зарывайтесь, Грязнов.

— Зачем я тогда вам нужен? — сказал Грязнов, с трудом подавив зевок.

— Молодой человек, — сухо сказал генерал, — я понимаю, что перепады во времени и долгий перелет на вас подействовали, но постарайтесь все-таки собраться и вникнуть в те задачи, которые вам придется решить.

— Не волнуйтесь, генерал. Я сейчас вынослив, как никогда. Слушаю вас внимательно.

— Излагаю суть дела. Похищен тележурналист Кондрашин.

— Кто это такой? — плавным голосом спросил Денис.

Спицын подумал, что Грязнов-младший намеренно провоцирует его своим вызывающим поведением, и решил не поддаваться на это юродство. Какое счастье, что он решил провести беседу с этим типом тет-а-тет, в отсутствие своих подчиненных, а то от генеральского авторитета не осталось бы и следа. Николай Николаевич сухо проинформировал частного детектива:

— Леонид Кондрашин, ведущий программы «Итоги недели» на канале СТВ. Самая рейтинговая программа из информационно-аналитических передач. Кондрашину тридцать девять лет. Кроме работы над своей передачей «Итоги недели» он вел цикл «Герои нашего времени» о русских военных, сражающихся в Чечне. Четыре дня назад его похитили. Предположительно, чеченские террористы. В качестве выкупа требуют коллекцию драгоценностей стоимостью в шесть миллионов долларов. В качестве человека для передачи выкупа похитители назвали вас, господин Грязнов. Именно поэтому за вами и прислали президентский самолет. Дело чрезвычайной важности, на контроле у президента. Эй! Вы меня слышите?!

Последнее замечание было не лишним, потому что взгляд у человека в шортах и шлепанцах стал совсем уж неприлично мечтательным. Может, он там, в Индии, какой-то восточной дряни наглотался, подумал генерал.

— Слышу, — как эхо отозвался Денис, еще немного подумал и подтвердил, что это не пустые слова. — А выкуп-то надо отдавать за живого журналиста или за мертвого? Где гарантии, что после передачи выкупа мы получим Кондрашина живым и здоровым? Кстати, как этот телеведущий выглядел? Я что-то не припомню его визуального портрета.

Неужели парень не придуривается, а реально не смотрит телевизор и не знает, как выглядит Кондрашин?

— Вот фотография Леонида. Сделана в прошлом месяце.

Грязнов мельком глянул на карточку, встал с кресла, но шлепанцы не надел, а стал босиком расхаживать по кабинету генерала. Потом хмыкнул и сказал:

— Так если его продержать пару-тройку дней в подвале каком-нибудь, да ухо еще, например, отрезать, грязью лицо как следует замазать, вряд ли его родная мать узнает.

Генерал напрягся:

— Откуда вы знаете про ухо?

— Какое ухо?

— Кондрашина, разумеется.

— Ничего я не знаю про кондрашинское ухо, а также про его нос, зубы и прочие части тела. Мне он и его карма глубоко безразличны.

— Денис Андреевич, пожалуйста, будьте серьезны, вы должны понимать, что вас выбрали не случайно. Но может быть, вы догадываетесь почему?

Денис снова, в который уже раз, посмотрел сквозь генерала. Спицыну от этого взгляда стало не по себе.

— Не имею ни малейшего понятия. Последние несколько недель я был занят исключительно самосовершенствованием и постижением канонов абракадабра-йоги на берегу Индийского океана. А что вас так ухо взволновало?

— Похитители прислали отрезанное ухо журналиста.

— Это действительно его ухо?

— Да, его опознали по характерной родинке на мочке.

— Кто опознал?

— Родные и близкие журналиста. И группа крови совпала.

Денис помолчал минуту, потом высказался с глубокомысленным видом:

— Видно, дело зашло далеко.

Спицын кивнул.

— Значит, шансов получить журналиста живым с каждым часом все меньше и меньше.

— Наконец-то вы поняли серьезность ситуации.

— Что от меня требуется? — спросил Грязнов-младший.

— На данный момент мы вынуждены соглашаться на все требования похитителей. Вам нужно срочно выехать в Ростов-на-Дону, поселиться в гостинице и ждать, когда террористы выйдут с вами на связь.

— А почему вы похитителей террористами называете?

— Согласно одной из версий, в деле прослеживается «чеченский след», к тому же данный инцидент снова ставит под сомнение мирное урегулирование чеченской проблемы.

Очередная минутная пауза ознаменовалась рождением следующей реплики:

— Генерал, вы ведь не верите ни в каких террористов, не правда ли?

Спицын взглянул на собеседника: похоже, в этом клоуне что-то есть. Все-таки перед ним сидел не паясничающий курортник в пляжных тапочках, а профессионал. Вот только едва ли полностью сконцентрированный на решении стоящей перед ним задачи; надо парня как-то мобилизовать, подстегнуть. Действительно, сказки про террористов можно было рассказывать только обывателем. Ник-Ник ответил:

— Да, у меня есть серьезные сомнения в том, что Кондрашина похитили боевики. Единственное, что показывает на чеченцев, — это место похищения — гостиница в Грозном. Все остальное нетипично. Для любых злоумышленников может быть выгодно использовать неразбериху военного времени, чтобы под шумок обтяпывать свои аферы.

Денис кивнул и стал изучать потолок.

Спицын уже привык к этой его размеренности и медитативности. Интересно, парень всегда таким был или это последствия индийского отдыха?

— Итак, я приезжаю в Ростов и жду сигнала от похитителей. Драгоценности для выкупа мне самому в Ростов везти или мне их передадут позже?

— До Ростова вы будете под охраной...

— Вы имели в виду, что чемодан с драгоценными камнями будет под охраной... — вкрадчиво заметил Грязнов-младший.

Черт, этот йог доморощенный словно мысли читает. Конечно, в первую очередь всех беспокоит сохранность коллекции. Генерал продолжил:

— В Ростове, по требованиям похитителей, вы должны быть один и без оружия, иначе Кондрашина сразу убьют.

— Мне можно будет воспользоваться поддержкой своих сотрудников?

— К сожалению, это абсолютно невыполнимо. Похитители продемонстрировали детальное знание вашей биографии. Наверняка они знают в лицо всех ваших сотрудников. Вам придется импровизировать по ходу дела. Главная задача — убедиться, что Кондрашин жив, прежде чем передать чемодан с камнями.

— М-да, похоже на съемки фильма «Миссия невыполнима». На незнакомой территории, одному, без поддержки. Задача очень сложная. К тому же нет никаких гарантий, что Кондрашин все еще жив.

— Общественность требует, чтобы было сделано все возможное для освобождения народного любимца.

— Что общественность требует, оно понятно, но я ведь не Джеймс Бонд, да и не кино это. Кстати, а почему выкуп такой идиотский? Камни какие-то драгоценные. Деньги все-таки как-то надежнее. Есть механизмы, как их отмыть. Полежат несколько лет в соответствующих банках, походят в обороте разных стран и отмоются. А с камнями что делать? Распиливать их только. Ценность сразу в несколько раз падает.

— В этом деле вообще много вопросов. Денис, вам знакомо имя Анастасии Чегодаевой? И ее мужа Степана Чегодаева?

— Фамилия вроде бы знакомая. Артисты какие-нибудь?

— Степан Петрович Чегодаев — один из самых влиятельных олигархов в нашей стране, неужели вы этого не знаете?

— Не припомню что-то. Гусинского помню, Ходорковского... Или их всех уже равноудалили?

— Денис, вы сколько времени пробыли в Индии?

— Это смотря какое время считать. Если объективное, внешнее, то не больше шести недель. Если субъективное, внутреннее, то несколько лет.

— Похоже, что и объективно вы несколько лет связь с реальностью не поддерживали, — пробурчал себе под нос генерал. — Вы тут почитайте пока материалы дела, может, мысли какие-то придут свежие. А мы пока подготовим вам костюм, более подходящий к случаю.

— С превеликим удовольствием. Если можно, минералки холодненькой плесните в стаканчик.

Генерал, сцепив зубы, выскочил из кабинета. Его

секретарша принесла Денису охлажденного боржоми, и Грязнов-младший углубился в чтение толстой папки, содержавшей все по кондрашинскому случаю. Спицын мог наблюдать, как себя ведет детектив, через видеокамеру, вмонтированную в потолок кабинета. Странный сыщик взял папку и стал читать, прихлебывая минералку. Расслабленное выражение лица его изменилось и приобрело более концентрированные черты. Профессиональное чутье подсказывало Спицыну, что Грязнов, несмотря на всю свою экстравагантность, не состоит в связи с похитителями и действительно практически ничего не знает о деле. Тогда тем более странно, откуда о нем так осведомлены террористы. Николай Николаевич решил, что наблюдение за Денисом в данный момент уже ничего не даст, и снова вошел в кабинет.

— Какие есть соображения?

— В высшей степени запутанное дело. Больше похоже на семейную вендетту, а не на акцию чеченских сепаратистов. И красавица эта весьма подозрительна, Анастасия Вереницына-Чегодаева.

— Вы проницательны.

— Такая работа, — развел руками Денис, на каковой жест ему понадобилось секунд десять. — Ладно, я готов действовать, пока этому типу второе ухо не отпилили.

— Тогда у меня к вам еще одна просьба, — сказал генерал. — Переоденьтесь, ради бога.

Денис вошел в люксовый номер «Аксиньи» — самой шикарной гостиницы славного города Ростов-на-Дону. О кондиционерах и горячей воде здесь, похоже, давно уже не слыхивали, поэтому пришлось залезть в холодный душ. На кафельном полу задумчиво шевелил усами таракан. Что ж, все мы твари божьи, не стоит раздражаться из-за таких мелочей, да в общем-то после индийского тренинга это и в голову не придет. Грязнов-младший вышел из душа и решил смягчить напряженность ожидания медитацией. Он сел в банальную позу лотоса посреди гостиничного номера и постарался настроиться на предстоящую операцию. Его не покидала уверенность, что высшие силы помогут в нужный момент и он со всем справится, несмотря на кажущуюся невыполнимость поставленной задачи. Закончив медитировать, Денис поставил перед собой портрет Кондрашина и попытался представить его в менее презентабельном виде — со сбитым набок галстуком от Армани, модной рубашкой, потерявшей свежесть, трехдневной щетиной и прочими признаками пребывания в руках похитителей. Пять ростовских звезд не предполагали обычных удобств, зато в номере была видеодвойка. Денис достал кассету с записью последних до похищения передач Кондрашина и стал внимательно смотреть. Все-таки ему скоро предстоит в считанные секунды определить, показывают ему настоящего Кондрашина или его двойника.

Телеэкран часто меняет людей или, если быть точным, часто проявляет в них какие-то качества, на которые в обычной жизни легко не обратить внимания. Денис много раз замечал, что девушки, абсолютные красавицы в жизни, оказываются на телеэкране неуклюжими толстухами. Вальяжные мачо кажутся обыкновенными уголовниками. Людей невысокого роста оператор может снять так, что они будут выглядеть чемпионами по баскетболу. Нужно не концентрироваться сейчас на экранном обаянии Кондрашина, а запомнить его особые индивидуальные приметы. Скорее всего, весь телевизионный лоск с журналиста к моменту их с Денисом встречи сойдет окончательно. Тут сыщику пришла в голову мысль об отрезанном ухе. К сожалению, его незавершенного да к тому же основательно подзабытого медицинского образования не хватало для того, чтобы точно вспомнить, насколько опасна жизнь с ампутированным ухом, какова обычная интенсивность кровотечения и сколько есть времени у медиков, чтобы спасти пациента. Остается надеяться, что похитители действительно заинтересованы в этих камушках и им необходимо поддерживать иллюзию того, что журналист жив. Мрачные мысли полезли Денису в голову, и он опять принялся медитировать, вспоминая шуршание прибрежных волн Индийского океана. Денис вспомнил, как по утрам по крыше его хижины стучали ветви деревьев, звук был странным — что-то среднее между стуком и поскребыванием в дверь. Да, именно от этого звука он просыпался на рассвете...

Хм. Это ведь правда кто-то скребется в дверь его номера. Денис поднялся на ноги и открыл дверь. На полу лежал мобильный телефон устаревшей модели, здоровенная такая штуковина. В Москве с таким из дома не выйдешь — засмеют. Денис бросил взгляд в коридор — ни души, вышел из номера, живо пробежался до выхода на лестницу — никого. Что ж, один — ноль в их пользу. Взяв мобильник, Денис устроился в кресле рядом с окном. Долго ждать не пришлось, звонок раздался через несколько минут.

— Грязнов слушает.

— Значит, так, дорогой, — в трубке послышался грубый мужской голос с заметным кавказским акцентом. — Бери чемоданчик с камушками, выходи из гостиницы и садись на троллейбус номер пять. Если за тобой будет хвост — сделка отменяется.

И тут же раздались гудки. Видно, на том конце

провода не слишком интересовалась, что по поводу этих инструкций думает сам детектив. Денис захватил кейс с драгоценностями, накинул легкий льняной пиджак — скорее по привычке, ведь летом главной функцией пиджака было прикрывать наплечную кобуру с оружием. Не ощутив привычной тяжести на теле, Грязнов-младший почувствовал себя неуютно и уязвимо. Ладно, прорвемся! Он быстрым шагом вышел из гостиницы. Нужный троллейбус словно поджидал его. Салон был не то чтобы переполнен людьми, но и не пустовал. Денис попытался внимательно всмотреться в лица пассажиров, но скоро бросил это занятие. Пара пенсионеров с корзинками яблок, толстая тетка предпенсионного возраста с пацаном дошкольного возраста, красивая молодая казачка с толстой косой. Мало кто из них был похож на пособника террористов, и в то же время любой мог таковым оказаться. Денис пощупал кейс. Чемоданчик был ужасно неудобным. Внешне он напоминал дорожный кейс, который используют для перевозки косметики богатые дамочки. Впрочем, Анастасия Чегодаева именно такой и была. Может быть, они просто не успели упаковать камушки в какой-нибудь нейтральный дипломат. Но вот с этим дамским косметическим кейсом в стильном летнем пиджаке Денис среди суровых провинциалов выглядел бы слишком вызывающе. Еще поднимет на смех какой-нибудь местный бездельник и привлечет к нему совершенно лишнее внимание. Это будет не в тему. Чтобы избежать недоразумений, Денис обернул чемоданчик с камушками в обычный полиэтиленовый пакет. Теперь со стороны можно было подумать, что парень едет к девушке на свидание или просто на вечеринку, а в пакете у него выпивка и закуска.

Мобильник опять затрезвонил. Тот же голос прогавкал в трубку:

— Выходи прямо сейчас и заходи в закусочную «Огонек». Возьми пива и жди дальнейших указаний.

Забегаловка оказалась местом, где тусовались по преимуществу водители такси. Здесь Денис выглядел неуместно даже с закамуфлированным дамским кейсом. Он изобразил из себя рубаху-парня и, протолкавшись к прилавку, спросил буфетчицу:

— Пиво холодненькое есть? Умираю от жажды.

Девица улыбнулась, в кои-то веки увидев приличного посетителя, и вполне любезно пролепетала:

— Вам «Клинское» или «Балтику»?

Не успев отхлебнуть ни глотка, Денис снова схватился за трезвонивший мобильник.

— Лови тачку и езжай в аэропорт. Быстро. Где-нибудь застрянешь — сделка сорвется.

Денис почувствовал, что начинает злиться. Тогда он решил демонстративно допить пиво, расплатился, вышел на стоянку машин и спросил:

— Мужики, кто в аэропорт меня отвезет?

— Оплатишь дорогу в оба конца, — хмуро ответил водила.

— Сколько?

— Тысячу, — решил всласть поторговаться таксист.

— Хорошо, только в аэропорту меня подождешь минут пятнадцать — двадцать. Может, обратно в город надо будет срочно поехать.

Мужик, которому поломали весь кайф от торга, мрачно сел за руль и почти сразу выдал километров сто.

— Эй, командир, у вас разве за такое не штрафуют? — удивился Денис.

— Не дрейфь, у нас с гаишниками все схвачено.

Мобильник опять зазвонил:

— Притормозите у рынка. Походи там, фруктов каких-нибудь себе купи.

— Подождите, плохо слышно, я сейчас из машины выйду. — Грязнов стал тянуть время, делая знаки таксисту, чтобы остановился.

Выйдя из машины и отойдя чуть в сторону, он заорал в трубку:

— Что вы там еще придумываете? Что, до сих пор не разглядели, есть у меня на хвосте кто-то или нет? Куда я с этим чемоданом на ваш жульнический рынок попрусь? Соображаете хоть что-нибудь?

— На рынок иди, дорогой. Покупки сделай какие-нибудь. Фрукты тут хорошие, — невозмутимо сказал все тот же голос. Акцент был сильным. Или даже очень сильным. Возможно, его специально имитировали.

Денис с раннего детства ненавидел толкание в очередях, тем более на рынке. Проходя по торговым рядам, ломившимся от изобилия фруктов, парного мяса и всякой всячины, огрызаясь на зазывания торговцев, Грязнов-младший окончательно понял, что на данный момент считает загадочных похитителей своими личными врагами. Отрезали они ухо тележурналисту или не отрезали, ему было по большому счету наплевать, а то, что они так по-идиотски издеваются над ним, директором не самого хилого в столице детективного агентства, его достало. Ну ладно, вот выйдем на открытое пространство, он им покажет. Где же тут очереди найти? Вроде бы рыночная экономика уже все по местам расставила. Ага, вон у хозяйственного киоска выстроился хвост из тетенек средних лет. Денис включил свое обаяние и подлетел к очереди:

— Милые дамы, что за ажиотаж? Что дают?

— «Тайд» с «Фери», с эффектом для особой белизны. На пять рублей дешевле, чем обычно. Киоск закрывают, распродают остатки.

— И что, правда особая белизна получается?

— А как же, милок, у нас в доме эту рекламу снимали. Так мы все и стали энтим «тайдом» пользоваться. Ну никакого кипячения, чесс-ное слово, — стала его просвещать в тонкостях ведения домашнего хозяйства одна из теток.

— А знаете, что я слышал? — поделился Денис. — У нас в стране орудует новая банда мошенников. Они ездят по городам России, находят доверчивых женщин и под видом рекламы «Тайда» заставляют их две недели стирать чужое белое белье!

Женщины ошеломленно раскрыли рты, да так и застыли, пока Денис сам не засмеялся своей шутке.

— Да что ты с ним разговариваешь, жениться ему надо, а не порошок покупать. Разве ж это дело, чтобы такой франт сам себе рубашки стирал?

— Да это ж командировочный! Он нашим девкам только голову задурит, слов всяких наговорит, дела свои сделает и смотает обратно.

— Откуда ты, хлопчик?

— С Москвы, мамаша, — скромно потупился Денис.

— Ну так и пусть с собой невесту забирает, — предложила одна.

Тетки так увлеклись сватаньем Дениса, что позабыли на какое-то время о стиральном порошке по сходной цене. Молодой человек сел на лавочку и внимательно слушал местных женщин. Конечно, с одной стороны, привлекать столь пристальное внимание к своей персоне было неумно, но, с другой стороны, в такой позиции он мог изобразить «толкание в очереди» и внимательно контролировать взглядом достаточно большое пространство рынка. Спина оставалась незащищенной, но Денис был уверен, что йоговские тренировки дали ему возможность видеть внутренним зрением и то, что происходит за его спиной. Он действительно почувствовал, что сзади кто-то есть, но этот кто-то не имеет по отношению к нему никаких злобных намерений. Тихо прошуршали ветви деревьев, и снова все стихло.

Наконец раздался звонок мобильника:

— Возвращайся в такси и езжай в аэропорт.

— Я же еще фруктов не купил!

— Ничего, тебя потом угостят.

Грязнов быстро раскланялся с тетками, которые были уже готовы знакомить его с потенциальными охотницами за московской пропиской, и вернулся к таксисту.

— В аэропорт.

— Я, между прочим, счетчик не выключал.

— Дядя, побойся бога. Ты и так цену зарядил в три раза больше счетчика. Работай давай. Капитализм на дворе. Кто не работает — тот не ест.

— Ты крутой, я смотрю.

— Поехали!

В аэропорту Денис получил по мобильнику от похитителей задание пройти через металлоискатель и обратно.

— Как я через него пройду-то? У меня же билета нет.

— Думай, мы же не зря тебя выбирали.

— Не зря? — деланно удивился Денис, на самом деле элементарно растягивая время. Чем больше разговоров, тем больше информации. Хотя нужно было признать честно: пока что информации было ноль целых ноль десятых.

— Не зря. За сообразительность.

Кое-как удалось уломать девушку на контроле проскочить через металлоискатель. Денис включил свое обаяние на все сто, оставил за барьерчиком на пару секунд полиэтиленовый пакет с кейсом, прошел через металлоискатель, чмокнул девушку в щечку и откланялся.

— Ну ты артист, садись в такси и езжай в город, к северной границе. Там есть стройка заброшенная. Мы тебя ждать будем. Таксиста отпусти, как подъедешь, — сказал ему голос из трубки.

— Сейчас, только сувениров себе на память куплю, — огрызнулся Грязнов-младший.

— Ты поторопись. Журналисту помощь медицинская нужна срочно.

— Еду.

Тем не менее Денис упрямо подошел к киоску со всякой всячиной — от жвачки до фотоальбомов с видами города. Хотя товары были сплошь бесполезные, у ларька стояла очередь человек из трех. Грязнов-младший смиренно дождался своего подхода к заветному окошечку и купил зажигалку, хотя отродясь не курил. Сзади к нему подошел старикан, пока не опустившийся до окончательного бомжевания, но уже к нему близкий, и прошамкал беззубым ртом:

— Угостите табачком, молодой человек!

— Самокрутки вертите, дядя?

— Да мне хоть бы что, лишь бы дымило, — подмигнул дед. — Можешь чем и посолидней старика побаловать.

— Вообще-то я не курю... — Денис внимательно посмотрел на потенциального курильщика, и тот скорчил такую жалостливую мину, что вполне естественным выглядело, что Денис быстро вернулся к окошечку и заказал для него пачку «парламента».

— Кури, папаша. Только это вредно для здоровья.

— Бывают и другие вещи, поопасней, — сказал дед, хлопая Дениса по боку как бы в знак благодарности. Все выглядело вполне естественно.

Медлить было больше нельзя, и Денис бегом подлетел к своему такси.

— На север. Живо.

— Куда на север-то?

— Там у вас какой-то долгострой есть.

— Так то ж долгострой, а не луна-парк.

— Дядя, тебе за разговоры платят или за то, чтобы ехать?

— Ну уж и поговорить нельзя?

Расстояния в Ростове были не чета московским, и до пункта назначения они добрались быстро. Денис расплатился с водителем и отпустил его.

Стройка встретила его зловещим молчанием. Среди недостроенных корпусов жизнь словно вымерла. Не раздавалось ни звука. Грязнов-младший зашел в тень, присел на строительные леса и стал ждать. Его окликнули сзади:

— Эй, смотри сюда!

Оглянувшись, Денис понял, что «смотреть туда» практически невозможно — солнце било в глаза так сильно, что разглядеть что-либо можно было только чудом. Он вынул из кармана рубашки солнцезащитные очки со антибликовым покрытием и вгляделся в группу людей. Двое крепких бородатых мужчин в камуфляже волокли журналиста Кондрашина или того, кого они выдавали за журналиста. Еще двое шли сзади. Голова Кондрашина была перевязана бинтами, в области левого уха они намокли от крови. С них ведь станется для правдоподобия всем подряд уши отрубать. Вот ведь поганые дела.

— Подойдите ближе, я ничего не вижу! — крикнул Денис.

Мужчина с перевязанной головой попытался что-то сказать, но у него получился только нечленораздельный хрип.

Вдруг кто-то сзади схватил Дениса за плечо и попытался выхватить кейс с камнями. Грязнов быстро повернулся и ударил нападающего кейсом по лицу. Тот покатился по земле, схватившись за голову руками. В строительной пыли быстро образовалась кровавая дорожка. Кейс тоже отлетел в сторону.

Тут же раздались пистолетные выстрелы. В Дениса стреляли. Но Грязнов не зря угощал деда сигаретами, теперь ему было чем ответить. Он сунул руку в карман пиджака и несколько раз выстрелил в ответ. Попал он или нет, понять было трудно, оба куда-то разом исчезли, и Денис переключил свое внимание на двух других. Эти пытались скрыться, схватив раненого журналиста и прикрываясь им, как живым щитом. Неожиданно раздалась стрельба откуда-то сверху. Кто-то поддерживал Грязнова-младшего огнем с верхних этажей стройки. Похоже, там сидел снайпер. Выстрел свалил одного из тех, кто был рядом с Кондрашиным, наповал.

— Откатывайся в сторону! — крикнул Денис Кондрашину.

Тот со стоном отполз к краю площадки.

Дениса обступили трое оставшихся в живых бандитов. Тот, которому он разбил лицо кейсом, снова был здесь. Денис рассвирепел и хуком справа ударил бандита в челюсть. Завязалась схватка. Денис впал в эйфорический транс. Ему казалось, что высшие силы стоят за его победу... Он делал какие-то движения руками и ногами словно в разреженном пространстве, в то время как его противники, казалось, словно застыли... Он бы очень удивился, если бы узнал, что действовал с нечеловеческой быстротой, за ним просто никто не успевал... Когда Грязнов очнулся от транса, он обнаружил, что бандиты скрылись, а на площадке лежат два тела. Человек в камуфляже с пакетом в руке и журналист Кондрашин. Денис нагнулся к телеведущему и проверил пульс и дыхание. Тот был без сознания, но живой. А вот в середине лба бандита красовалось пулевое отверстие. Забавно, но к руке его был пристегнут чемоданчик с драгоценностями. Успел же, мерзавец, подсуетиться...

Журналист тем временем очнулся и прошептал:

— Воды...

Пять минут спустя раздался гул сирен. Появились медики с носилками. Набежали люди в военной форме...

Самолет до Москвы на этот раз был тоже не рейсовый. Для Кондрашина отделили в заднем отсеке что-то вроде медицинского блока, рядом с ним все время суетились люди в белых халатах. Дениса хлопали по плечам, поздравляя, те самые фээсбэшники, что приезжали за ним в Индию.

— Молодец, парень! Ловко ты всех раскидал.

— Так уж и всех, — безразлично сказал Денис и снова погрузился в себя, пытаясь восстановить события боя. В том, что это он выстрелил в лоб чеченцу, вцепившемуся в чемоданчик с выкупом, сыщик не сомневался.

Глава вторая

Когда Грязнов-младший вошел в офис детективного агентства «Глория», его с радостными возгласами обступили все сотрудники, даже компьютерный монстр Макс выбрался из-за своих железок.

— Ну как, летать научился? — съехидничал Коля Щербак.

— Не было необходимости, — серьезно ответил Денис, не замечая прикола.

— А как там у них с единоборствами? Устоят перед нашим рукопашным боем? — полюбопытствовал выглядевший как борец-тяжеловес Демидыч.

— Главное в концентрации духовных сил. Если сможешь призвать богов встать на твою сторону — победа обеспечена.

Демидыч переглянулся с Севой Головановым и покрутил пальцем у виска, впрочем, так, чтобы Денис не заметил. Филя Агеев деликатно перевел тему:

— Дэн, а как там девушки? Я слышал, индианкам нет равных в искусстве любви.

— Только умеренность во всем и полное воздержание помогут выйти на связь с богами. Тому, кто ступил на путь воина, надо забыть о плотских утехах, — медленно, словно проговаривая слоги, ответил Денис.

Ребята из «Глории» серьезно обеспокоились. С одной стороны, шеф выглядел как никогда здоровым и отдохнувшим — бронзовый загар, спокойствие и невозмутимость, с другой стороны, возникало серьезное опасение, не попал ли он под действие какой-нибудь ортодоксальной индуистской секты. Или чего-нибудь похуже, например, его похитили инопланетяне и забрали себе для опытов, а на Земле оставили своего робота. Страшная перспектива для детективов из «Глории».

— Я жил при буддийском монастыре, — словно прочитав их мысли, сказал Денис.

Сева решил обратить внимание шефа на текущие дела:

— Денис, что делать будем? Давно уже без клиентов сидим. Надо бы размяться. И «хрустов» подзаработать.

— Шеф, а откуда у тебя шрам на щеке? — поинтересовался Филя. — Что-то там с монахами не поделил?

— Ерунда, это уже в России я попал в небольшую переделку. — Наконец-то в голосе Грязнова-младшего проявились человеческие интонации. — Сейчас меня вызовут в Кремль, а потом я вернусь, и мы с вами обсудим наши дела.

— Куда вызовут?! — После таких заявлений глаза на лоб вылезли даже у компьютерщика Макса, обычно не проявляющего своих эмоций внешне. Похоже, Денис окончательно спятил, и его надо было лечить.

Демидыч ласково обратился к директору «Глории»:

— Денис, ты посиди пока, пивка попей холодненького, а мы скоро...

Но не успели доблестные сотрудники «Глории» уединиться на совещание, как им привести шефа в чувство, раздался телефонный звонок. Филя Агеев поднял трубку и сразу же ответил:

— Господин Грязнов на месте, но занят...

Видимо, собеседник добавил что-то о себе, потому что у Фили вытянулось лицо, он даже слегка побледнел и протянул трубку Денису:

— Тебя тут из администрации президента спрашивают.

— Хорошо, я буду. Да, конечно, пришлите машину, а то у вас, в Кремле, и припарковаться простому смертному негде.

Денис потянулся за пиджаком, завязал дежурный галстук и сообщил подчиненным:

— Еду в Кремль, буду поздно. Сегодня меня уже не ждите, а завтра все расскажу.

Грязнов-младший вышел на улицу, оставив после такого заявления в офисе немую сцену, почище гоголевской. Потом Сева сообразил выглянуть в окно:

— Мужики, похоже, Дениса правда на машине с мигалками увозят.

— Может, понаблюдать за ними? — предложил Демидыч.

— Да ладно вам, вернется — все расскажет, обещал же, — сказал Филя.

— Заторможенный он какой-то, — покачал головой Коля Щербак.

— Может, это и есть буддийское спокойствие и невозмутимость? — подал голос Макс.

— И угораздило же шефа в Индию поехать отдыхать. Как теперь работать будем? И что он в Кремле забыл? — в растерянности пробормотал Голованов.

Денис действительно въезжал в Кремль. Его пригласили в знак признательности за заслуги перед родиной на неформальный ужин с... президентом. Возможно, в прежней жизни такое событие произвело бы на Дениса сильное впечатление, все-таки, что ни говори, а первое лицо государства! Но, во-первых, некоторые близкие друзья Грязнова-младшего были с президентом знакомы и говорили, что ничего, нормальный, мол, живой человек, а во-вторых, его нынешний медитативный настрой ничто не могло сбить и поколебать. К президенту так к президенту, эка невидаль.

К Денису подошел Николай Николаевич Спицын и похлопал его по плечу:

— Молодец, настоящий орел! Честно говоря... не ожидал. Должен прямо по-солдатски это признать.

— Очень трогательно, — заметил Денис. — Ну и

где же президент-то? С вами мы вроде уже разговаривали и до, и после операции?

Генерал-лейтенант крякнул от досады. Ну никакого уважения к старшим по званию. Хотя Денис ведь гражданский, откуда ему понимать военную иерархию и дисциплину. Или это у современной молодежи не осталось ничего святого, никаких устоев?

— Президент немного задерживается. У него важные государственные дела.

— Да вроде бы у него такая работа — заниматься важными государственными делами. Было бы странно, если бы президент страны вдруг стал заниматься неважными и негосударственными. А нам-то что тут по сорок минут париться? Есть не дают, кино не показывают, — проворчал Денис.

— Тихо, так отличился, и сам себе все сейчас напортишь! — цыкнул Спицын. — Не зарывайся, Грязнов, не зарывайся!

Денис решил, что дискуссии со старым служакой бессмысленны, и присел в кресло, что стояло в углу зала. Раздражаться из-за несовершенства этого мира было бессмысленно, поэтому он решил немного помедитировать. Он представил звук волн Индийского океана, шелест листвы в джунглях, шуршание королевской кобры, проползающей по песку. Медитативного транса удалось достичь буквально за несколько секунд. Когда все окружающие его приглашенные на ужин к президенту вдруг заволновались, засуетились, куда-то двинулись, Денис и не заметил.

Президент благосклонно улыбнулся всем присутствующим и сказал:

— Прошу к столу! Ну и где же наш герой-освободитель? Покажите мне его.

Возникла неловкая пауза. Дениса в обеденном

зале не было. Он остался в приемной, задремав в кресле.

Генерал Спицын растерянно сообщил:

— Господин Грязнов только что был с нами, господин президент.

Президент понимающе улыбнулся и обратился к одному из своих помощников вполголоса:

— Найдите господина Грязнова и пригласите на ужин. Время приступать.

Пока президент говорил приветственную речь всем участникам операции по освобождению журналиста Кондрашина, его помощник выскочил в приемную и обнаружил Дениса мирно спящим. Помощник некоторое время смотрел на эту немыслимую картину, не веря собственным глазам.

— Молодой человек, что вы себе позволяете? — угрожающим шепотом зашипел он. — Президент вот уже семь минут как в обеденном зале.

— Ну и что? — сквозь дремоту отвечал Грязнов-младший. — Я его пятьдесят семь минут ждал. С половиной.

— Вы что, с ума сошли? Вы не понимаете, что вы в Кремле на официальном приеме у президента?!

— Да ладно вам. Скорее наоборот, на неофициальном ужине. Официальные приемы по телевизору показывают, а сегодня нет никаких телекамер и в помине, — лениво отвечал Денис, просыпаясь. — Не суетитесь, я уже иду.

Грязнов не спеша прошел в зал и сел на единственное свободное место за столом, удостоив собравшихся извинительным кивком. Впрочем, кивнул он с большим достоинством, словно сам был тут хозяином, опоздания которого были вызваны исключительно важными делами, от которых зависела судьба страны.

Президент был или старался казаться человеком европейского склада, поэтому не стал акцентировать внимание на неловкой ситуации. Он лишь спросил тихо у своего помощника:

— Что там произошло?

Помощник прошептал на ухо президенту:

— Господин Грязнов заснул.

И президент не нашелся, что сказать по этому поводу, такого на его памяти, да и на памяти его предшественников, пожалуй, еще не было. Он уже успел привыкнуть к тому, что его окружают кремлевские лизоблюды. Каждое выражение его лица, каждая фраза ими истолковывались и распространялись в кремлевских кулуарах. Истолковывались, надо сказать, далеко не всегда верно. Однажды, когда его мучила изжога, его спросили о работе премьер-министра. Не считая нужным отвечать в тот момент, президент просто махнул рукой и перекривился от неприятных ощущений, вызванных изжогой. С тех пор пресса регулярно муссирует миф о скорой отставке кабинета правительства. Ну и слава богу, русские без страха работать не могут. Премьером был крепкий парень, прекрасно справлявшийся с бюрократической машиной российского правительства, но и ему не мешало волноваться за свое кресло. А вот степень раскованности и духовной свободы простого частного детектива президента поразила, и он стал внимательно наблюдать за Грязновым.

Держится свободно, шутит уместно, выпивке знает меру (то есть не пьет вовсе!), просто делает вид, что смакует хорошие вина, видимо, знает в них толк, похоже, не курит. Курить на кремлевских обедах было запрещено, ибо сам президент не курил, но курильщики обычно выдавали себя особой нервной обеспокоенностью в тот момент, когда им было пора затянуться сигаретой, а протокол не позволял отлучиться. Денис никаких признаков беспокойства не проявлял.

Когда подали десерт, к Денису подошел тот самый помощник, что его будил, и сказал вполголоса:

— Президент приглашает вас на беседу после ужина.

Беседа состоялась в узком кругу — сам президент, два его помощника, Грязнов-младший и генерал-майор Медведь, функции которого Денису были неизвестны. Денис был самым молодым в этой компании, но и из остальных участников песок еще не сыпался. Генералу было на вид чуть меньше сорока, помощникам президента — чуть за сорок, возраст президента был всем известен, но это был самый молодой и бодрый правитель страны за последние лет сто.

— Господин Грязнов, мы еще раз выражаем восхищение вашими действиями в ходе операции по освобождению журналиста Кондрашина из рук террористов, — сказал президент. — Вы проявили мужество, доблесть, отвагу и высокий профессионализм. И... Мы хотим вам предложить перейти на государственную службу.

Увидев, что лицо Дениса далеко от выражения эйфории в связи с переходом на службу государству, президент быстро продолжил:

— Вы не поняли, мы не предлагаем вам работать в обычных структурах МВД или ФСБ. На арабском скакуне воду не возят. Сейчас создается новое силовое ведомство с расширенными полномочиями, штат которого в стадии формирования. Пожалуй, Герман Иванович лучше расскажет суть этой идеи.

Генерал-майор Медведь оживился и стал излагать:

— Традиционно у нас в стране все и всех контролировал КГБ, в данное время ФСБ. Степень влияния на жизнь общества ФСБ несоизмеримо ниже, чем КГБ в свое время. Это не хорошо и не плохо, просто другая эпоха настала. Тем не менее такой огромной стране, как Россия, на современном историческом этапе развития просто необходимы сильные, эффективные спецслужбы. Было решено создать тайное ведомство, главной задачей которого будет контроль за деятельностью ФСБ, в то время как ФСБ контролирует всех остальных. — Голос у Медведя был железный, так, наверно, разговаривали чекисты в двадцатые годы, когда еще не боялись, что их самих могут поставить к стенке.

— Прекрасная идея, — вежливо вставил реплику Денис.

— Штат нового ведомства еще не укомплектован. Я временно исполняю обязанности руководителя этой структуры. Мы собираемся работать небольшими командами, состоящими из профессионалов экстра-класса. Сейчас ведется отбор по-настоящему достойных кандидатов. Вы, Денис Андреевич, нам идеально подходите. Присоединяйтесь к нам, и вас ждет блестящая карьера!

— Вы знаете, господин президент, — обратился Грязнов напрямую к главе государства, — в моей жизни есть странная закономерность. Стоит мне только задуматься о переходе на государственную службу, как в ней все идет наперекосяк. Одно время меня это даже сильно мучило, ведь я юрист по образованию и серьезно задумывался о работе следователем.

— Я вас понимаю, я тоже юрист, — то ли пошутил, то ли сказал серьезно президент.

— Так что, к моему глубочайшему сожалению, я

вынужден отказаться от столь заманчивого предложения.

Воцарилась длинная пауза. Президент смотрел на Дениса, его помощники и Медведь — на президента, а Денис — на всех сразу и ни на кого в отдельности. Он снова открыл рот, и все вздохнули с облегчением: кажется, решили, что передумал.

— Со своей стороны, — добавил Денис, — обещаю все здесь услышанное хранить в строжайшей тайне.

— Вы уж постарайтесь, — недобро блеснул глазами генерал-майор.

А президент ничего не сказал, только кивнул на прощание.

На обратном пути Денис отказался от услуг служебного кремлевского автомобиля, вскочил в метро и долго проверял, нет ли за ним хвоста. Ужины в Кремле до добра не доведут. Не сталинские, конечно, времена, но все же, все же... Впрочем, на этот раз все кончилось благополучно. Грязнов-младший добрался до дома и с облегчением развалился в кресле перед телевизором, по которому шел старый недобрый американский фильм «Три дня Кондора» с Робертом Рэдфордом. Денис вспомнил, что смотрел его еще мальчиком в советском кинопрокате, и снова расслабился.

С утра Ник-Ник был мрачен и неприветлив. Его сотрудники переглядывались, пытаясь определить причину неудовольствия шефа. Конечно, мало кто из них мог знать о том, что генерал-лейтенанта Спицына серьезно обеспокоило то, что на беседу в узком кругу после ужина с президентом его не пригласили, а этого выскочку и карьериста Германа Медведя позвали. Но кроме аппаратных игр возникли серьезные затруднения в расследовании дела о похищении Кондрашина. Широкой публике были уже безразличны детали той операции — Леонид Кондрашин дал пресс-конференцию, обещал возобновить свои телепередачи сразу после курса реабилитации, который он собирался пройти в ЦКБ. Пока Кондрашин запустил проект новостной и аналитической передачи «Сегодняшний взгляд». Они давно готовили эту ежедневную вечернюю программу и собирались запускать ее только в следующем сезоне, но ажиотаж вокруг похищения способствовал пиар-эффекту, поэтому было решено стартовать именно сейчас, пока внимание публики к Кондрашину не ослабло. Он придумал «политкорректную фишку» — ведущей была девушка-чеченка с весьма заметным акцентом. На самом деле после освобождения журналиста неувязок и несостыковок в деле похитителей становилось все больше и больше.

На совещание в кабинет генерала собрались только самые доверенные сотрудники.

— Докладывайте. Только факты. Версий не надо, — хмуро буркнул Спицын.

— Погибших двое. Троим бандитам удалось скрыться с места происшествия. Личность одного из убитых определить на данный момент невозможно. Личность второго установить удалось — это Хожа Исмаилов. Когда-то он был полевым командиром, но уже очень давно перешел на сторону федералов. Служил в ФСБ Чечни, лично участвовал в антитеррористических операциях, отлично себя проявил, пользовался особым доверием. Был убит выстрелом в голову, пуля прошла через центр лба навылет. Баллистическая экспертиза показала, что пуля вышла из пистолета Грязнова.

— Кстати, как этот орел Грязнов-младший пистолет-то достал? Его же по всему городу водили, глаз не спуская, — спросил Николай Николаевич.

— Единственное, что можно предположить, это что в аэропорту ему бомжеватый дедок пушку подсунул.

— А за дедком-то наружку установили?

— Товарищ генерал, увы, тут мы прокололись, ушел дед от слежки. Как сквозь землю провалился. Похоже, что профессионалы работали.

— И без вас ясно, что профессионалы, — буркнул генерал. — Продолжайте доклад.

— К трупу Исмаилова был прикреплен наручниками кейс с драгоценностями.

— Точнее, пожалуйста, — потребовал деталей Спицын, хотя ему уже давно были известны все подробности.

— Видимо, Исмаилов закрепил на руке кейс с помощью обычных милицейских наручников еще до того, как получил пулю в лоб.

— Почему вы исключаете возможность того, что кейс был закреплен наручниками уже на трупе?

— Нелогично как-то.

— Но вероятность такая имеется?

— Теоретически — возможно, практически — маловероятно.

— Значит, так, выводы по делу следующие: что-то тут серьезно не стыкуется. Для Исмаилова участие в похищении, да еще таком скандальном, совершенно нелогично. Я был лично с ним знаком. Фактически Исмаилов не террорист, даже в бытность полевым командиром он никогда не занимался похищениями. Нужно срочно допросить и Грязнова, и Кондрашина, чтобы установить все досконально о ходе операции освобождения. Тех бандитов, что скрылись с места передачи выкупа, найти обязательно, хоть из-под земли доставайте. Скорее всего, они все еще на территории Чечни. Сейчас все свободны, — подвел итоги генерал. — Кудряшов, останься.

Помощник, несмотря на свою неопытность, был симпатичен Спицыну. Генерал часто оставлял парня при себе и вел с ним своеобразные «односторонние» диалоги, высказывая свои мысли, предположения, сомнения. Парень, не отличавшийся ни статной выправкой, ни умением плести аппаратную интригу, был мастером невербального общения, то есть мог слушать собеседника, не проронив ни слова, но создавая впечатление, что он активно участвует в коммуникации. Даже такой прожженный волк, как генерал-лейтенант Спицын, не смог устоять перед тем трепетным вниманием и восхищением, которым его окружал Петр. Вот и сейчас он стал выговариваться перед помощником, как перед самим собой:

— Понимаешь, Петя, что-то тут не так. Я действительно неплохо Исмаилова знал. Ты знаешь, мы — те, кто по Чечне работает, — привыкли чеченцам не доверять. Выражение «Хороший чеченец — мертвый чеченец» зачастую оказывается суровой правдой, а не геноцидом каким-нибудь. Ведь они как устроились: днем он прикидывается мирным чеченцем, в администрацию идет за пособием по безработице, многодетности, да и еще бог знает чему, а ночью — раз, и бомбочку в сельсовет заложил. Чеченцы всю свою историю зарабатывали на жизнь грабежами и разбоями, с чего это вдруг им мирными аграриями становиться?!

— Понимаю, Николай Николаевич, — поддакнул помощник.

— Так вот, редко, очень редко, но все-таки случается, что среди чеченцев есть люди, которые переросли в своем развитии законы шариата, и им хотелось бы более цивилизованного уклада жизни. Многие ведь образование в России получили, в лучших московских вузах, и совсем от жизни своих аулов или кишлаков оторвались. Исмаилов университетов не кончал, но быстро смекнул, что, воюя на стороне боевиков, загоняет себя в угол. Всю жизнь партизаном он быть не хотел, у него семья большая, детей то ли трое, то ли четверо, а может, и больше: дурное дело — не хитрое. Так вот, с тех пор как Исмаилов на нашу сторону перешел, он *ни разу,* я гарантирую, ни разу, не двурушничал. Разве может человек в два дня измениться?

— Не знаю, Николай Николаевич, — честно ответил помощник на риторический вопрос.

— Вот то-то и оно, что вряд ли. Еще что важно — он ведь и в бытность свою полевым командиром никогда похищениями и требованиями выкупа не занимался. В Чечне ведь это один из основных способов бизнеса после торговли наркотиками и оружием. Как Хожа мог вляпаться в такую историю? Главное, ведь все факты против него. Не зря же на него Грязнов бросился с пистолетом, значит, Исмаилов белым флагом не размахивал, а вел себя агрессивно. Кейс на руке явно говорит о том, что был в курсе всего, что замыслили бандиты, а в их планы явно не входило отдавать Кондрашина в обмен на камушки. Забрали бы чемоданчик, а журналюгу кокнули бы где-нибудь на той же стройке. В крайнем случае, оттащили бы подальше, чтобы труп не нашли. Но если мыслить логически?.. — генерал надолго задумался.

— Если мыслить логически... — эхом повторил последнюю фразу Спицына помощник Петя.

— Да, если мыслить логически и отбросить за скобки всякую психологию типа мог — не мог, надежный — ненадежный, в конце концов, любого человека можно подкупить, запугать, обмануть, наконец... Какие у Исмаилова были возможности при похищении Кондрашина?

— Налить вам водички, Николай Николаевич? — любезно поинтересовался помощник.

Генерал-лейтенант отмахнулся и продолжил свой монолог:

— Можно с уверенностью утверждать, что Исмаилов знал систему охраны гостиницы, где останавливались особо важные персоны, в том числе и Кондрашин. Если он владел данной информацией, он мог или передать ее похитителям, или сам руководил похищением. Тогда становится понятным, почему из охранников никого не убили. Все-таки я Хожу лично знал, и он зверем никогда не был. Нормальный мужик. Похоже, что это какая-то грандиозная подстава.

Тут генерал осекся. Всему надо меру знать. Далеко не все предназначено для ушей пусть даже самого преданного ему помощника.

— Сходи за водичкой, сынок. Только похолоднее, пожалуйста.

Похоже, что это была не простая подстава, а какой-то многоходовый внутрифэзсбэшный заговор. Генерал насупился и стал чертить схему из квадратиков, треугольничков и стрелочек на листе бумаги. Все эти геометрические фигуры пока что ровным счетом ничего не обозначали, но от них на душе становилось спокойней.

Когда на следующее утро после кремлевского приема Денис вошел в офис «Глории», он был встречен изумленным молчанием сотрудников. После долгой паузы, которую сам Грязнов-младший, казалось, и не заметил, Сева Голованов робко спросил:

— Шеф, ну и... как там?

— Да как обычно, — пожал плечами Денис.

— Орден дали? — съехидничал Филя Агеев.

— Пока нет, — спокойно ответил Грязнов.

— Ну, у тебя еще все впереди, — шутливо добавил Коля Щербак.

— Я тоже так думаю, — без тени улыбки кивнул Денис.

То ли у шефа чувство юмора начисто отшибло на берегу Индийского океана, то ли оно стало таким утонченным, типа английского, что простым смертным уже не понять. Сыщики переглянулись и решили, что по мере адаптации Дениса в родном климате, возможно, он придет в себя и освободится от приобретенной заторможенности.

Зазвонил офисный телефон. Филя потянулся за трубкой.

— Может, клиент толстый к нам обратиться хочет... — с надеждой сказал он.

— Алло, агентство «Глория» слушает, — опередил его Щербак, взяв трубку первым. — Да, господин Грязнов на месте. Секундочку...

Николай повернулся к Денису и сказал:

— Вчера ты в Кремле был нужен, сегодня за тобой олигархи охотятся. Сам Чегодаев говорить с тобой хочет.

Грязнов-младший невозмутимо прошествовал к телефону и произнес:

— Да, Степан Петрович, это я... Сегодня? Только после шестнадцати ноль-ноль. Можете прислать машину, если вам так удобнее.

— Или вертолет, — добавил Филя.

— Или подводную лодку, — внес свою лепту Голованов.

Положив трубку, Денис сел за свой директорский стол и стал задумчиво теребить в руках индийские четки из сандала.

— Эй, шеф, а чего Чегодаеву-то от нас надо? — спросил Голованов.

— Наверное, как вежливый человек, хочет мне сказать спасибо лично. Что еще? — Денис пожал плечами, ставшим уже привычным жестом, и продолжил перебирать четки.

— Может, тебе на Чегодаева информацию подобрать на всякий случай? Надо же к встрече с ним подготовиться.

— Попробуйте, — равнодушно сказал Денис. — Может, правда когда-нибудь пригодится.

— Макс! — тут же заорал Сева. — Вали сюда, есть задание!

Компьютерный монстр Макс неохотно вылез из-за полуразобранного компьютера и недружелюбно буркнул:

— Ну и?

— Шеф сегодня после обеда к олигарху одному пойдет в гости. Чегодаев фамилия. Собери на него досье, и пооперативней.

— Общую информацию или компромат?

— Да и то, и другое может понадобиться. Давай, надо шефу освежить память, а то он совсем не от мира сего стал. Видишь, даже улыбаться не может.

— Беспричинный смех — напрасная трата энергии, — поведал своим подчиненным Денис.

— М-да, крепко там его потренировали... — крякнул Демидыч. — Авось пройдет со временем. Одно утешает: в Афгане с людьми и не такое случалось.

— Ладно, Макс, ты пошурши там в Интернете, а

мы пока за пивом сходим. Денис, тебе принести? — спросил Филя Агеев.

— Употребление пива в больших количествах плохо влияет на карму, — ответил Грязнов.

— Да, на твою карму, шеф, похоже и впрямь что-то повлияло.

Макс уединился за компьютером, а сотрудники «Глории» решили пойти на улицу, выпить пивка и посовещаться, как им привести Грязнова-младшего в более-менее нормальное состояние.

— Может, его там наркотой накачали? — выдал версию Демидыч.

— Да непохоже, — покачал головой Коля Щербак. — Зрачки нормальные, реакции странные, правда, но особой физиологической заторможенности не чувствуется. Вроде на наркоту не похоже. Только если какой-то новый вид дури изобрели.

В это время в офисе Денис внимательно слушал доклад Макса по Чегодаеву. От заторможенности и след простыл.

— Чегодаев Степан Петрович. Тридцать семь лет. Разбогател на нефти, в медиабизнесе сравнительно недавно. В отличие от других владельцев частных каналов сделал ставку на сотрудничество с властью. Его телеканал СТВ готовит новости по заказу Кремля. Ни разу на их канале не прошло сочувственных репортажей о несчастных чеченских сепаратистах, борющихся за независимость. Чеченские боевики сплошь и рядом называются бандитами и международными террористами. Исламских фундаменталистов сравнивают с коричневой фашистской чумой. СТВ — единственный канал из частных, у которого не было проблем с отключениями электроэнергии, отзывами лицензии и прочая, прочая, прочая. Принимал активное участие в выборах нынешнего президента. На канале СТВ больше всего репортажей о благих делах, которые совершает партия власти. Такие дела.

— Макс, а конкуренты у нашего олигарха есть?

— Сложно сказать, какие существуют конкуренты на таком уровне. Все ведь было заранее распределено — кому какая скважина достанется. В нефтяном бизнесе все поделено и устаканено, иногда только президент кого-нибудь из олигархов пожурит на встрече с предпринимателями, потом несколько недель все это обсуждают. Вроде бы Чегодаев хороший дипломат, и в нефтяном бизнесе у него проблем нет. Западники только к нему придираются, что компания, мол, непрозрачная, на западную систему бухучета не перешли, аудиторов к себе пускают редко и неохотно. Никто не знает, каким пакетом акций компании реально владеет Чегодаев. Есть мнение, что всем.

— А как Чегодаев реагирует на мнение западных экспертов?

— Да никак. Улыбается и говорит, что в России своя специфика бизнеса, особые условия, поэтому он и его компания идут своим путем, а западники могут заткнуться. Когда придет время, он, мол, выведет акции своей компании на Нью-Йоркскую фондовую биржу, а пока еще время не настало. Ну его, конечно, критикуют в «Уолл-стрит джорнал» за неэффективный менеджмент и предрекают всяческие кризисы, но сам Чегодаев живет припеваючи, думаю, если не дурак (он точно не дурак!), то активы компании большей частью вывел в офшоры на Кипре или где-нибудь еще. Главное, у него очень хорошие отношения с властью, поэтому на ближайшие лет десять ему беспокоиться не о чем.

— Так есть что-нибудь про конкурентов?

— Самая известная история о соперничестве в бизнесе — это его отношения с олигархом Ванштейном. В основном это в медийной сфере, конечно, происходит. Чегодаев выстраивает последовательную линию сотрудничества с властью, а Ванштейн, наоборот, ударился в глухую оппозицию. Соответственно, их СМИ друг с другом и воюют. Сенсациями обмениваются, шпильки друг другу вставляют.

— Например?

— Да чего там далеко ходить, Ванштейн в своей газете «Товарищ либерал» Чегодаева таким монстром выставил из-за истории с похищением Кондрашина. Представил его извергом, которому жалко бриллиантиков и для которого человеческая жизнь не имеет никакой ценности. Для пущей завлекательности размазал по первой полосе всю личную жизнь Чегодаева. У того ведь жена была какое-то время любовницей журналиста, все это грязное белье и вывернули на свет, хотя, насколько мне известно, сам Чегодаев проводил жесткую линию: о моей жене после свадьбы ни слова не писать.

— И что, Чегодаев сильно обиделся?

— Похоже на то, хотя пресс-конференцию на эту тему он не давал. Кстати, они с этим журналистом Кондрашиным учились вместе в институте нефти и газа. Вроде бы даже приятельствовали.

— Запутанная история, — задумчиво пробормотал Денис. — И дамочку одну на двоих поделить никак не могут... Или как раз могут?

— Ну что там на самом деле творится, нам можно только гадать. Тебе не пора уже? — забеспокоился Макс.

— Машину обещали прислать к четырем.

— А ты что, на своем «Бродяге» не поедешь? — Макс не был заядлым автолюбителем, но и его удивило, что Денис вдруг отказывается от поездки на своем любимом джипе «форд-маверик», ласково прозванном «Бродягой».

— Да что-то напряжно мне по Москве стало ездить. Все нервные такие, злые, правила нарушают. Отвык я.

Удивленный Макс не успел ничего сказать, как за окном засигналил огромный лимузин.

— Посмотри, какой они за тобой катафалк прислали, — сказал он Денису, посмотрев в окно. — Только пупсов не хватает на капоте, прям как на свадьбу.

— Или на похороны. В таких длинных салонах удобно гроб перевозить.

Грязнов-младший быстро вышел из офиса и сел в автомобиль, а Макс, который крайне редко травил байки с сотрудниками «Глории», решил, что надо сообщить о странностях Дениса товарищам. Мало ли что, люди по-разному с ума сходят. Может, если вовремя вмешаться, удастся что-нибудь исправить?

Чегодаев принимал Грязнова-младшего в своем загородном особняке. Дом напоминал замок Дракулы из голливудского фильма. В знак особой признательности Степан Петрович вышел встречать Дениса на дорожку перед домом.

— Добро пожаловать к нашему шалашу!

— Это не шалаш, а замок настоящий. Здорово придумано, — оценил Денис.

— Мне тоже нравится. Я везде, где живу, постоянно себе такой замок строю. В юности очень я запал на фильм «Дракула» с Гэри Олдмэном, и было мне ужасно тогда обидно, что можно построить только какую-то жалкую дачку. Теперь, слава богу, другие времена.

— Вы себя ассоциируете с вампиром? — вежливо поинтересовался Денис.

— Не сказал бы, — хладнокровно отреагировал олигарх. — Мне просто стиль этот архитектурный очень нравится. Жаль, Анастасия не очень разделяет мои вкусы.

— Ваша супруга к нам присоединится? — вежливо спросил Денис.

— К сожалению, для Анастасии эта история с похищением стала огромным шоком. Она испытала сильное нервное потрясение. Врачи посоветовали ей сменить обстановку. Она улетела в наш дом под Парижем. Там, знаете ли, по улицам не разгуливают чеченские террористы и можно чувствовать себя спокойно. Супруга просила передать, что она бесконечно благодарна вам за благополучное разрешение этой истории. Она ведь была знакома с Леонидом и очень переживала за его судьбу.

Надо же, как гладко стелет. Анастасия была знакома с Леонидом очень близко, да и до сих пор ходят слухи, что к нему неравнодушна. Ладно, это их дела, семейные.

— Вы не возражаете, если нам накроют в малом обеденном зале? — спросил олигарх. — Там уютнее, чем в парадном.

— Как сочтете удобным.

Малый обеденный зал оказался просто гигантским, а обед был роскошным. Устрицы, доставленные самолетом из Франции. Вино хорошей выдержки. Но больше всего Дениса впечатлили салаты — казалось, над ними трудился повар-волшебник, мастерски сочетая почти несочетаемые ингредиенты, ему удавалось добиться удивительного вкуса.

— Где вы нашли повара? Я никак не могу понять, какой школы он придерживается. Но вкус — восхитительный.

— За этого повара надо быть благодарным Анастасии. У нее нюх на правильных людей. Однажды мы отдыхали во Франции. Там, к счастью, нас почти никто в лицо не знает, и по улицам можно ходить спокойно. Она затащила меня в какую-то маленькую таверну, где работал поваром совсем молодой француз, судя по блюдам, которые там подавали, — кулинарный гений. Мы его и переманили. Он владеет кулинарией многих стран — и европейских, и экзотических, но его конек — так называемый фьюжен. Многие рестораторы сейчас двигаются в этом направлении, но редко у кого получается так вкусно.

После обеда Степан Петрович пригласил Дениса в библиотеку и ошарашил его деловым предложением:

— Денис Андреевич, я хотел бы вам предложить возглавить службу безопасности моего холдинга. Размер компенсации, думаю, вас удовлетворит, хотя не в этом дело, конечно...

Цифра, которую олигарх написал на листке бумаги, превышала сегодняшние доходы Грязнова-младшего на порядок. Ему потребовалась вся выдержка, приобретенная на берегу Индийского океана, чтобы не показать своего изумления.

Не заметив энтузиазма в лице сыщика, Чегодаев добавил:

— Возможно, вас немного смущает объем работы. В крупных корпорациях особая специфика, безусловно, присутствует. Может быть, вы хотели бы начать с руководства службы безопасности на моем телеканале. Освоитесь с масштабами, а потом...

Денис собрался с мыслями и ответил:

— Степан Петрович, я очень вам признателен за столь лестное предложение, но думаю, что мне лучше остаться на своем месте. Агентство «Глория» для меня много значит, и я не хотел бы его оставлять. К тому же я связан обязательствами перед своими коллегами и нарушать эти обязательства не хотел бы.

— Если вы передумаете, мое предложение остается в силе.

— Благодарю вас, но лучше не теряйте напрасно время и подыщите себе хороших профессионалов. Если хотите, я могу кого-нибудь порекомендовать.

Чегодаев сделал жест рукой, означающий, что в этом нет необходимости.

Денис откланялся, а олигарх остался явно озадаченным. Чегодаев привык считать, что он хорошо умеет определять людям цену и знает, за какие суммы их можно перекупить. Что ж, возможно, его помощники собрали на Грязнова неполную информацию. Видимо, за этим молодым человеком стоит не только дядя, начальник МУРа, но и более влиятельные силы. От таких предложений, какое он, Степан Чегодаев, только что сделал, так просто не отказываются.

Не успел Денис оправиться от лестных предложений со стороны президента и олигарха, как жизнь к нему повернулась другой стороной. Не успел он еще осмыслить, в какие верхние эшелоны власти и бизнеса его занесла судьба, как рано утром к нему в квартиру настойчиво позвонили. Звонок был властный и требовательный. Неужели залил соседей? Или участковый решил познакомиться? Не было печали.

На пороге стоял не участковый и не разгневанный сосед, а человек в штатском, о месте службы которого не требовалось долго догадываться. И как им это удается? Вроде человек как человек, и руки, и ноги как у всех, но рожу такую скорчит, что словно на лбу написано: «Служу в ФСБ». Наверное, это самодовольство и сознание своей избранности и выделяет чекистов из простых смертных.

— Господин Грязнов? — как бы строго и отчужденно спросил посетитель. — Денис Андреевич?

— А вы к кому-то другому направлялись? — не без иронии ответил Денис. — Мы, кстати, с вами знакомы. Вы за мной в Индию приезжали, помните?

— Возможно, — уклончиво ответил фээсбэшник. — Проследуйте за мной, пожалуйста.

— Зачем? У меня на утро другие планы.

— Вас вызывают на допрос по делу журналиста Кондрашина.

— А он что-то натворил? Переехал кого-нибудь на мотоцикле? Украл у пенсионерки собачку?

— Не паясничайте, Грязнов! Вы прекрасно понимаете, о каком деле идет речь. Вы принимали в нем самое непосредственное участие.

— Так пока принимал, все и рассказал, что мне известно. Генерал-лейтенант Спицын меня подробно обо всем расспросил.

— Генерал-лейтенант Спицын и отдал приказ, чтобы вас доставили для допроса на Лубянку. Прекратите идиотничать и собирайтесь. У нас мало времени.

Денис не стал больше препираться с туповатым фээсбэшником. Конечно, можно было, сославшись на отсутствие ордера, оттянуть визит в ФСБ на несколько часов или даже на пару суток, но ребята из «конторы» отличались упорством и настойчивостью, рано или поздно пришлось бы с ними встретиться. Никаких срочных дел у агентства «Глория» сейчас не было, можно и на Лубянку прокатиться. Генерал

Спицын Денису отчасти даже нравился. Судя по всему, дельный мужик, хоть и чекист. Грязнов вспомнил, как Николая Николаевича раздражал его «курортный» наряд в первую их встречу, и решил одеться понейтральнее. Строгий костюм, белая рубашка, галстук в тон.

— Поехали, капитан.

Фээсбэшник ошеломленно взглянул на Дениса — вроде бы при нем он ни разу не появлялся в форме. Ему было невдомек, что Грязнов при помощи абракадабра-йоги не упускал из памяти даже мельчайшие детали, которые обычный человек не замечал или элементарно забывал.

Нельзя сказать, что Денис был очень огорчен, когда понял, что его ведут не для задушевной беседы с Николаем Николаевичем Спицыным в формате «как коллега с коллегой», а для банального допроса по классической схеме «добрый следователь — злой следователь». Скорее, он был раздосадован такой грубой работой чекистов. Хорошо хоть руки распускать не стали. Ребята, которые его допрашивали, были крепкими профессионалами и любого другого достаточно быстро заставили бы сомневаться в своей правоте, но в данном случае, как говорится, не на того напали. Денис был почти обижен, что с ним стали действовать по обычной схеме, и решил не выдавать никакой полезной информации. Благодаря чудо-йоге выдержать допрос с пристрастием для Дениса было не более утомительно, чем проиграть несколько партий в пинг-понг.

— ...Значит, вы говорите, похитителей было четверо?..

— Сперва четверо, потом еще один.

— Сколько же их было всего?

— Не могу знать.

— Но вы же вступили с ними в перестрелку?

— Почему вы считаете, что это означает, что я знаю, сколько их было? Может, там были еще человек пятнадцать, за кустиками.

— Но как можно драться и не заметить количество своих соперников?!

— Видите ли, — серьезно заметил Денис, — во время боя я прихожу в особое состояние, которое помогает мне справиться со сложной ситуацией. Очень важно достичь той стадии концентрации сознания, которая призовет тебе на помощь высшие силы... Так что я не только не знаю, сколько было нападавших, но и один ли я сражался. Возможно, боги помогли мне...

— Оставьте этот бред для детского сада, — резко прервал Дениса «злой» следователь. — Как лица похитителей выглядели?

— Не помню.

— Неправда!

— Почему неправда?

— Невозможно не запомнить лица людей, которые подходили к вам вплотную.

— Я был в трансе, — напомнил Денис.

— Под наркотой, что ли?

— Нет, я имел в виду эффект от медитации и концентрации мыслительных усилий.

— Хорошо, допустим, лиц вы не помните, а как звучали голоса бандитов, помните?

— Кажется, один из них ругался матом.

— И что?

— Больше ничего не помню.

— Господин Грязнов, — «добрый» следователь был нарочито вежлив, — вы человек умный и проницательный...

— Безусловно, — с достоинством и благодарностью кивнул Денис. — Вне всякого сомнения.

— Наверняка вы задумывались о том, почему именно вас похитители выбрали в качестве посредника.

— Какого посредника? Я ведь ни с кем не вел переговоров. Просто передавал выкуп в обмен на Кондрашина.

— Кстати, откуда у вас пистолет взялся? Вы же проходили через металлоискатель в аэропорту, к тому же бандиты вели вас все время в Ростове. По нашим предположениям, слежка за вами была организована высокопрофессионально. Во всяком случае, мы бы не смогли передать вам оружие.

— Вот видите, пришлось справляться собственными силами, — пожал плечами Денис.

— Кто передал вам оружие?

— Вам тоже нужен незарегистрированный ствол? — участливо поинтересовался Денис. — Тогда нам стоит продолжить этот разговор где-нибудь на свежем воздухе.

— Прекрати паясничать, клоун! Колись быстро, ты в заговоре был с бандитами с самого начала или тебя подговорили позднее? — заорал на Грязнова-младшего «злой» следователь.

— Какая интересная версия, однако. Я вижу, вы далеко пойдете, коллега. Может быть, вам известно, что несколько недель до похищения Кондрашина я провел на берегу Индийского океана в месте, где нет никаких видов связи — даже мобильные телефоны запрещены. Связь с внешним миром препятствует духовному просветлению.

— Почему тогда похитители выбрали именно вас? — вежливо поинтересовался «добрый» следователь.

— Я думаю, что божественное провидение сочло необходимым меня вновь отправить в мир. Видимо, здесь я могу быть полезнее, чем в монастыре.

Время тянулось бесконечно. Одни и те же вопросы, сопровождаемые запугиваниями и угрозами, повторялись снова и снова. Но Денис твердил только:

— Лиц похитителей не видел, голосов не слышал, сколько их было, не знаю, почему меня выбрали — для самого загадка.

Наконец чекисты поняли, что Денис — крепкий орешек и расколоть его не удастся. Они вышли минут на сорок из комнаты, с кем-то посовещались и с хмурыми лицами сообщили Грязнову, что он может быть свободен.

В офисе «Глории» Денис появился только под вечер, когда сотрудники уже собирались расходиться. Похоже, что они уже и не чаяли лицезреть шефа, когда он появился.

— Босс, приветствую! — сказал Сева Голованов. — Где сегодня пропадал? В Кремле или у новых русских?

— На этот раз имел беседу в форме допроса в одном из кабинетов Лубянки.

— Оба-на, во что это ты вляпался? — охнул Филя Агеев.

— Трудно сказать. Возможно, какие-то ведомственные интриги.

— Ты же героически справился с освобождением этого журналюги! И деньги целы, и человек жив. Такого вообще не бывает. Они что, этого не знают, что ли?! — возмутился Коля Щербак. — Попробовали б сами, супермены недоделанные!

— Видимо, именно это и кажется им подозрительным, — ответил Денис и первый раз со времени своего приезда вздохнул на глазах у приятелей.

— Видали, — сказал потом Филя, — он вздыхать умеет! Я же говорю — это наш Денис, а то — инопланетянин, инопланетянин...

Глава третья

В коридорах издательского дома «Товарищ либерал» царила привычная суматоха. Номер ежедневной одноименной газеты сдавали поздно вечером, до последнего мгновения дожидаясь новых горячих репортажей. В редакции была принята сдельно-премиальная оплата труда — мало кого держали на ставках, за исключением самых маститых, постоянно набирали молодых ушлых ребят с выпускных курсов журфака, которые жаждали денег и славы. Главный редактор регулярно устраивал своим сотрудникам «накачку»:

— Мы платим не за количество знаков, а за сенсации! Две строчки с сенсационным сообщением, которые можно вынести на первую полосу, стоят в тысячу раз дороже десяти страниц скучного очерка! Плевал я на вашу аналитику. Этим занудством и другие газеты переполнены! Зачем нас покупает читатель, как вы думаете? Чтобы узнать что-то новенькое, остренькое, необычное! Слышали такую фразу «глаголом жечь сердца людей»? Небось и автора знаете, грамотные вы мои! Так вот «зажечь» интерес и любопытство читателей можно только горячими, актуальными репортажами. Никого не волнуют ваши размышлизмы.

— Но факты ведь должны быть проверены... — робко говорил кто-то из стажеров.

— Конечно, проверены! Иначе на нас в суд за клевету подадут. Ну и что? Пускай подают. Газете дополнительная известность и реклама. Сколько бесплатных сюжетов на телевидении мы получим? Правильно, не меньше десяти. Не бойтесь скандалов, ищите скандалы. Вот кто у нас серию материалов по Кондрашину и его любовнице делал?

— Маша Семенова, — ответили с задних рядов.

— И где она сейчас?

— На Кипр поехала отдыхать.

— А почему поехала? Потому что прекрасно поработала и заслужила достойный гонорар за свою работу. Чего и всем желаю.

Борис Ванштейн, медиамагнат, владелец издательского дома «Товарищ либерал» проходил мимо зала редакционных совещаний и на пару минут приложил ухо к двери. На его лице появилась удовлетворенная улыбка. Он долго искал правильного человека, которому можно было доверить газету «Завтра» и наконец нашел подходящего. Пришлось потратить немало сил и времени, чтобы отсеять поток «неликвида» из всяких интеллигентских размазней, которых привлекала в Ванштейне его репутация оппозиционера. Нужен был ушлый, прожженный, циничный парень, который понимает, как делают деньги на СМИ, а не тратят их. В конце концов, на него, Борю Ванштейна, золотой дождь не капал. Он, в отличие от Степы Чегодаева, в институте нефти и газа не учился, да и дяди у него в соответствующем министерстве не было.

Ванштейн решительно прошествовал в свой кабинет и решил вызвать к себе Жору Пенгертона.

— Леночка, — бросил он секретарше, — пригласи ко мне мистера Пенгертона и сооруди нам кофе с бутербродами.

Джордж Пенгертон не замедлил явиться, но, судя по его помятому лицу, было ясно, что тому сейчас не до кофе.

— Эх, Жора, Жора, — похлопал его по плечу Ванштейн. — Славянофильство тебя до добра не доведет. Зачем же так пить крепко, у тебя же организм американский, не выдержит.

Джордж Пенгертон, он же Жора, был не просто правой рукой Ванштейна во всех его делах, именно он возглавлял издательский дом «Товарищ либерал», он был для Ванштейна и другом, и авторитетом одновременно. Вместе они выглядели довольно комично. Ванштейн был невысокого роста, его полнота не поддавалась никаким тренажерным залам и диетам, а местечковый выговор с фрикативным украинским «г» также не удалось истребить за все двадцать лет, что Борис жил и работал в Москве. Джордж Пенгертон был с виду классическим американским ковбоем, похожим на мужчину с рекламного щита сигарет «Мальборо»: высокий рост, атлетическая фигура, голубые глаза, выгоревшие до ярко-соломенной желтизны светлые волосы.

То, как Пенгертон оказался в России и превратился из Джорджа в Жору, особая история, заслуживавшая, чтобы ее описал кто-нибудь из модных современных беллетристов. В начале девяностых годов Пенгертон работал специальным корреспондентом CNN. По какой-то прихоти судьбы вместо Ближнего Востока его направили в Россию. Тут с Пенгертоном случилось нечто странное: он влюбился в эту бестолковую, бесшабашную страну. Благодаря своей американской зарплате он мог вести здесь довольно свободный образ жизни, не будучи ни в чем стесненным, и на полную катушку наслаждаться российскими особенностями — иррациональностью поведения местных жителей, свободным отношением к деньгам, совершенным отсутствием каких-либо жизненных планов. Джордж стал заядлым славянофилом и пустился во все тяжкие, пытаясь исследовать загадку русской души, — жил в монастыре на Валааме, ездил автостопом по Северному Кавказу, пьянствовал до утра за философскими разговорами. Эта идиллия могла продолжаться вечно, если бы Джордж не пренебрегал отчетами своему руководству. Как любая западная корпорация, CNN имела свой внутренний распорядок и документооборот, на все существовали определенные процедуры, и корреспондентам, работающим в «диких» странах, было положено регулярно высылать отчеты. Пенгертону могли бы простить отсутствие ярких репортажей, тем более что он время от времени присылал очень качественные и актуальные материалы, но отсутствие отчетов, в том числе и финансовых, американцы понять не могли. Жора, все больше проникая в русскую жизнь, также переставал понимать, к чему все эти идиотские формальности. В конце концов, его уволили с CNN. В большую журналистику на Западе ход ему был закрыт. Тут-то он и понял, что жить в России с зарплатой, которой едва хватает на килограмм мяса (именно столько ему предложили на курсах иностранных языков за преподавательскую работу), весьма проблематично. К различным мошенничествам на бизнес-почве, которых не чурались многие его соотечественники, Пенгертон не имел вкуса. Начались тяжелые дни.

Тут на его пути встретился Борис Ванштейн, владевший на тот момент небольшим частным издательством. Чего у Бориса было не отнять — он хорошо чувствовал и понимал людей. Он выслушал печальную историю Пенгертона, который был на тот момент в страшной растерянности, и сказал:

— Ну, Жорик, я понял — заболел ты Россией. Что могу предложить — это не CNN, конечно, но на жизнь тебе хватит. Давай сделаем газетку для экспатов в Москве. Много ведь таких болезных, как ты, здесь обитают. Кто-то из авантюрных соображений, кто-то по работе, но всем нравится свобода и бесшабашность наша русская. Девушки красивые и доступные, где вы таких в своей Америке найдете?

— Йес, йес, — с воодушевлением закивал Пенгертон, — русские женщины прекрасны. Такие добрые, такие заботливые, такие нежные...

— Вот и ладненько. Газета должна быть путеводителем по московским ночным клубам и прочим злачным местам. Девушка с голой грудью на обложке, клубничка всякая внутри. Ну и советы всякие полезные — как квартиру снять, в какой ресторан сходить, что говорить, чтобы не ограбили таксисты.

— Прекрасная идея, но я — политический журналист. Я не могу заниматься клубничкой! — заерепенился сначала Пенгертон, потом сбавил обороты и спросил: — А о какой зарплате идет речь?

— Молодец, Жора, правильно мыслишь. Слушай сюда: у тебя есть два пути. Первый — возвращаться за океан и работать в какой-нибудь заштатной газетке за пять копеек, потому что в приличные издания, после того как ты из CNN вылетел, тебя больше не возьмут. Денег будешь получать от силы тысячи две в месяц, как американский почтальон. Здесь я тебе для начала дам пять штук, а жить на них можно очень и очень прилично. И девушки любить будут, и на все развлечения хватит. К тому же, подожди, доберемся мы еще до политики. У меня сейчас пять изданий. Все они, так сказать, «легкого» содержания. Зато прибыль хорошая. Поднимусь немного и сделаю какую-нибудь респектабельную газету. Сейчас эпоха первоначального накопления капитала, понимаешь? Читали тебе когда-нибудь лекции по экономике?

Пенгертон подумал, понял, что Ванштейн прав, и остался в России. Российский медиамагнат не ошибся в американце: тот человеческий материал, который американские издатели считали практически профнепригодным — представляете, опоздал со сдачей материала на десять минут! — на фоне русских журналистов и издателей был верхом профессионализма. Пенгертон был очень ответственным и искусным работником. Во-первых, его англосаксонское нутро не понимало русского неопределенного «надо бы сделать...» Во-вторых, ему, в отличие от совковых журналистов, не был нужен на каждый чих специалист. Джордж прекрасно владел всеми программами верстки, умел профессионально фотографировать, писать все виды материалов, хорошо справлялся с коммерческой частью издательского бизнеса. В его американской душе не было идеи о том, что медиабизнес — это не бизнес, а благотворительность. Практически в одиночку и, что называется, «на коленке» он сделал высокорентабельное издание «для экспатов» и стал принимать активное участие в других проектах Ванштейна.

Постепенно они сблизились и даже подружились. Импульсивный Ванштейн понимал, что, по сути, все его замыслы реализованы руками этого мальборовского ковбоя. За десять лет совместной работы Борис так и не удосужился выучить английский, зато Пенгертон в совершенстве овладел русским.

Вот и сейчас, бросив взгляд на Бориса, Джордж сразу понял, что предстоит серьезный разговор.

— Поехали-ка, друг, ко мне домой, побеседовать надо.

— Конечно, Борис, какой разговор.

Похоже, разговор предстоял действительно важный, так как обычно Ванштейн ограничивался приглашением в их любимый пивной бар «Джон Булл паб» на Смоленской. Они обычно садились в отдельном кабинете и за кружкой ирландского эля обсуждали новые проекты. В загородный дом Ванштейна они ездили только тогда, когда дело требовало чрезвычайной конфиденциальности. Начальник ванштейновской охраны каждое утро лично проверял весь дом на наличие «жучков» и прочих прослушивающих устройств, была там даже отдельная переговорная комната, звукоизолированная и со специальными глушителями. Прослушать это помещение было совершенно нереально. Ну а кроме того, никто не мешал им беседовать на природе.

По прибытии в дом на Рублевке Ванштейн ворчливо прогнал свою очередную пассию модельного вида:

— Иди, деточка, в бассейне, что ли, искупайся. Мы с Жорой сами справимся.

Пенгертона всегда удивляло, как часто можно менять своих любовниц. Сам он уже несколько лет был счастливо женат на скромной русской девушке из Ярославля, которая родила ему двух сыновей. Ванштейн же менял своих спутниц не реже двух раз в месяц, причем следующая ничем не отличалась от предыдущей — блондинка под метр восемьдесят, с кукольным личиком, голубыми глазами и пышным бюстом. Очевидно, подбирал медиамагнат девушек через модельные агентства, те уже знали «ванштейновский» стандарт и наладили конвейер по отбору претенденток. Джордж объяснял такую тягу к высоким блондинкам комплексом Наполеона. В конце концов, Борис меньше чем за десять лет стал одним из самых влиятельных издателей огромной страны и имеет право на маленькие слабости.

Они уединились в защищенной от прослушивания переговорной, предварительно затарившись ящиком холодного «Гиннеса», и Борис сообщил Пенгертону:

— Послушай, Жора, у меня есть бомба.

— И что ты хочешь взорвать? — невозмутимо поинтересовался американец.

— Тут хватит на всех. Читай! — Ванштейн хлопнул толстой папкой по столу.

Пенгертон протянул к ней руку — в папке были ксерокопии секретных документов разных ведомств — Министерства обороны, Госстройкомитета, ФСБ, ГРУ. Он вчитался. Речь шла о грандиозных финансовых махинациях в Чечне. Интриги спецслужб, как водится, были сложными и запутанными, но невооруженным взглядом было видно, что затяжная война в Чечне выгодна слишком многим российским чиновникам, как военным, так и гражданским, так что, если даже все чеченские боевики сложат оружие и примут христианство, войну не удастся остановить.

— Да, это бомба, — спокойно сказал Джордж. — Когда будем взрывать?

— Жора, дорогой, ты не знаешь нашей страны. Если я это напечатаю, Кремль меня сожрет. Пока все наши разоблачения чиновников без штанов с девочками в бане...

— Или с мальчиками, — добавил Пенгертон.

— Да, конечно, или с мальчиками — это все детский лепет, игрушки для младшей ясельной группы. Я в качестве скандального оппозиционного издателя вполне устраиваю сегодняшнюю власть. Можно всегда кивать на Европу, что, вот, мол, у нас есть оппозиционная пресса.

— Но документы неопровержимы?

— Пуля в затылок тоже неопровержима. Кстати,

еще мне удалось добыть такую информацию: президент создает тайное ведомство, которое будет осуществлять контроль за всеми спецслужбами. Возглавит его Герман Медведь.

— Это тот молодой генерал, которого мы как-то сняли в интересном месте?..

— Именно. Компромата на него предостаточно. Тоже хорошая карта в игре. В общем, Жора, скоро может начаться серьезная работа. Надо выждать правильный момент, чтобы выкладывать свои карты.

Пенгертон помолчал, взвешивая все «за» и «против» и прикладываясь уже ко второй бутылке пива.

— Думаю, Борис, ты прав. Только надо все тысячу раз обдумать и просчитать. Это ведь уже настоящая политика.

— Значит, так, Жора. Ты бы отправил свою Катю с пацанами отдыхать куда-нибудь в безопасное место. Мало ли какая здесь заварушка выйдет. А я пока подкормлю оппозиционные партии и правозащитников. Пусть поднимут голос, когда президент по Европам снова с визитами поедет.

Из переговорной комнаты друзья вышли в приподнятом настроении. Оба были авантюристами по натуре, и опасные политические интриги их возбуждали. Кукольная блондинка в микроскопическом бикини подошла к мужчинам и кокетливо сказала:

— Милый, натри мне спину солнцезащитным кремом.

— Конечно, дорогая. Сию минуту.

И Ванштейн с энтузиазмом принялся за дело.

В офисе «Глории» постепенно все устаканилось. То ли сотрудники попривыкли к новому Грязнову-младшему, слегка приторможенному и со специфическим чувством юмора, то ли Денис немного отошел от своих йоговских упражнений и стал себя вести более привычным образом. Так или иначе, процесс адаптации после поездки в Индию и последующих подвигов на почве освобождения журналиста Кондрашина шел нормально. Однако популярность Грязнова-младшего и его «востребованность» в разных структурах ничуть не уменьшилась. Прием в Кремле, обед у олигарха, допрос на Лубянке, казалось бы, что еще можно придумать? Не тут-то было.

— Денис, тебя с утра какая-то девушка с телевидения домогается. Мы твой мобильный выдавать не стали. Сказали, что скоро подъедешь, — сообщил Сева Голованов Денису, еще только входящему в офис.

— Разумно. Странно, я вроде бы Чегодаеву сказал, что на его телеканале работать не буду.

— А что, тебя приглашали передачу вести? — заинтересовался Филя Агеев.

— Службой безопасности руководить, — ответил Денис.

— Шутишь?!

Денис молча пожал плечами.

Филя просто дара речи лишился. Зато Голованов отреагировал более хладнокровно:

— А что? Хорошая была бы работа. Наладил пропускной режим, мы бы с Филькой на вахте постояли, сличали бы звездные морды с их фотографиями в пропуске. Идет какая-нибудь Тина Канделаки, а мы ей — стоп, дамочка, на фотографиях вы выглядите на десять лет моложе своего реального возраста. Немедленно вклейте реалистичные портреты.

— После такой проверки бдительности нас всех вместе и поперли бы из Останкино, — сказал Денис. — Я, собственно говоря, поэтому и отказался,

Сева, предполагая твою охранную тактику. А что делали бы, когда этих красавиц похищать стали бы да ушки их отрезанные в бандерольках присылать?

— М-да, шеф, уговорил. Красавицам без ушек никак нельзя. Тут ты прав. Ну их, этих медиамагнатов. Пускай сами своих журналюг телевизионных охраняют.

Трель телефонного звонка прервала этот неспешный треп. Денис сам поднял трубку. Бархатный женский голос сказал:

— Господин Грязнов, вас беспокоит редактор программы «Итоги недели» Алина Красовская. Я звоню вам по поручению Леонида Кондрашина.

— Очень приятно. Как себя чувствует ваш босс?

— Операция прошла успешно. Конечно, ему приходится пока сидеть к камере вполоборота, чтобы не были видны шрамы, но медики утверждают, что все благополучно заживет. В смысле, не отрезанное ухо, а... Я не то хотела сказать. Если бы вы не освободили Леонида, могло бы все закончиться намного печальней.

— Рад за него. Чем могу служить?

— Мы будем делать про вас передачу. В цикле «Герои нашего времени». Когда у вас есть время подъехать к нам для предварительной беседы?

Голос девушки звучал уверенно и категорично. Ей ни на секунду не приходило в голову, что кто-то может отказаться от съемок на одном из центральных каналов, тем более в передаче самого Кондрашина.

— Дорогая Алина, но у меня нет никакого желания сниматься в телепередаче.

— Такого не может быть! — ахнула девица. Она немного подумала и добавила: — Вы знаете, у нас не принято платить тем, кого мы приглашаем в передачу. Я понимаю, что вы, учитывая ваши особые заслуги перед нашим телеканалом, могли бы рассчитывать на исключение, но я, к сожалению, не уполномочена вести такие переговоры. Но я передам ваши слова...

— Что вы, какие деньги? — перебил ее Денис. — Просто я не хочу сниматься для телевидения. В моей профессии совершенно не нужно, чтобы на меня показывали пальцем. Понимаете?

— Может быть, вы согласитесь к нам подъехать, тогда мы тут на месте и обсудим все детали? У нас, в Останкино, есть симпатичный ресторанчик. Леонид с удовольствием пообедает с вами.

— Передайте господину Кондрашину, что я очень тронут, но не могу принять участие в съемках. — Денис положил трубку.

Филя подскочил на месте и закричал:

— Дэн!!! Зачем ты отказался! Это же бесплатная реклама! Наше агентство будет детективным агентством номер один в стране! Мы будем известны как Пинкертон!

— Успокойся, пинкертон. Заказов нам от такой рекламы может и не прибавиться, а геморроя точно будет достаточно.

— Денис, ты — ретроград! — возмутился Филя. — Надо смотреть на вещи широко. Ты после такой передачи станешь лицом нашего агентства. Ты и так уже знаменит, хоть и в узких кругах — ну там президенты, олигархи, кагэбэшники всякие тебя уже знают хорошо. Теперь надо добиться массовой популярности. Конечно, в любом деле есть некоторые издержки. Не будет отбоя от девушек, люди на улицах будут приставать, но ты подумай, какая от этого всем нам польза! Заказы польются потоком. Денег будет тьма. Мы все себе новые автомобили купим.

— Мне «Бродяги» достаточно.

— Ты о других-то подумай.

— Я не могу принимать подобных решений, не посоветовавшись с дядей Славой.

— Так ты советуйся. Он будет только рад, я уверен.

Не прошло и часа после этой дискуссии, как дверь «Глории» распахнулась, и на пороге объявился Леонид Кондрашин собственной персоной. Несмотря на повязку, прикрепленную со стороны левого уха, он выглядел таким же пижоном, как и на экране. Вельветовый пиджак, шейный платок.

— Денис, дорогой, как только мне удалось выбраться из больницы, я сразу к вам! — с сияющей улыбкой возвестил Кондрашин.

Денис был несколько ошарашен, но вида не подал. Он не ожидал увидеть телезвезду на пороге собственного офиса.

— Я хочу лично выразить вам свою признательность. Если бы не ваше мужество и профессионализм, лежал бы я бездыханный в каком-нибудь подвале Грозного.

— На этот счет могу вас успокоить. Вряд ли бы они стали прятать труп в Грозном. Вывезли бы куданибудь, где шансы найти тело минимальны.

— Денис... Можно на «ты»? Мы вроде бы не глубокие старцы...

— Пожалуйста.

— Денис, понимаешь, у меня к тебе серьезный разговор. Давай съездим куда-нибудь пообедать, заодно все обсудим.

— Если по поводу съемок, то я против.

— И по поводу съемок, и вообще по жизни. Поехали, а? У тебя есть сейчас дела какие-нибудь срочные?

— Да нет как будто.

Через полчаса они уже сидели на верхнем этаже

ресторана «Пушкинъ», оформленном как старинная библиотека, за угловым столиком, и болтали как старые приятели. Денис не мог не отметить, что Кондрашин был человеком редкого обаяния, и попасть под действие этого фактора было не трудно.

— Ты, конечно, просто монстр. Надо же, оказался один против шестерых вооруженных бандитов и вышел победителем!

— Я помню пятерых нападавших.

— Да? Мне казалось, что их было шестеро. Но я был в таком состоянии. Горячка какая-то, бред, думал вообще не выживу. Они меня еще какими-то обезболивающе-успокаивающими накачали. — Кондрашин потрогал повязку.

— Главное, что ты остался жив, — заметил Денис.

— И драгоценности, между прочим, целы. Просто фантастика какая-то! Почему ты не хочешь участвовать в передаче?

— Лишний шум в моей работе ни к чему, Леонид.

— Ты недооцениваешь значимость пиара. Да, конечно, придется потерпеть некоторое время. Будут на улицах приставать всякие сумасшедшие, типа этой дамочки, — Кондрашин показал глазами куда-то за спину Дениса.

К ним действительно подкрадывалась девица в ярко-красном мини-платье, сама не своя от счастья, что увидела живого Кондрашина.

— Леонид, умоляю, автограф! Моя мама так за вас волновалась!

Кондрашин невозмутимо черкнул на салфетке пару слов и отправил девицу восвояси. Потом продолжил:

— Конечно, не всегда удобно. Но и не смертельно. Вставишь в свой джип тонированные стекла — никто тебя и не заметит. Зато для бизнеса — классная реклама. И главное — ты должен не о себе думать, а о народе.

Денис усмехнулся:

— Леня, народ-то тут при чем?

— Как при чем, как при чем?! Ты хоть представляешь, в какое время мы живем?

— Да обычное время вроде. Передряг особых давно не было, слава богу. Или аллаху.

— Давно — это года два-три, кстати, всего лишь. Не в этом суть. Сейчас время стабилизации, которое продлится еще достаточно долго, благодаря курсу, который взял президент. В некотором смысле, в духовном, моральном, — это даже застой. Люди от тоски подыхают. Пропагандистская машина, превозносящая преимущества сегодняшнего дня нашей страны, как в Советском Союзе, государству сейчас не по карману. Видишь, вроде все уже нормально, а люди стонут — была великая страна, и мы тут все оскорбленные и униженные.

— Но это же фигня все, — лениво возразил Денис.

— Фигня, конечно, — охотно согласился Кондрашин, — но настроения распространенные. Людям нужны герои, причем герои не из прошлого, а из настоящего. А где их взять-то? А тут такой супермен типа тебя! Семерых бандитов одной рукой раскидал.

— Пятерых.

— Это мелочи.

— Ты лучше поаккуратнее, сообщишь в своей передаче, что семерых, меня опять на Лубянку потащат для прояснения обстоятельств.

Леонид улыбнулся краешком рта. Грязнов-младший был уже внутренне согласен с участием в передаче. Все-таки лесть всегда делает свое дело. Ну или не лесть, а «искреннее признание достоинств собеседника», как советовал незабвенный Дейл Карнеги.

Если бы все пользовались его советами, давно бы уже в «мерседесах» разъезжали. Кондрашин всегда знал подход к людям.

— Ладно, уговорил. А сколько времени это займет?

— Максимум, неделю чистой работы. Для тебя — по полдня каждый день, не больше. Все остальное — монтаж, звук и прочая наша кухня.

— Смотри, к нам еще какая-то девица идет, кстати, — заметил Денис. — Доставай ручку.

Леонид обернулся и заметил:

— Это не сумасшедшая за автографом, это Настя. Сейчас я вас познакомлю.

К их столику подошла девушка незаурядной красоты. Густые каштановые волосы были уложены в классический пучок на затылке, зеленые глаза лучились особым светом. Под длинным шелковым темно-зеленым платьем простого покроя типа туники угадывались очертания роскошной фигуры — высокая грудь, тонкая талия. Она подошла к их столику, поцеловала Кондрашина в щеку в знак приветствия, спокойно улыбнулась Грязнову-младшему и глубоким контральто произнесла:

— Леонид, так это и есть твой таинственный освободитель?

— Он самый. Вот, уговариваю его сняться в «Героях нашего времени».

— Денис, не отказывайтесь, пожалуйста, — просто сказала Анастасия Чегодаева (то, что это была именно она, Грязнов-младший догадался прежде, чем Леонид представил их друг другу). — Не зря же вы спасали этого Ван Гога.

Денис оценил ее чувство юмора. Он внимательно наблюдал за Кондрашиным и Анастасией. Было между ними что-то такое... В общем, похоже, их связь не прерывалась даже после замужества молодой женщины. Как это терпит Степан Петрович Чегодаев — оставалось загадкой.

Следующая неделя, занятая под съемки передачи, была абсолютно сумасшедшей. Денис долго не мог понять, почему он должен проводить у гримера по часу перед каждым съемочным сеансом, надевать ту одежду, которую он сроду никогда не носил. Хорошенькая ассистентка Кондрашина Алина Красовская пыталась его образумить:

— У нас контракт с фирмой «Гуччи» о плейсменте. Понимаете, Денис Андреевич? Все герои нашей передачи, по возможности, должны быть в их обуви.

— Алина, какая обувь «Гуччи» может быть на заброшенной стройплощадке Ростова-на-Дону. Я похож на сумасшедшего?

— Наша задача — сделать реальность лучше и интереснее, чем она есть на самом деле. Людям не нужен документальный фильм, им нужна сказка с элементами достоверности. Улавливаете волшебную силу искусства?

— И что здесь достоверного? — в прежние времена Денис бы скривился, но сейчас на его расслабленной физиономии не появилось ни морщинки.

— То, что Леонид Кондрашин — жив и здоров, бриллианты по-прежнему у Анастасии, а вы — реальный герой, который этого смог добиться.

Девушка, конечно, несла совершенную чушь, но она была так хороша, что на какое-то время Денис перестал думать об этом и просто искренне и бескорыстно любовался ею.

Телевизионщики, видно, все же разных людей повидали на своем веку и умели общаться со всякими.

Вскоре Денис перестал сопротивляться. Передачу выпустили в эфир. Ужаснее всего была рекламная заставка, транслируемая по нескольку раз в день в качестве анонса. Кондрашин говорил за кадром своим фирменным дикторским тембром «Бесстрашный и бескорыстный герой...», а Денис в это время бежал куда-то с пистолетом и чемоданом. От дружеских подколов сотрудников «Глории» было некуда скрыться. Грязнов-старший немного поворчал, но, судя по всему, был доволен такой известностью племянника. Кондрашин оказался достаточно приятным парнем, а вовсе не таким снобом и выпендрежником, каким выглядел на экране. Тем не менее, когда вся суета, связанная со съемками, закончилась, Денис с облегчением вздохнул. Однако поторопился.

Не прошло двух дней после выхода передачи «Герои нашего времени», как телефонный аппарат офиса был готов задымиться от звонков. Звонили все, кто когда-либо был хоть шапочно представлен Денису. Он с удивлением узнал, что с ним в одном классе училось человек пятьдесят, из которых он помнил не больше трех. Неожиданно обнаружились странные люди, утверждавшие, что Грязнов-младший помог и им, освободив их от десятка нападавших бандитов. Среди потока звонков ненужных и утомительных достаточно часто случались и звонки полезные. Выходили на связь потенциальные клиенты. Ситуации у них были довольно простые, а гонорары они предлагали хорошие. Денис распределил работу на всех сотрудников, пообещав всем неплохие премии, а сам взял трехдневный отпуск.

— Все, мужики, не могу я больше выносить гнет народной любви. На три дня залегаю на дно. Помедитирую, успокоюсь.

— Только в Индию не уезжай, пожалуйста, — попросил Коля Щербак. — А так что ж — заслужил, конечно.

— Ладно, Индия отменяется, — с некоторой затаенной грустью согласился директор «Глории». — В крайнем случае — в Подмосковье.

К счастью, к этому моменту всевозможные «благодетели» Дениса уже оставили в покое. Госструктуры человек, столь широко разрекламированный, как Денис, уже вряд ли интересовал. Степан Петрович Чегодаев не привык упрашивать людей работать на него. Кондрашин свои журналистские амбиции удовлетворил, подарив стране нового героя. Пора было выйти на связь с человеком, которому Грязнов-младший был очень обязан.

Конечно, никакие высшие силы не смогли бы передать Денису пистолет в незнакомом городе. Да и поддержку огнем тоже организовать бы не смогли. Байки про помощь богов Денис травил, чтобы не раскрывать свои карты.

Денис набрал один телефонный номер и сказал в трубку:

— Андрей Сергеевич, приветствую. Грязнов-младший беспокоит.

— А-а-а, какими судьбами! Бесстрашный и бескорыстный герой нашего времени. Смотрели-смотрели про тебя по телевизору. Здорово тебя пропиарили.

— Я честно сопротивлялся, но Кондрашин уговорил, змей.

— Ну не зря же ты ему жизнь спас и ухо в придачу, — засмеялся собеседник.

— Скажу по секрету: ухо у него теперь фальшивое. Андрей Сергеич, давай пересечемся. У меня есть три дня свободных.

— С удовольствием, дорогой. Ты какой ресторан предпочитаешь?

— Самый безлюдный. После телеэфира всякие сумасшедшие пристают. Может, на рыбалку смотаемся?

— Хорошая идея, я как раз одно местечко знаю хорошее во Владимирской области. Поехали сегодня с вечера, а то в пятницу будут страшные пробки по всем направлениям из Москвы.

После московской суматохи для Дениса было просто раем сидеть в уединенном уголке средней полосы России и ловить форель.

— Тут, наверное, заповедник какой-нибудь, раз форель водится?

— Можно и так сказать. Уха у нас классная получится.

Андрей Сергеевич Быковский, приятель и коллега Дениса Грязнова, на природе разительно отличался от себя самого в деловом повседневном имидже. Быковский руководил частным охранным предприятием «Винкельман и К°». Его фирма специализировалась на охране ВИП-персон, поэтому на работе Быковский выглядел чуть вальяжным, но главное — весьма респектабельным господином. Дорогие классические костюмы лучших фирм, часы «Омега», как у Джеймса Бонда, галстуки за триста долларов. Денис сначала думал, что это простой выпендреж, но Быковский, как-то заметив его ухмылку, объяснил:

— Ты, Денис, поработай с мое, опыта соответствующего наберись, тогда и будешь соображать, где выпендреж и показуха, а где маркетинговый подход.

— Как это?

— Как ты думаешь, есть большая разница по затратам труда и энергии в охране марьванны от пьяного мужа и охране какого-нибудь Валерия Леонтьева от сумасшедших поклонников?

— Леонтьева наверняка труднее.

— Не скажи. У звезд, если грамотно система безопасности организована, практически нет шанса встретиться с теми, с кем они встречаться не хотят. Причем, чем звезда крупнее и ярче, тем меньше у человека дешевых понтов, и тем тщательнее он все правила предосторожности выполняет. Проще говоря, на рынок в своем публичном имидже не пойдет.

— Ну и?

— А денег ВИПы платят не в пример больше, чем кто-либо еще. Не сталкивался?

Денис вспомнил о деле примы-балерины Кутилиной[1] и вздохнул.

— Платят хорошо, но и побочных эффектов у таких дел немало.

— Да, конечно, звезды капризничают. Но бизнес есть бизнес. Это же все делается не для романтики дешевой, а для зарабатывания денег в конечном счете. Если человек привык за побрякушки всякие и тряпки выкладывать целые состояния, то на охране он уж точно экономить не будет. Но для этого он должен точно знать, что у него самые крутые охранники. Как он это может узнать?

— Ну, по рекомендации, может быть.

— Отчасти да. Но, как правило, все смотрят, какой у тебя офис, как руководитель «прикинут». Вот мы и снимаем помещение в «Даев плазе», где метр семьсот долларов в год тянет без НДС, а я ношу на себе всякие побрякушки для солидности. Приходится, что поделаешь.

---

[1] См. роман Фридриха Незнанского «Падший ангел» (М., 2003).

— Слушай, — спросил Денис, — а наш индус неужели тоже на внешние эффекты западает?

— А чем он от других-то отличается? Когда он мне позвонил со своей проблемой и сказал, что работает в индийском посольстве, я ко встрече с ним еще и перстень с печаткой нацепил платиновый. Они же только внешне европеизированы, а на самом деле из своего азиатского средневековья еще не вылезли.

Сейчас, в джинсах, футболке, огромных резиновых сапогах и с удочкой в руке, Быковский ничуть не напоминал преуспевающего бизнесмена, каким выглядел на работе.

— Хорошо, что ты мне когда-то говорил про свою родню в Ростове. Меня когда в ФСБ озадачили — думал: ну все, труба, патовая ситуация. Своих взять в Ростов нельзя, похитители их наперечет знают, фээсбэшники светиться бояться, Кондрашин то ли жив, то ли мертв — непонятно, — сказал Денис, вылавливая очередную форель.

— Не стоит благодарности. Тут все честно — услуга за услугу. На этом весь мир держится. Индийский случай ты со своими орлами разрулил, а вся слава и гонорар мне достались. Ты же только отдохнул в Индии пару недель.

— Шесть, между прочим.

— Тоже хорошо. Что-нибудь интересное узнал у йогов?

Денис задумался, да так надолго, что Быковский пихнул его локтем.

— Извини. Трудно сказать. Для того чтобы в их мудрость въехать как следует, нужно с рождения по их заповедям жить, травой одной питаться, тогда и левитировать научишься, и мысли читать... А так — это не объяснить даже, просто когда хотя бы несколько недель живешь совсем в другом измерении, здесь все иначе воспринимаешь. Глубже, что ли... Всякие мелкие проблемы назад уходят.

Денис задумался. Андрей Сергеевич стал перебирать улов. Полное ведро отборной форели.

— В общем, спасибо тебе, Сергеич, и за старикана с пистолетом, и за поддержку на площадке.

— Да брось ты, в самом деле! Была возможность — помог. Я же сам родом из Ростова, все ходы-выходы знаю, да и людей тоже. Вот если бы похитители назначили встречу во Владикавказе или Ставрополе, помочь уже не смог бы. А так — все живы и здоровы, у тебя теперь слава всенародная — радуйся.

Денис вздохнул:

— Что-то мне подсказывает, что радоваться особо не стоит. Это дело кондрашинское — какое-то больно мутное, не ровен час — нам еще аукнется. Ведь на самом деле-то ничего не ясно — ни кто его похищал, ни зачем они это делали. Сплошные несостыковки.

— Типун тебе на язык, — сказал Быковский и снова забросил удочку.

Генерал-лейтенант Спицын потерял покой и сон. Над его головой сгущались тучи. В ФСБ запахло грандиозными чистками. Из-за идиотского дела с похищением тележурналиста Николай Николаевич был кандидатом номер один на вылет из «конторы». К сожалению, за его долгую карьеру в этом ведомстве он не помнил случая, когда бы поплатились действительно виновные в развале работы. Все его заслуги уже не имели значения. Как-то забылось, что журналист был освобожден, остался жив, бриллианты также не пропали. Что ж, делай все, что должен, и будь, что будет. Генерал созвал очередное совещание по кондрашинскому делу.

— Доложите, что удалось узнать по Исмаилову, — сухо приказал генерал своим подчиненным.

— Удалось установить, что в день передачи выкупа Исмаилов не был на службе. Он сообщил руководству, что поедет встречаться со своим информатором. Имени информатора он, естественно, не сообщил.

— Что показало расследование по связям Исмаилова?

— Связей с действующими бандформированиями не выявлено.

Ну да, действительно, подумал Спицын, я Хожу не один год знал. Он давно для себя решил, что федералам служить выгодней. Мозги-то у него хорошо работали.

— Повторная баллистическая экспертиза подтвердила, что Исмаилов был убит из пистолета Грязнова.

— То есть Грязнов его и пристрелил. Логично. Кстати, он вроде бы этого и не отрицал. А что по второму убитому?

— Его застрелили из снайперской винтовки. Вряд ли это тоже мог сделать Грязнов-младший.

— Согласен. Удалось найти след похитителей, скрывшихся с места передачи выкупа?

— Николай Николаевич, весь Ростов и окрестности прочистили. Всю милицию ростовскую под ружье поставили. План «Перехват» объявили. Ничего обнаружить не удалось.

— Что, совсем ни одной зацепки?! — рассвирепел Спицын.

— Вообще ничего, как в воду канули.

— Черт возьми! А бандитов действительно было

четверо? Может, эти хитрецы — Грязнов с Кондрашиным — что-нибудь приврали для красного словца?

— На стройплощадке обнаружены следы шестерых человек и снайпера. Удалось обнаружить, с какого места стрелял снайпер. С верхнего яруса. Очень удобная позиция. Один из скрывшихся был ранен. Его группа крови не совпадает с теми, что были у убитых.

— Что, раненого человека не смогли в Ростове отыскать? Ведь он же должен был к какому-то врачу обратиться? — Обычно невозмутимый Ник-Ник орал на своих сотрудников, и те были не столько этим испуганы, сколько озадачены.

— Николай Николаевич, вы же знаете, сколько лекарей нелегально промышляют в этой зоне! Кому из боевиков охота светиться в больницах? А врача всегда можно припугнуть, подкупить. Зарплаты-то у них поменьше прожиточного минимума, да и семьями все дорожат. Не забывайте также, что сочувствующих «борцам за независимость» всегда много. Люди же привыкли ко всему, что исходит от государства, относиться с недоверием.

— Ладно, откуда у Грязнова взялся пистолет? — уже спокойнее спросил Ник-Ник.

— Непонятно, Николай Николаевич. Похоже, что ему кто-то помогал в Ростове. Как я уже докладывал, Грязнов буквально несколько секунд общался в аэропорту с каким-то дедом, и это — сама вероятная возможность.

— Но кто это был?!

— Мы не смогли обнаружить. В Ростове у Грязнова нет ни родственников, ни друзей, ни дружественных ему охранных предприятий.

— Видимо, есть, раз ему помогали, — буркнул

Спицын. — Наблюдение за Грязновым в Москве что-нибудь показало?

— Были контакты с Чегодаевым, он ездил к нему в загородную резиденцию. Много общался с Кондрашиным, похоже, что подружились. Встречался с Анастасией Чегодаевой во время контактов с журналистом. Неделю провел безвылазно в Останкино на съемках и монтаже передачи «Герои нашего времени».

— Видел я эту сказку голливудскую. Про спецслужбы опять ни слова. Частный детектив у них герой нашего времени. Пижоны!

— Но операцию он действительно провернул в одиночку, — заикнулся было помощник Спицына.

— Молчать! Разговорчики! Что бы он делал, если бы мы его под белы рученьки в Москву не доставили?!

Сотрудники Спицына сделали непроницаемые лица. Похоже, шеф сильно нервничал, видимо, начальство давило как следует. Обычно Ник-Нику логика не изменяла.

— Значит, так. Сейчас к сотрудникам нашего ведомства предъявляют повышенные требования. Поэтому все, кто не смог справиться с элементарными заданиями, будут увольняться. У нас тут элитный отдел, куда собрали лучших сотрудников (по крайней мере, так подразумевалось), а не богадельня! Все за работу! Через двадцать четыре часа жду от вас конкретных результатов. Можете идти.

Генерал остался один в своем кабинете и глубоко задумался. Для Спицына не было тайной предполагаемое создание секретного ведомства во главе с Медведем. Похоже, Герман был сейчас в фаворе у президента и его окружения. Сам Спицын был обязан своим продвижением по службе совсем другим людям, далеким от так называемой питерской команды. К счастью, с питерскими ему в конфликт не доводилось вступать, но сейчас от этого было мало толку. Что же до Медведя... Герман Медведь был очень талантливый карьерист. За ним числилось не так много ратных подвигов и с блеском проведенных контрразведывательных операций, но он всегда умел виртуозно примазаться к чужому успеху. Умению плести интригу у него мог поучиться сам Макиавелли. В общем, во всех отношениях перспективный товарищ.

Спицын еще раз разложил перед собой материалы дела и стал их анализировать. Легче всего было свалить вину за ускользнувших террористов на Грязнова-младшего. В конце концов, то, что именно его выбрали похитители, и то, что ему удалось освободить Кондрашина, — в высшей степени подозрительно. С другой стороны, камни ведь остались на месте. Не сходятся концы с концами. Если Грязнов был в сговоре с похитителями, то логично, если бы кейс с драгоценностями с места схватки унесли под шумок. Напротив, все драгоценности благополучно возвращены владельцам. Кстати, осенило генерала, ведь никто не проверял ни до, ни после передачи Кондрашина, были в кейсе настоящие драгоценности или подделки! Все страшно беспокоились за жизнь и здоровье звезды и просто не успели провести экспертизу. Тем более что времени для этого было явно недостаточно — Чегодаев передал свои долбаные драгоценности в самый последний момент.

А что, если Грязнов нес на встречу фальшивые бриллианты? Или, наоборот, ему их подменили во время потасовки? Почему тогда Чегодаевы об этом не заявляют? Странная пара. Есть сведения, что Анастасия до сих пор встречается с Кондрашиным, а супруг ей еще голову за это не открутил. Может, любит сильно? Или девица ловко морочит ему голову? Можно выдвинуть версию, что Кондрашин это похищение инсценировал для каких-то своих пиар-целей. Но в такой расклад не вписывалось отрезанное ухо. Ни один нормальный человек, будь он сто раз из шоу-бизнеса, уши себе отрезать не будет, чтобы повысить популярность. Оставалось ждать новых фактов.

Глава четвертая

Денис спал у себя дома и видел сон: берег Индийского океана, рассвет, из волн выходит прекрасная молодая женщина. Ее зеленые глаза светятся любовью и радостью. Хотя она одета в национальную индийскую одежду — на ней сари ярко-розового цвета, — ее одеяния намокли и облепили великолепную фигуру. Она распускает густые каштановые волосы и сушит их в лучах восходящего солнца. Похоже, что эта женщина не индианка, они намного смуглее. Он где-то ее видел. Никак не может вспомнить...

Звук телефонного звонка прервал сновидение. Ну и кому это пришло в голову среди ночи звонить? Денис поднял голову с подушки и уставился на электронный будильник. Три часа ночи. Телефон звонящего на определителе не просвечивался. Будем надеяться, что это не сумасшедший, а кто-то по важному делу.

— Денис, ты сейчас в каком состоянии? Соображаешь хорошо? — раздался голос Грязнова-старшего, начальника МУРа.

— Вообще-то я сплю, дядя Слава, так что в каком состоянии — решай сам. А я пока еще покемарю...

— Стой, не отключайся!

— Что-то случилось?

— Хочу тебя предупредить. Хотя в утренних новостях ты сам все узнаешь. Кондрашина хлопнули сегодня ночью.

Денис сел на кровати и уже окончательно проснулся.

— Пока сюжетов по телевидению и в прессе не было, но завтра утром они обязательно появятся.

— Что-нибудь уже известно? Как, где, кто?

— Множественные ножевые ранения по всему телу, перерезанное горло. Будто мясник какой-то поработал.

— А где все случилось?

— На Вернадском проспекте, в квартире Анастасии Чегодаевой.

— Она разве не с мужем живет?

— У них с мужем недвижимости завались. В том числе и ее собственная, на ее имя зарегистрированная квартира.

— А где она сама была в момент убийства?

— С мужем на какой-то театральной премьере в Ленкоме.

— Дела... Что же Кондрашин забыл в ее квартире?.. Думаю, многие ее захотят спросить об этом.

— Похоже на то. В общем, Денис, заваруха начнется серьезная. Сейчас все — и МВД, и ФСБ — на ушах стоят. Тебя обязательно дергать будут, как свидетеля по делу. Не говори потом, что я не предупредил.

— А меня-то за что?

— Кто у нас герой-освободитель народного любимца? У славы есть две стороны, боюсь, как бы тебе не пришлось узнать и вторую. Кстати, пикантность ситуации не столько в том, что у Кондрашина с женой Чегодаева были достаточно теплые отношения, что вроде бы замужней даме не к лицу, а в том, что ту коллекцию драгоценностей стоимостью шесть миллионов долларов она хранила в сейфе на этой самой квартире.

— Она что, с ума сошла, такое дома хранить?! — первый раз со времени возвращения из Индии разозлился Денис.

— Ну, дом, надо сказать, не простой, и охрана там хорошая. К тому же камушки застрахованы были на кругленькую сумму. Только все равно пропали они. Видимо, тот, кто Кондрашина прирезал, камни и взял.

— Логично, — буркнул Денис. — Слишком логично.

— Так что посиди, попей кофе, обмозгуй ситуацию. Лучше быть ко всему готовым.

Денис решил, что утро вечера мудренее. Дядя Слава все равно донесет до него всю информацию по делу. Кондрашина, конечно, жалко. Хороший парень был. Все-таки связи с роскошными женщинами до добра не доводят. Он вспомнил сон, который снился ему до телефонного звонка. Девушка в розовом сари, пожалуй, напоминала Анастасию Вереницыну-Чегодаеву. Такая кого хочешь околдует. Денис поставил будильник на шесть утра — время первых выпусков новостей — и провалился в тяжелый сон без сновидений.

Он проснулся раньше назначенного самому себе времени и решил по приобретенной в буддистском монастыре привычке начать день с медитации для прояснения сознания. Взял холщовый мешочек со смесью из индийских трав. Если растереть смесь в порошок ладонями, поднести их к лицу и сильно вдохнуть запах экзотических растений, медитация проходила особенно успешно. Мысли и эмоции успокаивались, и открывалась истина. Были и другие способы использования чудодейственной смеси — можно было нюхать или жевать травяной порошок, но Денис предпочитал самый «легкий» вариант воздействия на сознание. Монахи рекомендовали прибегать к травам в исключительных случаях, когда нужна поддержка свыше. Похоже, сейчас наступил именно такой момент.

К утренним выпускам новостей Денис был бодр и собран. Кофе он по приезде из Индии окончательно заменил на зеленый чай и сейчас прихлебывал его, слушая новости. Надо сказать, телевизионщики превзошли самих себя. Они нагнетали обстановку почище, чем в любом фильме ужасов. Растерянный московский обыватель мог предположить, что сегодня ночью преступления были совершены в каждой второй квартире города и те, кого такая участь обошла, могут ждать прихода грабителей и убийц с минуты на минуту. Как обычно, операторы не постеснялись показать труп — зрелище не для слабонервных. Интересно, есть у них хоть какие-то зачатки журналистской или просто человеческой этики, подумал Денис. У парня ведь родственники наверняка имеются, каково им такое с экрана наблюдать? Что ж, с телевидением все ясно. Надо ознакомиться с утренними газетами.

Он вышел из дома и подошел к киоску с прессой рядом с метро. Распространители прессы были во всеоружии: на самом видном месте красовалась газета «Товарищ либерал» с броским заголовком: «Сердце красавицы склонно к измене...» Крупным планом на первой полосе были напечатаны портреты покойного Леонида Кондрашина, Анастасии Вереницыной с короной «Вице-мисс Вселенная» на голове и олигарха Чегодаева. Тоже мастера эти газетчики. Смерть человека, трагическое событие, а они все грязное белье наружу вытягивают. Денис раскрыл газету и начал читать:

«Сегодня ночью был убит журналист Леонид Кондрашин. Прошло совсем немного времени с того момента, как вся страна с ликованием встретила его освобождение из рук чеченских террористов. И вот — Леониду не удалось уйти от преследовавшего его рока — он погиб от рук злоумышленников. Убийца сначала нанес не менее двух десятков ударов ножом, после чего перерезал ему горло. Леонид сопротивлялся, но не смог вырваться из рук киллера. Очевидно, что версия о «чеченском следе» в истории с похищением журналиста подтверждается. Так жестоки бывают только исламские фундаменталисты.

В трагической истории гибели журналиста примечательным является место его смерти. Он был совершенно один на квартире Анастасии Чегодаевой (в девичестве Вереницыной). До своего замужества с влиятельным предпринимателем Степаном Петровичем Чегодаевым Анастасия состояла в близких отношениях с Леонидом Кондрашиным, проще говоря, была его любовницей. Видимо, и после свадьбы красавица, завоевавшая титул «Вице-мисс Вселенная», продолжала крутить роман с модным телеведущим. Любопытен также факт, что Леонид Кондрашин и Степан Чегодаев в студенчестве были приятелями и учились в одном и том же институте — нефти и газа. Степан Чегодаев после этого разбогател на нефтяном бизнесе, Леонид Кондрашин сделал блистательную карьеру на телевидении. В конечном итоге Чегодаев купил телеканал СТВ, на котором работал Кондрашин, и, по сути, стал его боссом. Впрочем, хорошо известно, что господин Чегодаев осуществлял только стратегическое руководство своей медиаимперией, дав установку управляющим на прокремлевскую информационную политику. Леонид Кондрашин ни разу не нарушил директиву руководства телеканала, хотя и есть основания предполагать, что это расходилось с его взглядами на проблему Северного Кавказа.

У бывших однокашников было много общего, в том числе и одна женщина на двоих. Как удалось установить в результате журналистского расследования, квартира, на которой был обнаружен труп Леонида Кондрашина, была приобретена им самим для тайных свиданий с супругой олигарха, причем зарегистрирована оказалась как раз на ее имя! Можно утверждать, что Степан Чегодаев — первый в истории России олигарх-рогоносец. Но самое интересное заключалось в том, что именно на этой квартире, служившей убежищем тайных любовников, Анастасия хранила коллекцию драгоценностей стоимостью шесть миллионов долларов, которую похитители Кондрашина потребовали в качестве выкупа. Бесценная коллекция была подарена Анастасии супругом в качестве свадебного подарка. Сейчас драгоценности бесследно исчезли.

Что можно сказать в заключение? Мы все скорбим о гибели талантливого журналиста, открывшего целую эпоху на российском телевидении. Но задумайтесь на секунду — в стране, где средняя зарплата не превышает трех тысяч рублей, а средняя пенсия не покрывает прожиточного минимума, какие-то люди, ничем не лучше всех остальных, выставляют напоказ свое богатство, свою преступную роскошь. Быть может, это возмездие свыше за неумение быть скромными? Воистину, пир во время чумы еще никого не доводил до добра...»

Денис скривился от этой журналистской чернухи.

Ишь ты, еще и социальной справедливости в уголовщину намешали. Мол, если ты богатый — то ничего, если тебя топориком по башке тяпнут, сам виноват. Забавные представления о правах человека. Вроде бы, в классическом понимании, права есть у всех — и у богатых, и у бедных, а не только у тех, кто вызывает сочувствие у редакции издания. Крепко нам Достоевский менталитет переехал. Все хотят быть Раскольниковыми. Это же легче, чем работать и зарабатывать. Ладно, господин Чегодаев себя в обиду не даст. У них с Ванштейном, владельцем издательства «Товарищ либерал», давние распри. Наверное, Ванштейн злится, что ему нефти не хватило.

В офисе Денис просмотрел остальные газеты. Таких едких и скандальных публикаций, как у изданий Ванштейна, больше не было, но по Анастасии Вереницыной все так или иначе проехались. Кое-где упоминали и имя самого Грязнова-младшего, вспомнили, что он участвовал в освобождении журналиста, многие превозносили профессиональные достижения Кондрашина. Канал СТВ устроил траурный марафон в эфире. Известные политики, общественные деятели, актеры, журналисты высказывали свое мнение в связи с его смертью. Сам Чегодаев и Анастасия на телеэкране не появились, но это было неудивительно, Степан Петрович любой ценой старался избегать публичных выступлений.

Опять позвонил дядя, Грязнов-старший:

— Денис, скажи, пожалуйста, ты из своего индийского отпуска не привозил какой-нибудь дряни. В смысле дури?

— Дядя Слава, ты на что намекаешь? Я могу обидеться.

— Черта с два ты можешь обидеться, тебя, по-моему, сейчас об асфальт не расшибешь. Дело вот в чем: на месте преступления найдены крошки порошка. Экспертиза показала, что это толченая смесь редких индийских трав. Ни в одном из магазинов Москвы, торгующих всякой восточной лабудой, такая смесь не продается. На обычные смеси наркотиков состав тоже не похож. Ты из Индии ничего не привозил подобного?

— Есть у меня травки для медитаций, ну и что такого?

— Слушай, Денис, ты не темни, — заволновался Вячеслав Иванович. — Тут дело серьезное, керосином попахивает. Не дай бог, состав твоих травок окажется идентичным с тем, что найден на квартире, где убили журналиста. Это будет прямой уликой, показывающей на тебя как на основного подозреваемого. У тебя алиби есть на период с полуночи до половины второго?

— Дома я был, дядя Слава.

— Один?

— Ну да...

— Очень плохо.

Анастасия захлебывалась слезами. Она вошла в тридцатиметровую ванную комнату, облицованную розовым мрамором, включила воду во всех кранах, повернула рычажок джакузи на режим вибромассажа и, обессиленная, упала в кресло. Нельзя было показать Степану, что смерть Леонида так ее потрясла. Она не хотела показывать супругу свою уязвимость.

Почему, ну почему так получилось, что, когда в ее жизни сбылись все мечты, она стала глубоко несчастной? Сейчас у нее есть все, о чем обычные девчонки даже не смеют мечтать, но даже элементарной радости от этого она совсем не испытывает. Огромный загородный особняк, построенный точь-в-точь как замок Дракулы из голливудского фильма, был затеей ее супруга. Она бы предпочла что-нибудь в сдержанном неоклассическом стиле. Однако Степан с упорством маньяка строил «дракуловские» замки в каждом их имении. Хорошо хоть ей удалось оформить интерьер своего крыла дома по собственному вкусу. Она предпочла стилизовать свою спальню и будуар под эпоху Людовика XIV, большая часть мебели была антикварной. В ванной комнате стремиться к исторической правде не имело смысла, потому что в четырнадцатом веке гигиенические предпочтения французских придворных были довольно своеобразны. Пришлось сделать стилизацию под модерн серебряного века, разумеется, встроив самую современную сантехнику.

Анастасия немного успокоилась, поток слез постепенно иссяк. Как бы она хотела оказаться снова в начале своего пути к успеху и славе, может быть, она смогла бы повернуть ходы своей судьбы вспять... За что судьба так жестоко наказывает ее? Она ведь никому и никогда не желала ничего плохого. Даже на конкурсе «Мисс Вселенная» оказалась почти случайно.

Настя всегда знала, что она красива. Наверное, еще с пеленок. Но ей никогда не приходило в голову кичиться этим, она всегда воспринимала это как само собой разумеющееся — точно так человека не удивляет, что его родной язык русский. Сколько она себя помнила, мама ласково нашептывала ей: «Доченька моя, красавица», когда расчесывала ее длинные густые волосы, которые в детстве дорастали в буквальном смысле до пят. Когда Насте исполнилось пятнадцать, волосы достигали только колен, но все равно ни у кого больше в их школе такой косы не было.

Спасибо маме, Настя не поддалась модным веяниям и не обстригла волосы. Ее школьная подружка, тоже обладательница длинных золотистых кос, Маша Семенова, в восьмом классе сделала модное каре и сразу резко подурнела — проявились все недостатки еще не до конца оформленной девичьей фигуры, обострились черты лица, из белокурой принцессы она превратилась в гадкого утенка. С тех пор настоящей красавицей в школе осталась только Настя Вереницына.

Ей дали прекрасное гуманитарное образование, к точным и естественным наукам Настя была равнодушна. Это не помешало ей получить пятерки по всем предметам, но в старших классах необходимость заниматься одинаково тщательно и физикой, и математикой, и литературой, и историей уже серьезно ее утомляла. Настя никогда не задумывалась о том, имела ли значение привлекательная внешность для ее отличных отметок. Только потом, в достаточно взрослом возрасте, она поняла, что привлекательному и обаятельному человеку люди невольно, как бы «подсознательно» завышают оценки.

Насте в голову не приходило воспринимать школу всерьез, основное образование она получала в семье и на дополнительных занятиях. С пяти лет она занималась классической хореографией, что дало прекрасную осанку. Мудрая мама вовремя отговорила девочку поступать в училище при Большом театре и мягко переориентировала ее с классики на бальные танцы. Настя занималась у лучших тренеров в Москве и достигла значительных успехов. Потом, когда началась ее светская карьера, ей очень пригодилось умение держать спину, танцевать вальс и красиво покачивать бедрами, сексуально, но не вызывающе. Иностранными языками — английским, французским и итальянским — с ней занимался дедушка, профессор Военного института иностранных языков, где готовили всяких переводчиков-разведчиков. Благодаря ему, к окончанию школы она владела этими языками в совершенстве.

На семейном совете долго ломали голову, куда их умнице-красавице Настеньке отправиться учиться. Ни к юриспруденции, ни к экономике она особой склонности не испытывала, иностранными языками уже владела прекрасно, из гуманитарных вузов оставался только факультет журналистики МГУ. В выпускном классе Настя написала и опубликовала несколько заметок на страницах «Комсомолки» по актуальным молодежным темам и без всяких проблем прошла конкурс на журфак.

Казалось бы, у девушки с такой яркой внешностью должна быть куча поклонников, которых она меняет как перчатки. Не тут-то было: зеленые юнцы из окружения сверстников ее не привлекали, мужчины из семейного круга были уже слишком «в возрасте» и слишком хорошо известны. Трудно влюбиться даже в самого привлекательного мужчину, когда знаешь, что его жена — толстая душная тетка, которая часами может говорить о заготовках черной смородины на зиму. Конечно, вокруг Насти всегда суетились мальчики, готовые донести портфель с одних занятий на другие, но она не слишком много придавала значения такому общению.

Благодаря хорошему воспитанию, Настя была довольно сдержанной, и из-за этой своей особенности она заработала на журфаке среди соучениц репутацию высокомерной стервы. Однокашницы не могли простить ей того, что, когда она появлялась в аудитории или проходила по коридору, все мужчины поворачивали голову ей вслед. О ее амурных похождениях складывали легенды, но на самом деле это были лишь вымыслы и досужие сплетни.

Однажды, во время летних каникул между первым и вторым курсом журфака, к ней в гости заскочила та самая Машка Семенова, променявшая в переходном возрасте длинную косу на стрижку. Она уже перестала быть неловким подростком, но абсолютной красавицей тоже не стала. Просто хорошенькая девушка, и только. Машка была очень возбуждена и лепетала какой-то бред:

— Настя, возьми сантиметр, померяй мою талию. Сколько получилось? Шестьдесят два? Многовато что-то. Не давай мне ничего есть.

— Маша, мама пироги испекла с лимоном, — попробовала возразить Настя.

— Никаких пирогов. Нужно соответствовать стандарту.

— Какому стандарту?

— Девяносто — шестьдесят — девяносто.

— Это рост — возраст — вес? — съехидничала Настя, отнюдь не лишенная чувства юмора.

— Настасья, не дерзи! Я буду в конкурсе «Мисс Россия» участвовать. Если наем лишние сантиметры, мне ничего не светит, а так — выиграю что-нибудь.

— Маш, ты с ума сошла! Будешь в купальнике расхаживать по подиуму перед глупыми мужиками в жюри?

— Не такие уж они и глупые — сплошь известные бизнесмены, артисты, телеведущие.

— Какая разница! Все равно конкурс красоты — удивительно глупое мероприятие.

— Это с какой стороны посмотреть. Вот выиграешь автомобиль или шубку норковую, и ты сразу так думать перестанешь, — резонно возразила практичная Маша.

— Что ты несешь, я-то уж точно никогда не буду в этих глупостях участвовать.

— Ой-ой-ой, принцесса-недотрога! Тоже мне. Всегда хотела лучше других быть...

— Маша, — с укоризной покачала головой Анастасия.

— Настя, не злись, сегодня первый просмотр, ужасно нервничаю. Может, ты со мной пойдешь?

— В каком качестве?

Подружка почесала хорошенькую головку.

— Да, туда же вход будет только по пропускам, а пропуска сегодня оформляют. Давай ты тоже подашь заявку на участие, ага? Тогда первые туры ты со мной походишь, я освоюсь, нервничать перестану.

— Как ты себе это представляешь? Я что, в купальнике расхаживать стану?!

— А там первые туры вовсе не в купальнике. Платье наденешь, более-менее фигуру облегающее, и — вперед. Они смотрят общие данные — рост, как смотришься со сцены, не кривые ли ноги. Представляешь, сколько туда неликвидных телок придет? Им же надо всех уродин отсеять.

— Маша, что за жаргон?..

— Ладно-ладно, извини, дорогуша. Поднимайся, через два часа первый тур.

По насмешке судьбы Машу Семенову не пропустили даже на второй тур, а Анастасия легко дошла до финала и в результате выиграла корону «Мисс России». Все прошло для нее легко, без всякого напряжения. Конечно, уникальные природные данные и прекрасная хореографическая школа дали себя знать. Уже ближе к финалу среди членов жюри разгорелась дискуссия, кого выдвигать на первое место. По негласной договоренности эта регалия отводилась пассии главного спонсора конкурса, но вдруг поступил звонок из кругов, близких к Кремлю: надо было выбрать девушку, прекрасно владеющую английским и желательно еще парой европейских языков, чтобы не опозориться на международной арене. «Мисс Россия» автоматически выдвигалась на конкурсы «Мисс Европа» и «Мисс Вселенная». Спонсорской девушке пришлось удовлетвориться вторым местом.

Так неожиданно для себя самой Анастасия Вереницына стала российской знаменитостью. Ее наперебой приглашали сниматься на обложки самых известных глянцевых журналов, модельные агентства охотились за ней — редкий случай, когда не надо было вкладывать деньги в раскрутку модели. Настя отказывалась почти от всех предложений агентств, для нее не было секретом, что в России особой разницы между модельным бизнесом и проституцией не существует. Но когда пришло приглашение на конкурс «Мисс Вселенная», она согласилась.

Участвовать в международном состязании было гораздо приятнее, чем в российском. Атмосфера была намного дружелюбнее. Западные люди давно приучились скрывать свои истинные эмоции, и никому из девушек не приходило в голову устраивать скандалы, выясняя отношения. Тем более что за это легко можно было слететь с дистанции. Во время подготовки к финальному шоу с Анастасией поработали голливудские стилисты, и из девушки просто очень красивой она превратилась в ослепительную красавицу, почти богиню. Возможно, потому, что ей самой было почти все равно, выиграет она призовое место или всего лишь ограничится достойным участием в конкурсе, титул «Вице-мисс Вселенная» дался ей легко. К счастью, обязательная программа мирового турне для вице-мисс была значительно менее насыщенной, чем для победительницы, и Настя не слишком переутомилась, выполняя свои обязанности в течение года после победы на конкурсе.

Состав поклонников увеличился количественно и заметно изменился качественно. Если раньше за Настей ухаживали бойкие сверстники, сейчас пытались привлечь ее внимание солидные бизнесмены, известные шоумены и артисты. Но по-прежнему никто не трогал ее сердца. Люди из шоу-бизнеса были явно неискренни, им надо было всего лишь покрасоваться рядом с модной красавицей. Для бизнесменов она была всего лишь престижным трофеем. Мужчины, которые считали, что могут быть интересны ей только благодаря толщине своего кошелька, Насте были отвратительны.

Она, уже больше по привычке, прилежно училась на журфаке. Отношения с сокурсницами напряглись еще больше, но девушка старалась не обращать на такие глупости внимания. Однажды деканат устроил серию встреч с опытными тележурналистами. На одной из них выступал Леонид Кондрашин. Настя, сидя в заднем ряду, почувствовала, как ее кинуло в жар. Это был ее мужчина, тот самый, которого она ждала так долго, не растрачивая себя на глупых юнцов и стареющих богатеев. Леонид тоже заметил девушку ослепительной красоты в последнем ряду и ее необыкновенные колдовские глаза. Он долго не мог вспомнить, почему ее лицо ему так знакомо, пока кто-то не сказал ему, что эта та самая русская красавица, завоевавшая весь мир. Они познакомились. Нечастое сочетание яркой внешности, хороших манер и гибкого интеллекта покорило Кондрашина. Роман был очень бурным и страстным. Анастасия была на седьмом небе от счастья — она наконец нашла своего принца.

...В квартире Грязнова-младшего все было перевернуто. Содержимое всех ящиков вывернуто на пол. Диван раскрыт и перевернут. На кухню лучше было не заходить. Менты уже третий час подряд проводили обыск. В понятые позвали двух мирных старушек, проживавших этажом выше, они с ужасом взирали на происходящее.

— Понятые, попрошу обратить внимание! — гордо провозгласил один мент. — При обыске изъят холщовый мешочек со смесью трав. Состав определит экспертиза. Но и так ясно, что это наркотик.

— Надо же, такой приличный молодой человек, не пьет, не курит, — зашептались старушки. — Вот ведь как обманчива бывает внешность.

— Простите, — подал голос Денис, — но как вы можете утверждать заранее, что там находится наркотик?

— А что еще? — грубо огрызнулся мент.

— Все, что угодно: ароматическая отдушка, зеленый чай, смесь трав для фитотерапии. Не приходило в голову? Вы нарушаете мои конституционные права.

— Хватит нам лапшу на уши вешать, дури себе привез из Индии и кого-то обмануть хочет, охламон.

— Вас предупреждали, что, согласно инструкции, вы должны быть корректны при проведении обыска? — продолжал доставать ментов Денис.

— А то... Сейчас ордер на твой арест подвезут — вот мы в следственном изоляторе и покажем тебе курс хороших манер, — хохотнул второй мент.

— С каких это пор у нас за хранение лекарственных трав арестовывают?

— С тех пор, голубь, как аналогичные по составу лекарственные травки на месте убийства оказываются. Понял?

— Это надо еще доказать, — спокойно возразил Грязнов-младший.

— Докажем, что ж тут доказывать-то, небось там тоже не ромашка полевая, а растения поэкзотичнее.

Менты принялись за библиотеку Дениса, не церемонясь, скидывая книги куда придется.

— Поосторожнее, пожалуйста, там есть довольно редкие издания, антикварные в том числе, — предупредил Грязнов-младший.

— Не боись. Если не конфискуют все твое имущество — отсидишь срок и все тут приберешь.

Старушки обалдело переглянулись. Хамство ментов было слишком нарочитым. Бабушки опять зашептались между собой:

— А может, они сами подкинули этот порошок-то? Ты смотрела внимательно, Матвеевна?

— Внимательно, Вероника Ильинична, внимательно, только глаза совсем слепые стали, а очки-то я дома, дура старая, забыла.

— Что ж ты, Матвеевна, в понятые-то вызвалась, если ничего не видишь? Обыск-то теперь незаконный будет, раз ты на самом деле не видела ничего? Не стыдно тебе на себя ответственность такую брать?

— Вероника Ильинична, вы дамочка грамотная, а я из простых. Пришел милиционер, сказал: надо идти к соседу на обыск — я и пошла. Кто же милиции отказывает?!

Старушки продолжали кудахтать, а милиционеры методично очищали книжные полки. Денис напряженно думал, в какую переделку он попал. Предположим, что состав его медитативного порошка и той смеси, что нашли на месте убийства тележурналиста, совпадает. Похоже на подставу. Что же он делал в ту ночь, когда был убит Леонид Кондрашин? Вроде бы сидел дома безвылазно... Хотя нет, вспомнил! Был идиотский звонок якобы потенциального клиента со срочным делом. Позвонили в контору, долго требовали позвать к телефону самого Грязнова-младшего, потом назначили встречу рядом с метро «Юго-Западная» поздно вечером, почти ночью. И Денис, как полный идиот, повелся на жалобы о том, что дело срочное, сложное и медлить нельзя, приперся к метро и проторчал там почти час, так никого и не дождавшись. На алиби не потянет, точнее, не потянет на убедительное алиби. Как назло, он ничего не покупал в киосках — ни шоколадок, ни жвачки, ни пива. Сигарет он в принципе купить не мог, поскольку не курил. Так была бы вероятность, что кто-нибудь из продавцов его запомнил. К раскладке с прессой и книгами он тоже не подходил. Во-первых, было поздно и они уже не работали, во-вторых, он предусмотрительно взял с собой детектив Рекса Стаута о Ниро Вулфе на английском языке, чтобы на случай опоздания не проводить время бесцельно. Ладно, спокойствие прежде всего, если у ментов есть только «трявяная» улика, он с помощью хорошего адвоката сможет выпутаться из этой передряги. А хороший адвокат в заначке имеется.

Но Денис рано понадеялся на мастерство адвоката. Неожиданно один из милиционеров радостно провозгласил:

— Товарищи понятые, прошу сюда, пожалуйста! Обратите внимание, в одной из книг — тайник.

Он держал на развороте толстый томик из собрания сочинений Льва Толстого. В массиве страниц книги было вырезано квадратное углубление, в котором хранилась небольшая коробочка из красного бархата, в таких обычно хранят ювелирные украшения.

Все, теперь влип точно! Подстава по полной программе. Одного порошка медитативного им мало показалось, они еще в Льва Николаевича фигню какую-то запихнули. Денис-то прекрасно знал, что у него рука бы не поднялась в книге уродовать страницы и запихивать туда бархатные коробочки, но поди это докажи...

Милиционер на глазах изумленных старушек-понятых открыл футляр и продемонстрировал крупный бриллиант.

— Ну и что тут такого? У меня тоже есть драгоценности, и я их храню не на виду, — стала на защиту Дениса Вероника Ильинична. Ей уже надоела роль помощницы правосудия, да и к молодому человеку она всегда относилась с симпатией — вежливый, предупредительный, образованный, не курит, никогда его пьяным не видели.

— Такие крупные бриллианты — большая редкость, — заявил милиционер.

— Может быть, у Дениса это фамильная реликвия. От прабабушки или прадедушки перешла.

— Больше похоже, что из коллекции Анастасии Чегодаевой, таких крупных бриллиантов в мире раз-два и обчелся. Опять-таки, не волнуйтесь, граждане. Экспертиза все определит, а наш суд, самый справедливый суд в мире, все рассудит по справедливости. Да, прошу обратить внимание, на дне коробочки пыль, с виду похожая на стеклянную. Наверное, остатки от распиленных бриллиантов.

— Зачем же пилить бриллианты, если они сразу ценность теряют в десятки раз? — удивилась Вероника Ильинична, окончательно перешедшая в оппозицию милиционерам. — Да и вообще, что же он — идиот, все бриллианты распилил и продал, а один себе оставил, чтобы следствию было удобнее обвинение предъявить?

— Разговорчики! Ваше дело — наблюдать за ходом обыска, а не комментировать! Ясно? — рявкнул на старушку милиционер.

Раздался телефонный звонок. По определителю стало ясно, что это звонят из офиса «Глории». Денис спросил:

— Я могу ответить или это нарушит ваши планы?

— Отвечайте, вы пока не арестованы, — смилостивился мент.

— Денис, у нас тут с обыском пришли, что делать? — раздался взволнованный голос Севы Голованова.

— Ордер на обыск в порядке? — спокойно спросил Грязнов-младший.

— Вроде да...

— Тогда запускайте. Максу мигни, чтобы компьютеры в должном виде показал.

— Понял, шеф. Он вроде уже сообразил, что делать.

— Прекрасно. Особо не напрягайтесь. Похоже, все, что им было надо, они уже на моей квартире нашли. Так что расслабьтесь и получайте удовольствие.

— Шеф, но что происходит? Ты вообще в порядке?!

— Сева, сейчас мне говорить неудобно, думаю, тебе передадут достаточно точную информацию по сложившейся ситуации. Пока прогнозы неутешительны.

— Денис, ты держись, мы тебя обязательно вытащим.

— Спасибо, Сева, пока. Да, и скажи нашим орлам, чтобы на рожон не лезли. Вполне достаточно, если арестуют только меня. Не надо из себя героев строить. Милиционеры у нас благородным манерам не обучены, поэтому на хамство постарайтесь не реагировать. Это в основном Фили касается.

— Будет сделано, не волнуйся.

По крайней мере, можно быть спокойным, что содержание служебных компьютеров милиции окажется недоступным. Вообще-то ничего предосудительного на жестких дисках компов в «Глории» не содержалось, но всегда неприятно, когда во внутренней документации шарят посторонние люди. Макс наверняка успеет зарядить какой-нибудь мгновенный вирус, обрушивающий всю их локальную сеть.

Милиционеры стали составлять протокол обыска, старушки пытались их убедить в том, что они зря катят бочку на Дениса.

В это время другая бригада милиционеров учиняла обстоятельный разгром в офисе «Глории».

— Ребята, может, скажете, что ищете? Мы вам сами покажем, — пытался установить некое сотрудничество с ментами Голованов, но его благие намерения были прерваны неожиданным воплем.

— Эй, эти козлы всю систему обрушили! Вся информация с жестких дисков стерта!

— Какого вы лестного о нас мнения, однако, — ухмыльнулся Филя Агеев. — Лично я сроду к компьютеру не прикасался. Я больше по рукопашному бою специализируюсь.

— Молчать, что я начальству доложу! — голосил молоденький лейтенант, некоторое присутствие интеллекта на его лице говорило о том, что его на обыск захватили в качестве специалиста по информационным технологиям.

Компьютерный монстр Макс вкрадчиво объяснял оперативнику:

— Вирусы, товарищ старший лейтенант, непобедимы. Сколько раз я говорил шефу, что антивирусные программы Касперского ненадежны. Они ведь в этой своей лаборатории сколько антивирусов пишут, столько же вирусов и создают. Сами их по клиентским компам и разносят, благо доступ не затруднен. Понимаешь, какой бизнес мощный?

— Да что ты мне тут пургу гонишь?! — чуть не плакал старлей. — Мне начальство голову снесет за то, что из ваших компов, арестовывай их не арестовывай как вещественные доказательства, ничего никогда не вынешь! Что я, не понимаю, где простой вирус, а где система защиты сработала?!

— Да нет, командир, у нас простой антивирус Касперского стоял. Даже не последней модификации. Лицензионный, правда. Говорил я шефу, что не надо на их лицензионность надеяться. Зря деньги только потратили, — втолковывал Макс.

Сотрудники «Глории» на какие-то минуты даже повеселели от гордости за своего компьютерного специалиста. Макс был по натуре прирожденный хакер и в прошлом достиг на этой почве немалых успехов. В агентстве он нашел для себя идеальную нишу — для дела время от времени нужно было взламывать защиту корпоративных систем, чтобы достать закодированную информацию, он мог химичить с «софтом» и «железом» сколько пожелает, над его душой не висело никаких бестолочей руководителей, которые в программировании вообще не рубят, да и режим работы был достаточно гибкий.

Веселье ребят быстро прошло, когда раздался звонок на мобильный Севы Голованова. Звонили из МУРа, от Грязнова-старшего:

— Вячеслав Иванович просил передать, что Дениса арестуют в течение ближайших двух часов, если не раньше. В данный момент сделать ничего нельзя, все улики против него.

Обыск в офисе прошел быстро. Видимо, милиционеры рассчитывали найти что-то в компьютерах, но Макс вовремя сориентировался и все грохнул.

— Парни, делать-то что будем? Похоже, шефа крепко подставили, — крякнул Филя.

— Надо сначала информацию собрать, какое обвинение предъявлено, на каком основании, — рассудительно добавил Коля Щербак.

— Ладно, мужики, давайте пока этот бардак приведем в порядок.

Сотрудники «Глории» в молчании принялись за уборку. За своего молодого шефа переживали все. Особенно давило на мозги то, что пока было непонятно, как ему помочь.

Глава пятая

Борис Семенович Ванштейн совершал утренний обход своих владений. Издательский дом «Товарищ либерал» находился в старинном особняке в районе метро «Динамо». Собственно, все редакции газет и журналов, созданные Ванштейном за последние пятнадцать лет, работали под одной крышей — в этом здании. Конечно, от чисто порнографических изданий он давно уже избавился, во всяком случае формально. Те СМИ, «желтизна» которых зашкаливала за все мыслимые пределы, уже давно были оформлены на подставных лиц, их редакции работали в неказистых квартирных офисах на окраинах Москвы, а прибыли они приносили по-прежнему огромные.

Когда Борис начинал, во всем тогда еще Советском Союзе не было ни одного порноиздания. С картинками проблем не было: Ванштейн просто купил несколько дисков с компьютерной графикой соответствующей тематики в Голландии, авторские права его никогда особо не волновали. С текстами была некоторая загвоздка, но он дал объявление в газету о том, что требуются авторы эротической прозы. Оказалось, что в стране огромное количество сумасшедших, которые готовы абсолютно бесплатно писать о своих сексуальных пристрастиях, зачастую весьма экзотических. Потом он придумал трюк — к обнаженному женскому телу на картинке присобачивать голову какой-нибудь знаменитой певицы или актрисы. Журнал расходился миллионными тиражами, прибыли были космическими. Конечно, оскорбленные дамочки, оказавшиеся на обложке, на весь мир начинали трубить, что журнал «Радости секса» незаконно использовал их изображение, но до суда доходили немногие, а лишняя реклама Ванштейну была только на пользу.

Теперь лишь сам Ванштейн и его финансовый директор знали, какую долю в обороте его издательского бизнеса занимают «отлученные» журналы, формально не имеющие к «Товарищу либералу» никакого отношения. Борис давно уже считался респектабельным издателем, демократом первой волны, защитником прав человека в России и прочая, прочая, прочая. Когда его бизнес достиг больших оборотов, он понял, что без политики уже нельзя, и сделал ставку на издания с политическим компроматом, или «политическое порно», как он называл этот жанр.

Настроение в этот день у Ванштейна было приподнятым. Новая блондиночка с кукольным личиком особо хорошо обслужила его ночью, и он был весел и свеж. Идя по коридору, Борис раскланивался со своими служащими, интересовался, как у них идут дела, он любил изображать доступного демократичного начальника. Насвистывая, он вошел в свой кабинет и развалился в удобном кресле, сделанном, разумеется, на заказ, специально под его фигуру. Надо бы поговорить с Пенгертоном. Жаль, упрямый американец ни за что не пойдет пить пиво, пока не наступило время ланча. Ладно, благодаря его англосаксонской пунктуальности и упертости в работе, огромная машина издательской корпорации двигалась как надо.

Ванштейн все же заглянул в приемную к Пенгертону и выразил некоторое удивление, когда очкастая секретарша Джорджа сказала, что глава издательского дома «Товарищ либерал» сегодня на работе еще не появлялся. Ванштейн демонстративно посмотрел на свой «ролекс»: почти двенадцать часов, и это было удивительно. А ведь все знали: во всем, что касалось работы, Пенгертон был педант, каких поискать.

— Может быть, у него важная встреча с какими-нибудь стратегическими партнерами или серьезными рекламодателями, о чем просто нет нужды сообщать заранее? — предположил Ванштейн. — Хотя секретарша обычно все же должна быть в курсе распорядка рабочего дня своего шефа. Может быть, он предупреждал, что приедет сегодня позже? — осведомился Ванштейн.

— Вообще-то, — замялась очкастая секретарша, — вообще-то...

— Ну что?!

— Вообще-то Джордж говорил, что приедет даже раньше, к восьми утра, а не как обычно, к девяти. У него сегодня запланирована встреча с крупной рекламной компанией, он и вчера с ними после работы встречался, и еще он просил меня подготовить документы, то есть тоже приехать сегодня пораньше...

— И не звонил?

— Нет...

— Так позвоните вы ему!

— Борис Семенович, я уже звонила много раз, — пропищала секретарша. — Мобильный телефон заблокирован.

— Позвоните домой.

— Но Джордж запретил звонить ему домой. Жена, кажется, ревнует...

— Да не время сейчас, дура ты очкастая! Звони немедленно!

Очкастая дура послушно набрала семь цифр и тут же положила трубку.

— Занято...

— Как только дозвонитесь, сразу сообщите мне, — сменил гнев на милость Ванштейн. Он хотел сказать, что Пенгертон, может быть, по случаю заключения удачной сделки банально напился, как в старые добрые времена, и сейчас просто «лечится», но, разумеется, говорить это вслух не следовало. Ванштейн засмеялся и пошел в комнату отдыха издательского дома — поиграть на бильярде. Там он встретил своего любимого противника в этом развлечении — главного художника издательского дома, и они оба немедленно засучили рукава. На какое-то время Ванштейн забыл о Пенгертоне и азартно покрикивал: «третий от борта...», «пятый в середину» и так далее.

В особняке, который занимал издательский дом, для работы, равно как и для отдыха, были созданы отличные условия. Те, кто работал здесь, к примеру, никогда не ходили в баню, хотя бы потому, что сауна с бассейном тут имелись свои. Уже несколько лет гонорары сотрудников непрерывно росли, и занять в «Товарище либерале» какую-нибудь серьезную

5 Зак. 1548

должность считалось значительным карьерным успехом в московской журналистской среде.

Зазвонил мобильник. Художник вытащил телефон и с недоумением уставился на него:

— Это не мой...

Телефон звонил в кармане пиджака Ванштейна, повешенного на стул. Этот номер был известен немногим, так что Борис удивился, но, обнаружив на определителе домашний номер Джорджа, слегка улыбнулся.

— Борис, случилось несчастье! — в трубке раздался плачущий женский голос. Это был не Пенгертон, это была его жена.

— Что случилось, детка?

— Жору похитили!

Ванштейн бросил косой взгляд на художника и расстегнул воротничок рубашки. Галстуки он не носил.

— Кто?! — Он уже положил кий на стол и жестом показал партнеру по игре, чтобы тот вышел. Художник немедленно покинул бильярдную.

— Я не знаю! Звонили уже. С акцентом таким, кавказским... Может быть, чеченцы. Сказали, что перезвонят через два часа. Требовали, чтобы ты приехал к нам и ждал звонка, — выдав информацию, молодая женщина опять зарыдала.

— Катя, не плачь. Сейчас со всем разберемся. Я еду.

— Ой, Боря, я так боюсь! Вдруг ему, как тому журналисту, ухо отрежут?!

— Катя, ты в милицию звонила?

— Они сказали, если хочу Жору живым увидеть, чтобы не было никаких ментов! Вот...

— Катюша, выпей пока что-нибудь успокоительное. Я приеду через полчаса.

Борис был точен. Через полчаса он уже сидел в квартире Пенгертонов на диване в гостиной и слушал рассказ Екатерины, жены Джорджа, еще раз. Ничего нового после их телефонного разговора она сообщить не смогла, оставалось только ждать звонка похитителей.

— Что ты будешь делать, Борис? — в отчаянии спросила Катя. — Что мы будем делать?!

— Пока что я пытаюсь сообразить, кому пришло в голову похищать Жору.

— Да, кому, кому?!

— У этих людей должны быть серьезные причины для таких действий.

Ванштейн замолчал.

— Это связано с вашей профессиональной деятельностью?

— Видишь ли, Катюша, последнее время большинство публикаций газеты «Товариш либерал» и других наших изданий были вполне невинны. Я даже сам вызывал на ковер главных редакторов и устраивал им разнос за беззубость материалов. Конечно, мы пощекотали нервы Степе Чегодаеву, приоткрыв читателям, что его супруга вовсе не такая непорочная красавица, какой он хочет ее представить...

— Так это Чегодаев?

— Едва ли. От Чегодаева можно ожидать ответных ударов в телеэфире, похищение или пуля в лоб — не его стиль. Ладно, пока эти чеченцы не выйдут на связь — гадать бессмысленно. Надо узнать, что похитители хотят взамен.

Зазвонил телефон.

— Катя, ты успокойся. Трубку возьму я. Это ведь я им нужен. А ты все будешь слышать по громкой связи.

— Добрый день, это Губкин, — произнес взволнованный мужской голос. — Я хотел узнать, как здоровье Джорджа?

— Что?! — оторопел Ванштейн.

— А... Ну, он в порядке, он хорошо себя чувствует? Мы с ним договаривались о встрече, и...

— Не занимайте телефон! — заорал Ванштейн и дал отбой.

Похитители позвонили ровно в назначенное время.

— Ванштейн слушает, — снова сказал Борис теперь уже ровным спокойным голосом и подмигнул Кате: мол, главное, чтобы они не думали, что нас можно сломать.

— Молодец, дорогой. Все делаешь, как надо. И милицию не вызывай. Сами разберемся.

— Джордж у вас?

— Конечно, дорогой. А где же ему быть? Цел и невредим. Мы его кормим вкусно. Не волнуйся. Давай договариваться, — достаточно спокойно и дружелюбно говорил низкий мужской голос с ярко выраженным кавказским акцентом.

Впрочем, Катя подумала, что акцент телефонного собеседника Ванштейна был немного странным. То ли слишком нарочитым, то ли каким-то неправильным. Может быть, человек пытается менять голос, чтобы его потом не узнали?

— Я готов к переговорам.

— Нам нужно опубликовать в твоих газетах дневники чеченских полевых командиров. А то общественность правды не знает. Нехорошо.

— Прекрасно. То есть действительно нехорошо. Я согласен. Там большой объем текста? И на каком они языке? Возможно, потребуется время на перевод.

— Не волнуйся, дорогой. Мы все уже перевели на русский. Текста много, хватит на несколько выпусков. Наверное, неделю будешь печатать, потом мы тебе твоего директора вернем.

— Я бы хотел убедиться, что с Джорджем все в порядке.

— Слушай.

Послышался какой-то треск и шорох, после чего раздался голос Пенгертона:

— Борис, ты согласился на их условия?

— Конечно, Джордж. Не понимаю только, зачем тебя было похищать для этого. Как ты?

— Вроде все в норме. Бывали и похуже переделки. Я беспокоюсь, не будет ли у тебя проблем с властями, если ты станешь публиковать дневники сепаратистов.

— Жора, да я тебя умоляю, у меня всю сознательную жизнь проблемы с властями! Ты там держись только. С твоей семьей все будет в порядке, я об этом позабочусь.

Несчастная Катя разразилась слезами, услышав голос мужа. Похоже, его слова немного ее успокоили. Борис снова схватил трубку:

— Когда и как вы передадите нам материалы?

— Поезжай в офис, найдешь все, что нужно, у себя на столе.

Ванштейн проследил, чтобы жена Пенгертона выпила снотворное. Задернул шторы в ее спальне и рванул на работу.

— Деточка, ко мне в кабинет никто не входил? — спросил он секретаршу.

— Нет, только утром уборщица убиралась.

— Почта есть какая-нибудь?

— Вот приглашение на благотворительный бал, письмо из Союза журналистов, вот пакет из Общества защиты гласности...

— А что-нибудь серьезное?

— Нет, только обычный спам — всякий мусор компьютерный.

— Хорошо, ко мне никого не пускай.

Борис сел за свой рабочий стол. Где же эти чертовы дневники? Зазвонил мобильный.

— Ты в сейфе посмотри и все найдешь, — произнес уже знакомый голос «чеченца». — И кстати, можешь сообщить в своих газетенках, что Пенгертон пропал.

— Черт! Как вы могли узнать мой код?!

В ответ раздался противный смешок.

— И я прекрасно помню, что закрывал сейф вчера вечером...

В сейфе лежал увесистый пакет, похожий на обычную почтовую бандероль. Ванштейн сорвал обертку.

— Ну что, нашел? — спросил по телефону кавказец.

— Ага, вот эти материалы. Зверства федералов в Чечне. Изнасилованная чеченская девочка. Убитый горем отец, не нашедший защиты в суде. Военные хроники глазами полевых командиров. Правильно?

— Да. Будь здоров, дорогой.

Раздались короткие гудки.

Борис нажал кнопку селектора:

— Всех главных редакторов ко мне! Экстренное совещание. Верстку завтрашних номеров приостановить.

На следующее утро все газеты, принадлежащие Ванштейну, вышли с заголовками на первой полосе:

«Похищен глава издательского дома «Товарищ либерал» Джордж Пенгертон. Его будут держать в заложниках, пока не станет известна вся правда о Чечне. Первый такой материал мы предлагаем вашему вниманию в сегодняшнем выпуске газеты «Товарищ либерал».

Продажи газет с сенсационными материалами, как обычно, поднялись втрое. Террористы позвонили Ванштейну и высказали свое одобрение. Кате дали поговорить с мужем, который держался довольно бодро. Борис был в приподнятом настроении и не чувствовал надвигающейся опасности с другой стороны.

После обеда в здание «Товарища либерала» ворвались люди в камуфляже и масках. Оказалось, что вновь возбуждено старое дело о приватизации того здания, где находился издательский дом. Ванштейн был уверен, что дело о приватизации окончательно замято, так как суд по этому поводу уже был и тогда ему удалось благополучно доказать, что передача здания в собственность издательского дома была произведена абсолютно законно. Тогда Ванштейн и выступал всего лишь в качестве свидетеля, ни о каких обвинениях ему лично речи не шло. После трехчасового обыска в офисе работа всех СМИ Ванштейна была приостановлена, а сам Борис взят под стражу в качестве основного подозреваемого по старому делу. Обвинение ему предъявили подозрительно быстро. Очевидно, что это была реакция властей на сотрудничество Ванштейна с боевиками. Тот факт, что медиамагната шантажировали, похитив его лучшего сотрудника, власти проигнорировали.

Осиротевшие сотрудники редакций ванштейновских СМИ еще не успели как следует испугаться после разгрома в офисе и ареста своего предводителя, как их созвали на внеочередное общее собрание.

Представитель Министерства печати елейным голосом произнес:

— Уважаемые господа, вы должны понимать, что в современной России главное — это диктатура закона. Как только будет проведено дополнительное расследование по делу о приватизации данного здания, все встанет на круги своя. Разумеется, если у прокуратуры не будет претензий к господину Ванштейну. Никакой политической подоплеки в этом деле нет. Всего лишь спор хозяйствующих субъектов.

Журналисты мрачно переглянулись. Уже не одно издание было закрыто подобным образом.

— А чтобы работа издательского дома «Товарищ либерал» ни на секунду не прерывалась, мы назначаем временного управляющего. Прошу любить и жаловать — Виктор Алексашин, известный радиожурналист, последнее место работы — заместитель генерального директора ВГТРК. Уверен, вы сработаетесь.

После собрания новый управляющий вызвал в свой кабинет главных редакторов. Все выходили от него без особой радости в глазах. В новых выпусках газет и журналов не было ни слова о похищении Пенгертона, не говоря уже о дневниках полевых командиров.

Все сотрудники «Глории» были на своих местах. Демидыч, Коля Щербак, Сева Голованов, Филя Агеев. Макс копошился с компьютерами, пытаясь их реанимировать к жизни, но пока не восстанавливая всю рабочую информацию.

— Ребята, кто-нибудь заметил с утра за собой слежку? — спросил Щербак.

— Меня пасли двое. Похоже, фээсбэшники. Совершенно в открытую, даже не пытались маскироваться, — сказал Сева Голованов.

— У меня та же картина, — поддакнул Демидыч.

— И у меня то же самое, — кивнул Филя.

— Ага, значит, мы под колпаком все. Что делать будем? — продолжил Щербак.

— Начнем с того, что переберемся на свежий воздух. Как ты думаешь, сколько они «жучков» здесь наставили во время обыска? — предусмотрительно заметил Сева.

— Интересно, если мы вчетвером пойдем на прогулку, то эти топтуны тоже шеренгой за нами выстроятся?

— Ну, это уже их дело. Солдат спит, служба идет. Пойдем, попробуем оторваться, — сказал Филя.

— Как тут оторвешься? — пессимистично заметил Демидыч.

— Да я вас сейчас такими переулочками провезу, оторвемся в два счета!

— Кстати, Денис от «Бродяги» ключи не оставил? Надо бы машину в гараж отогнать. Мало ли какие хулиганы развлечься решат, — заметил Голованов.

— Верно мыслишь, Сева, — поддержал Голованова Филя. — Поехали. Будем шефа спасать.

Агеев, знатный автомобилист, действительно умудрился на своих стареньких «Жигулях» устроить «Формулу-1» для преследователей. Он виртуозно проехался по старым московским дворам и переулкам. Им удалось на несколько минут оторваться от следующего за ними «БМВ», по команде Агеева оперативники «Глории» быстро выскочили в одном из внутренних двориков, перепрыгнули через невысокий заборчик, пробежали по крышам гаражей и мирно сели в троллейбус, доехав до Октябрьской улицы. Там они воспользовались квартирой одной знакомой Севы Голованова, которая бессрочно отдыхала на Кипре.

Затарившись холодным пивом в близлежащем магазинчике, сыщики расположились на кухне и вздохнули:

— Ну, теперь можно поговорить спокойно.

— Не факт, — сказал осторожный Щербак.

— Думаешь, весь город на прослушку взяли? Не нагнетай. Мобильники отключаем на всякий случай. Может, и услышат что-нибудь, но над расшифровкой долго биться будут.

— Итак, что мы имеем? — начал оперативное заседание Голованов. — Дениса подставили. Улики сфабрикованы следующие: один и тот же порошок из индийских трав на месте преступления и у Грязнова-младшего дома плюс найденный в тайнике бриллиант из коллекции Вереницыной-Чегодаевой.

— Про крошку бриллиантовую забыл, — напомнил Щербак.

— Так и представляю себе картинку — Денис на кухне пилит бриллианты. Бред какой-то! — крякнул Демидыч.

— Конечно, бред. А сколько у нас в стране людей сидит по таким сфабрикованным обвинениям? Считать устанешь. Давайте думать, что можно сделать, — заявил Филя.

— Хорошо, думаем. Все вертится вокруг похищения Кондрашина и бриллиантов этой красотки в качестве выкупа. Похищали якобы чеченцы, но в деле концы с концами не сходились. Денис тогда еще сказал, что больше похоже на семейную вендетту, чем на террористов, — напомнил всем Голованов.

— Да, похищение действительно было странное. Ну что, надо распутать кондрашинское дело до конца. Если мы предполагаем, что Денис Кондрашина не убивал и не похищал, то кто-то ведь это сделал? — спросил Щербак.

— Мы не предполагаем, мы верим, что Денис никого не убивал, — пробурчал Демидыч.

— С какого конца потянем? — спросил Голованов.

— Из Чегодаева мы ничего не вытянем, да до него и не доберемся, — заметил Николай. — Давайте попробуем к этой красавице Анастасии подобраться.

— Ну, флаг тебе в руки. Назвался груздем — полезай в кузов. У тебя хорошо с женщинами получается, — поддел Голованов Николая.

— Да я серьезно. Я читал в газетах, что сегодня в пять будет вечер памяти Кондрашина на журфаке. То ли девятый день, то ли что-то в этом роде. Уверен, что Анастасия там появится. Она ведь была без ума от этого телевизионщика.

— Думаешь, на мужа наплюет и пойдет публично скорбеть по Кондрашину? — усомнился Филя.

— А разве она раньше не наплевала, когда Кондрашину позволила квартирку для свиданий завести?

— Надо действовать. Я поехал, — решительно заявил Щербак.

— Давай, Коля. Звони после семи мне на мобилу. Я уже подключусь, — сказал Голованов.

Николай вышел из дома, осмотрелся — пока их никто не пас. Значит, крепко они озадачили фээсбэшных топтунов. Он поймал тачку и быстро подъехал к зданию журфака на Моховой. Официально после терактов на Каширском шоссе во всех вузах Москвы требовали пропуска, но охрана работала не слишком перенапрягаясь, и, если ты придумал благовидный предлог для прохода в здание, никто тебя не задерживал. Николай состроил печальную мину и сказал:

— Я на вечер памяти Леонида Кондрашина.

Его пропустили без лишних вопросов.

Актовый зал был уже полон. В первых рядах сидело много ВИП-персон. Тут были Миткова, Осокин и многие другие. Но вот Анастасии Чегодаевой пока что не наблюдалось. Может быть, подойдет позднее. Не успел Щербак потянуться за пачкой сигарет и выйти в коридор, как в зал вошла бывшая «Вице-мисс Вселенная» в сопровождении пары шварценеггеров. Телохранители жены олигарха быстро очистили для молодой женщины полряда в конце зала. Одного взгляда этих ребят было достаточно, чтобы туда близко больше никто из непоседливых студентов не совался. Анастасия была в маленьком черном платье без рукавов от Шанель, дамскую сумочку от Гермес она положила на парту. Солнцезащитные очки и широкие поля шляпы скрывали выражение ее лица от любопытных. В руках, облаченных в черные шелковые перчатки до локтя, она теребила батистовый носовой платочек.

Как же к ней подобраться? Сейчас, пока идет официальная часть, — не стоит. Охрана наверняка будет серьезно возражать, а устраивать потасовку во время траурного вечера — не слишком хорошая идея. И не потому, что Николай очень волновался о чувствах скорбящих по убитому журналисту, а потому, что при таком раскладе все в зале воспримут его попытку поговорить с Анастасией за нападение и будут помогать ее охранникам. И до красавицы не доберешься, да еще и в милицию угодишь. А там его с удовольствием продержат несколько суток.

Сразу после того, как торжественная часть вечера закончилась, Анастасия в сопровождении телохранителей вышла в заднюю дверь зала, незаметно для окружающих. Николай, внимательно наблюдавший за молодой женщиной, быстро последовал за ней. В коридоре было пустынно, и качки, охранявшие Чегодаеву, немного расслабились. Щербак быстро рванул наперерез и громко сказал молодой женщине, улыбаясь как можно более дружелюбно:

— Я — Николай Щербак, сотрудник Дениса Грязнова. Мне нужно поговорить с вами.

С Чегодаевой произошло нечто странное. Она вся как будто ощетинилась, рванула в сторону и истошно завопила:

— Помогите, это он!

Телохранители быстро сообразили, что к чему, и накинулись на Щербака.

— Держите его, это он виноват в смерти Леонида!!! — истошно кричала женщина.

Поначалу Николаю пришлось нелегко. Первый охранник быстро навалился на него, скрутив ему руки за спиной, а второй подскочил и нанес мощный удар в солнечное сплетение. К счастью, оба тяжеловеса решили, что от такого удара их противник оправится не сразу, и на считанные доли мгновения ослабили хватку. В этот момент Щербак вывернулся, ударил ногой по коленной чашечке того, кто его держал, с размаху въехал второму охраннику и, прыгнув сверху на падающего качка, вырубил его ударом ребра ладони. Первый охранник корчился на полу, второй лежал неподалеку без сознания. Анастасия в ужасе прижалась к стене.

Щербак перевел дух и поправил на себе одежду.

— Анастасия, я сотрудник агентства «Глория», которым руководит Денис Грязнов. Помните, тот сыщик, который освобождал Кондрашина в Ростове?

— Что вам нужно?! Вы хотите и меня убить?

— Вы с ума сошли? Мне нужна ваша помощь.

— Какая помощь? Что вам нужно?!

— Анастасия, почему вы меня боитесь?

— Потому что вы убили Леонида. Я знаю! Это вы звонили в тот вечер.

Щербаку стало не по себе.

— Это какое-то недоразумение. Я не звонил ни вам, ни Леониду. Что случилось?

Самообладание вернулось к молодой женщине.

— В конце концов, если бы вы хотели меня убить, то давно уже сделали бы это. — Она посмотрела на своих охранников. — Как вы считаете, им нужна помощь?

— Думаю, что они скоро придут в себя.

— Тогда идемте, поговорим.

Она взяла за руку Николая и быстро провела его в одну из отдаленных аудиторий.

— Сейчас нет занятий, а меня не хватятся еще минут пятнадцать. Говорите.

Николай еще раз объяснил Анастасии, кто он и что ему нужно.

— Послушайте, в тот день, когда Леонида не стало, ему позвонил человек, представившийся Николаем Щербаком из «Глории». Он сообщил ему, что камни, которые служили выкупом, — фальшивые. Дескать, Чегодаева одолела жадность, он спешно изготовил копии бриллиантов, причем копии настолько грубые, что только совершенный дилетант мог заподозрить в этих стекляшках бриллианты.

— Похоже, кто-то воспользовался моим именем, — сказал Николай.

— Возможно, — пожала плечами Анастасия. — Леонида почему-то ужасно взволновало это сообщение, и он бросился на нашу квартиру проверять сейф. Причем вместе с этим самозваным «Щербаком». Чем все кончилось — вы знаете.

Анастасия уткнулась лицом в ладони и тихо заплакала:

— Он мне рассказал все по телефону. Я сразу почуяла неладное. Но когда приехала — было уже поздно.

— Похоже, вашего Леонида довольно ловко провели, чтобы заполучить камни. Но зачем грабителям так зверствовать, убивая его?

Анастасия вытерла слезы, печально улыбнулась:

— Мне пора. Наверное, телохранители уже меня ищут.

— Может быть, Настя, вы оставите мне свой телефон на всякий случай?

Анастасия немного подумала и покачала головой:

— Кто знает, может быть, муж с меня глаз не сводит и все прослушивает. Давайте я вам лучше дам телефон своей мамы, если будет необходимость — она мне все передаст.

Щербак записал семь цифр и сказал, внимательно глядя ей в глаза:

— Один мой приятель, разговаривая по телефону с любовницей и договариваясь о встрече, всегда называл время на тридцать минут меньше, чем нужно было в действительности, а место встречи — через дорогу от настоящего. Очень уж у него подозрительная супруга была, вы меня понимаете?

Она молча кивнула и ушла.

Николай еще поразмышлял в одиночестве и позвонил Голованову:

— Сева, с девушкой я поговорил. В этом деле подстава на подставе. Приеду — расскажу.

Когда Щербак приехал к Голованову, остальные оперативники «Глории» уже разошлись. Он рассказал все, что узнал от Чегодаевой.

— Да, похоже, что Кондрашина квалифицированно развели, чтобы драгоценности заграбастать. Как тебе «Вице-мисс Вселенная»? — спросил Сева.

— Ослепительной красоты женщина. Несчастная только очень.

— Вот видишь, Коля, богатые тоже плачут.

— Ладно, главное, чтобы нам плакать не приходилось. Я переночую здесь, а то на ночь глядя от слежки отрываться не в кайф как-то, не возражаешь?

— Конечно, не вопрос. А что, топтуны тебя настигли у журфака?

— Нет, я их вечером не заметил, скорее всего, у наших подъездов стоят. Завтра им помашем ручкой, — хмыкнул Щербак.

На следующее утро сотрудники «Глории» собрались в офисе. Раньше всех пришел компьютерный монстр Макс. Впрочем, возможно, он и не уходил ночью, зависнув в Интернете. Первым делом коллеги обменялись информацией о слежке.

— У подъезда утром встали и опять повели в открытую, — недовольно проворчал Демидыч. — Для полной красоты могли бы погоны напялить, чтобы все знали, кто есть ху.

Сева Голованов с Николаем Щербаком также встретились со своими преследователями рядом с домом. Похоже, что топтун очень обрадовался, что увидел сразу двух объектов вместо одного, и немедленно отзвонился своим коллегам, после чего засиял как медный таз.

— Нашего небось к награде приставили за то, что Щербака обнаружил вместе со мной.

— А сегодня мы где зависать будем? — поинтересовался Филя Агеев.

— Может быть, хватит этих детских игр в кошки-мышки. Что у нас, техники мало? Сейчас глушилки поставим, и никто нас не прослушает, — предложил Голованов.

— Верно мыслишь, Сева. Так и поступим.

Совершив нужные технические манипуляции, сотрудники «Глории» приступили к мозговому штурму.

— Значит, Денису подсунули бриллиант из коллекции Чегодаевой, а Щербака назвали как прикрытие, чтобы на квартиру ехать, сейф проверять. Здорово.

— Кстати, а этот журналюга что, совсем тупой, что ли? Не сообразил проверить, что это за «Щербак» такой взялся? — стал горячиться Коля.

— Ладно, не кипятись. Ты же прогулял всю съемочную неделю, ничего не знаешь. А мы про тебя много теплых слов Кондрашину наговорили. В передачу, конечно, многое не вошло, там на Денисе основной акцент был, но кто такой Коля Щербак, Леонид наверняка запомнил, — обстоятельно объяснил Филя Агеев.

— Я не прогуливал. Я по делу работал, — обиделся Щербак.

— Ладно, Коля, все мы работаем по тому или иному делу и что-нибудь да упускаем из виду. — Демидыч похлопал Николая по плечу.

— Зацепок почти никаких, ума не приложу, что мы можем предпринять? — покачал головой Сева.

— Похоже, тут какая-то многоходовая комбинация. Тот, кто за этим стоит, наверное, все расписывал как по нотам. Как вы думаете, такой умник может припереться на место преступления поглазеть? Хотя бы как менты в подъезде работают? — высказал предположение Филя.

— Вообще, если почитать детективов побольше, с такими сюжетами сплошь и рядом встречаешься. Преступник, который возомнил себя самым умным, обязательно начинает со следователем в кошки-мышки играть. Иначе скучно ему, — ответил Сева.

— Думаешь, те, кто детективы пишет, совсем тупые? — спросил Филя, недовольный, что его идея не встретила особой поддержки у коллег.

— Думаю — да, — спокойно ответил Сева.

— Да ну, это ж сколько надо написать... Все руки отсохнут, — заявил простоватый Демидыч, гораздо лучше себя чувствующий в рукопашном бою, чем в дискуссии о достоинствах литературных произведений.

— А вот Денис бы со мной согласился, — запальчиво сказал Филя.

— Мы все будем счастливы узнать его мнение, лишь бы он только на свободу вышел, — сухо ответил Голованов.

— Ладно, мужики, если так дальше пойдет, можно и заглушки отключать. Если те, кто нас пишет, такую ахинею расшифруют, они поймут только одно: что мы полные дураки, — сказал Щербак.

— В самокритике не надо опускаться до хамства, — философски заявил Филя. — По большому счету, разве много у нас вариантов, чтобы что-то предпринять? Предлагаю обвешать подъезд кондрашинского дома, вернее, того дома, где его убили, видеокамерами. Авось и разглядим кого-нибудь подозрительного.

— Между прочим, тот, кто придумал всю эту комбинацию с подставами, Дениса хорошо знал. Так что очень может быть, что на камерах засветится чье-то знакомое лицо, — поделился своими соображениями с коллегами Сева.

— В общем, идея, конечно, не от Ниро Вулфа, но делать нам больше нечего, — развел руками Щербак.

— Что это за Ниро Вулф такой? — удивился Демидыч.

— Да сыщик один знаменитый, вроде Шерлока Холмса, только из Америки, — подсказал Агеев, — Денис про него любит читать по-английски, а я на русском все прочел.

— И что у него за идеи были? — продолжал проявлять любопытство Демидыч.

— Да у него башка так хорошо варила, что он, не выходя из дома, любое преступление распутать мог.

— Так, а кто сообразит, как мы камеры вешать будем? Во-первых, нас пасут, во-вторых, в подъезде того дома ментов куча. У кого есть идеи? — озадачил всех Сева.

— Давай на место подъедем и разберемся там по ходу дела, — предложил Щербак.

— Угу, еще плакат большой напишем для наших топтунов: «Мы поехали вешать камеры в подъезде кондрашинского дома». Так, что ли? Или просто подойдем к ним и спросим разрешения?

— Сева, ну а мозги нам на что с неприлично большим количеством извилин?!

— Давай, я сейчас выйду и отвлеку на себя слежку, а вы пока подберетесь к дому и разведаете обстановку, — предложил Филя.

— Договорились, больше все равно ничего не остается, — согласился Голованов.

Филя вышел из офиса на улицу, небрежно насвистывая, и стал прогуливаться неторопливым шагом по Неглинной. Может, в Сандуны зайти? Интересно, топтуны с ним пойдут или снаружи подождут? Он зашел в здание знаменитых бань и понял, что преследователи остались его ждать на улице. Что ж, пусть ждут. А он пока займется водными процедурами. Что делать, раз ему на сегодня досталась такая работа.

Остальные оперативники «Глории» для начала сделали проверяющий маневр для тех, кто вел наружку. Они вышли втроем на улицу, купили пива и вернулись в офис. Тот фээсбэшник, что был приставлен к ним, проследовал с ними до магазина и обратно.

— Что-то они больно демонстративно наблюдение ведут, вам не кажется? — спросил коллег Сева Голованов.

— Похоже на то, — кивнул Демидыч.

— Значит, это скорее прием устрашения и давления на психику. Дают нам понять, что рыпаться бесполезно, поэтому и не прячутся совсем, — продолжил рассуждать Голованов.

— Демидыч, давай, ты на всякий случай в офисе с Максом посидишь. Мало ли кому тут еще порыться захочется в поисках бриллиантов, а мы с Севой огородами проберемся к тому дому.

— Принято.

В офисе «Глории» был черный ход, практически никогда не используемый по назначению. Иногда приходили пожарники и ругались, тогда подход к этой двери, ведущей во внутренний дворик с другой стороны улицы, на некоторое время расчищали. Сейчас завал пришлось разбирать с нуля, так как пожарники их давно не беспокоили. При обыске старый хлам из ломаных стульев, компьютерных коробок и прочей дребедени тоже обошли вниманием.

Не прошло и получаса, как Щербак и Голованов оказались на воле и без посторонних наблюдателей. Они поймали тачку и подъехали к дому, где был убит Леонид Кондрашин. Судя по всему, ажиотаж уже спал.

— Смотри, только одна машина с телевидения, — показал Николай.

— Зато ментовских колымаг целых три, — покачал головой Сева.

— Слушай, а с какого канала машина?

— Сейчас, погоди, мне не видно, что на ней написано. Ага, это СТВ, чегодаевский канал.

— А ты никого из знакомых лиц не видишь?

— Вон девица, ассистентка Кондрашина. К нам в офис приезжала за фактурой. Алина, кажется, зовут.

Действительно, к телевизионному фургончику шла Алина Красовская с пластиковым стаканчиком горячего чая в руке, но она не дошла до машины, а присела на лавочку неподалеку и стала перекусывать.

— Коля, действуй давай! А то перестанешь числиться специалистом по прекрасным дамам.

— Опять Коля, — заворчал Щербак.

Он подошел к скамейке и поприветствовал девушку:

— Алинушка, сколько лет, сколько зим! Какими судьбами?

— Ой, здравствуйте! Мы здесь передачу снимаем памяти Леонида. — Девушка не смогла скрыть слез. — Какое горе! Я так и знала, что связь с этой «мисс Вселенной» Леонида до добра не доведет.

— У вас есть какие-то версии, Алина?

— Мне кажется, это супруг Вереницыной постарался. У Лени же с Анастасией роман был, они этого даже не скрывали. Конечно, это Чегодаев нанял убийцу. А так зверски они его зарезали — в назидание другим. К его жене постоянно кто-то подкатывает, все-таки красивая, стерва.

— Интересное предположение. Очень может быть, что вы правы. А милиция обвинила в убийстве нашего шефа.

— Дениса?! Что за глупости! Леонид был очень проницательным человеком. Он никогда не стал бы снимать передачу «Герои нашего времени» о людях нечестных, тем более потенциальных убийцах. И Денис ваш — очень приятный человек.

— Вот и нам тоже так кажется, — засмеялся Щербак. — Мы проводим свое расследование. Надеемся найти истинного убийцу. Нам нужна ваша помощь, Алина.

— Моя?! — Она даже подскочила от воодушевления.

— Нам нужно попасть в дом под благовидным предлогом — так, чтобы милиционеры не обратили на нас внимания. Может быть, мы поможем вам в подъезде протянуть кабель и что-нибудь еще в таком роде?

Девушка оказалась сообразительной и, видимо, детективов читала в своей жизни достаточно:

— Ага, понятно. Вас сколько человек?

— Двое.

— Тогда я дам вам куртки с эмблемой нашего канала. У нас в таких обслуживающий персонал ходит. Ну и кабель протяните на этаж с той квартирой.

— А на каком она этаже?

— Предпоследний.

— Чудесно, вы — наша спасительница!

— Да я на что угодно готова, лишь бы убийцу нашли.

Через пять минут Голованов и Щербак, под видом работников технической службы телеканала, спокойно развесили миниатюрные видеокамеры в подъезде — самофокусирующиеся и включающиеся на движение. Никто на них не обратил внимания, так как к суете телевизионщиков здесь уже привыкли.

— Интересно, что Денис сейчас делает? — риторически поинтересовался Щербак, закончив работу.

Анастасия неожиданно столкнулась с новой проблемой. Ее супруг вдруг возжелал доказать всему миру, что в их семейной жизни царит полная идиллия. Если раньше он был категорически против любого ее появления на публике, сопровождаемого щелканьем фотокамер, то теперь, напротив, потребовал ее участия в мощной пиар-кампании, поддерживающий его статус счастливого мужа.

В медиабизнесе мужа было достаточно специалистов, способных пропиарить хоть обыкновенную домашнюю свинью, представив ее публике как сообразительное и наделенное необыкновенными способностями животнос. Что тут говорить о загадочной красавице, жене одного из самых влиятельных людей в стране. График встреч с журналистами был наполнен до предела. Чегодаев не ограничился только передачами на своем канале. Для Анастасии сразу заказали съемки и интервью в журналах «Домашний очаг», «Мари Клер», «Харперс Базаар», «Эль», «Вог» и множестве других. Везде она улыбалась и рассказывала о своем семейном счастье.

Сейчас она сидела в кресле стилиста и ждала, когда ее прекрасные длинные волосы уложат для фотосессии. Ее раздражало, что приходилось надевать не свою одежду. В конце концов, ее гардеробу могла бы позавидовать любая модница. Но глянцевые журналы должны были рекламировать определенную одежду, поэтому приходилось переодеваться в то, что они предлагали. Пока по ней подгоняли костюм от

Карла Лагерфельда, она радовалась, что отказалась от карьеры модели, а то ей пришлось бы посвятить большую часть своего времени на то, чтобы мерить и перемеривать одежду, которую она никогда не собиралась носить.

Похоже, что парикмахер первый раз в своей жизни столкнулся с таким объемом и длиной волос и был в некотором замешательстве. В любом случае работы ему было не на один час.

— А у вас тут нет телевизора?

— Одну секундочку, — засуетились сотрудники редакции.

— И пульт, пожалуйста. Ужасно люблю с канала на канал перескакивать.

Анастасии с ходу попалась передача памяти Кондрашина. Она чуть не разрыдалась, но смогла заставить себя сдержаться. Ее супруг старательно заминал скандал, раздутый Ванштейном. Постоянно прямо и косвенно опровергался факт романа Леонида и Анастасии. Никакой квартиры Кондрашин для нее не покупал, да и вообще был просто другом семьи, поэтому время от времени и бывал у них дома.

Желание плакать сменилось неукротимым гневом. Вот уж она могла бы рассказать всю подноготную своего влиятельного муженька. О том, что на самом деле он сатрап, тиранящий всех, кто от него зависит. Ей одной удавалось слегка смягчить гнет его власти, благодаря тому что к ней он явно испытывал слабость. Она не стала бы называть чувства мужа к ней любовью, потому что вообще сомневалась, что он способен на какие-либо человеческие чувства, за исключением разве зависти и ненависти. Да, и тщеславие, конечно, было свойственно ему в полной мере.

Что же делать? Кажется, у мужа есть сильный

конкурент в издательском бизнесе, некто Ванштейн. Может, пойти к нему и сдать ему весь компромат на мужа, которым Анастасия обладала? Хотя, с другой стороны, ее признания — это всего лишь бабские склоки. Кто поверит, что ее супруг страшный жадина, если всей стране известно, что он подарил ей драгоценностей на шесть миллионов долларов? Другой вопрос, что собственность на эти камни и страховка были так хитро оформлены, что Анастасия просто имела право держать их в руках, надевать на светские мероприятия. А в конце каждого месяца их осматривал ювелир, проверяя, все ли в порядке. Короче, просто подвески Анны Австрийской.

Кто поверит, что в их доме прислуге платят очень скромно? Она чуть со стыда не сгорела, когда назвала агентству по подбору домашнего персонала сумму зарплаты горничных и садовника, на которые они могут рассчитывать. У менеджера агентства глаза поехали на лоб, но, чтобы не потерять престижных клиентов, женщина тактично заметила:

— Я понимаю, богатые люди умеют считать деньги. Вы, наверное, хотели бы сэкономить на услугах агентства?

— Не совсем, но...

— Мы сделаем все, что от нас зависит, но вы поймите, сейчас в Москве очень трудно найти человека, который готов за триста долларов убирать огромный особняк или хотя бы часть его.

— Но мой муж утверждает, что предыдущая прислуга работала именно за такие деньги.

— Мы постараемся сделать все возможное, но боюсь, вам придется выбирать из «неликвида».

— Что такое «неликвид»?

— Это люди без опыта работы, без образования, без прописки или с серьезными проблемами.

— То есть пьющие?

— Нет, таких мы все-таки стараемся отсеивать на этапе первоначального отбора. Понимаете, если в Москве человек серьезно занижает свои притязания по зарплате, то, значит, у него какие-то трудности личного характера.

— Не могли бы вы объяснить поподробнее?

— Иногда это проблемы с родственниками. Например, женщина — кандидатка в домработницы может быть замечательной, но у нее муж с судимостью или дочь-наркоманка.

— Но, может быть, не обязательно отбирать из москвичей. Нас вполне устроят иногородние или даже выходцы с Украины.

— Конечно, провинциалы могут прекрасно работать, но те, кто готов компенсировать своим энтузиазмом, энергией и работоспособностью отсутствие московской прописки, работу получают очень быстро, работают действительно замечательно и очень быстро идут в гору.

— Вы хотите сказать, что домработницы делают блестящую карьеру?

— Как ни странно — да. Одно дело убираться у кого-нибудь в городской квартире часа два в неделю, другое — работать экономкой в богатой семье в загородном доме.

Анастасия никогда не забудет того позора, что ей пришлось пережить в кадровом агентстве. В результате им удалось найти компромиссный выход из положения. Они стали нанимать людей без большого опыта работы, которым нужно было собрать рекомендации. Женщины были готовы проработать несколько месяцев за сравнительно небольшие деньги, чтобы получить престижную рекомендацию от Чегодаевых. Но постоянная текучка домашней прислуги делала жизнь Анастасии неудобной. Ей все время приходилось объяснять кому-то из новеньких, как и что нужно делать в их доме.

А чего стоили мелочные проверки счетов на продукты, хозяйственные расходы и прочие мелочи? Чегодаеву ничего не стоило часами ей выговаривать за то, что прислуга неэкономно расходует жидкость для мытья посуды или стиральный порошок. На публике он всегда изображал из себя богатого и щедрого человека. Богатым он, безусловно, был, а вот по щедрости мог сравниться со Скупым Рыцарем.

Настя прислушалась к сюжету новостей. Ну вот — все ее злобные планы против мужа пошли прахом. Оказывается, этот хитроумный Ванштейн сейчас в тюрьме, его обвиняют в каких-то махинациях с государственной собственностью. Можно подумать, есть хоть один человек в стране, разбогатевший в начале девяностых, который этим не занимался. Как жаль, однако. А то бы она рассказала, как Чегодаев упирался и не хотел платить выкуп за Леонида до конца. Даже когда им прислали отрезанное ухо, он твердо держался своего мнения.

— Нельзя идти на поводу у террористов. В Израиле так никогда не делают.

— И что?

— У них замечательные успехи в борьбе с террористами.

— А с похитителями?

Тогда Настя применила все свои уловки, чтобы уговорить мужа расстаться с этими дурацкими камнями. Она плакала, умоляла, пыталась взывать к его благородным чувствам. Можно подумать, такой скряга и мудила знал, что такое благородные чувства. Наконец его вызвали в Кремль и там настоятельно посоветовали бриллианты для выкупа выделить.

Кремлю муж никогда не перечил. Он был хитрым и осторожным человеком.

— Пожалуйста, не используйте щипцы. Термобигудей достаточно, если вы хотите сделать завивку, — обратилась Настя к стилисту.

Она продолжала внимательно прислушиваться к новостям. Похоже, что за Ванштейна взялись крепко. В его издательском доме назначен временный управляющий — мужик с глазами дохлой рыбы. Такому никакого компромата не продашь. Что же делать? После фотосессии в журнале ей предстояло ехать на встречу с Ксенией Птушкиной, чтобы обсудить подробности об участии в передаче «Женские истории». Ее и так всегда тошнило от этой передачи, а когда она представила, как упакуют ее биографию для широкой публики... Остается только утешать себя тем, что многие женщины мечтают оказаться на ее месте. Вот дуры-то! Сколько бы она отдала, чтобы снова оказаться студенткой журфака! И зачем она тогда пошла с Машкой на этот проклятый конкурс красоты?

Спицын подводил первые итоги расследования по делу о похищении Пенгертона. Как только выяснилось, что тут замешаны чеченские боевики, дело сразу же передали отделу по борьбе с терроризмом. Ник-Ник даже не знал, как это расценивать — то ли как очередную попытку подложить ему свинью, то ли как признание его заслуг. Вообще-то времени на подобные рефлексии не было. Очередная проблема на время заслонила даже неразрешенные загадки по делу Кондрашина.

Спицын не стал вызывать жену Пенгертона на Лубянку, а сам съездил к ней домой. В четырехкомнатной квартире в сталинском доме на улице Алабяна, где жили Пенгертоны, стоял устойчивый запах валерьянки. Супруга главы издательского дома «Товарищ либерал» оказалась милой тридцатилетней женщиной с русыми волосами до плеч и красивыми, хоть и заплаканными, глазами. У Пенгертонов были мальчики-близнецы четырех лет, с ними сейчас возилась мать Кати, срочно приехавшая по такому случаю из своего Ярославля. И мать и дочь были учителями музыки и, несмотря на то что последние несколько лет совершенно ни в чем, благодаря заработкам Пенгертона, не нуждались, все равно преподавали. Это Спицыну понравилось. Понравилась и сама Катя — совершенно не испорченная Москвой и деньгами молодая женщина. Видно было, что она обожает своего мужа и совершенно не представляет себе жизни без него. Вероятно, она никоим образом в этой неприятной истории замешана быть не могла. Чего уж там скрывать, Спицын не раз сталкивался с такими случаями, когда жены новых русских сами организовывали похищение своих благоверных. Называть Джорджа Пенгертона новым русским было, конечно, несколько странно, но, судя по той информации, которую собрал его помощник Кудряшов, Спицын сделал нехитрый вывод: американец давно и прочно ассимилировался в России, пил водку не хуже русских, а работал даже значительно лучше.

— Катя, — попросил генерал, — постарайтесь еще раз вспомнить все, что происходило в тот день и предваряло исчезновение вашего мужа.

— Господи, да ведь я уже Ванштейну все рассказывала!

— Я понимаю ваши чувства. Но, во-первых, Ванштейн — просто босс вашего мужа, а не государственный служащий, который занимается расследованием таких дел. Во-вторых, как вы, наверно, знаете, он и сам сейчас арестован.

— Что вы хотите этим сказать?! Он причастен?..

Спицын замахал руками:

— Ничего я не хочу сказать, не обращайте внимания. Ванштейн арестован в связи с другим делом, насколько мне известно. — А про себя Спицын подумал: поди разбери, какова на самом деле его роль, этого медиамагната. И ежу понятно, что арестовали его, как только он чеченские заявления печатать стал, но все же...

— Ну ладно. — Катя вытерла слезы. — Что вы хотите знать?

— Все и максимально подробно. Когда вы поняли, что мужа похитили? Как это произошло? С кем вы разговаривали в тот день? Что делали? И так далее, если сможете вспомнить по часам, будет совсем хорошо. — Спицын не взял с собой помощника и сейчас включил диктофон, не вынимая его, впрочем, из кармана.

— Я поняла, что его похитили в половине двенадцатого дня, когда мне сказал об этом по телефону человек с кавказским акцентом.

— Вы сможете опознать его голос? — В распоряжении Спицына был обширный банк данных на чеченских бандитов.

— Да, — последовал категоричный ответ.

— Вы уверены? — даже несколько удивился Спицын. — Все-таки по телефону, с кавказским акцентом, какие-то секунды.

— Я музыкант, — сказала Катя. — У меня отличный слух. И память неплохая. Кроме того, акцент был немного странным, то чуть нарочитым, то ослабевал, я думаю, этот человек просто пытался говорить не своим голосом, но от этого его узнать будет только легче.

— Очень хорошо, — потер руки Спицын, — это нам может пригодиться. Итак, ваш муж уехал на работу, но туда не доехал, как я понимаю. Кстати...

— Подождите, он не уезжал на работу! У него была деловая встреча, накануне вечером. Возвращаясь с работы, он мне позвонил и сообщил, что поедет в какую-то фирму. И возможно, вернется в офис, чтобы я не волновалась, если вдруг он не будет ночевать дома.

— Такое случалось прежде?

— Да. Обычно, если речь шла о заключении долгосрочных рекламных контрактов. Тогда Жора сам вел переговоры, не доверял это своим подчиненным.

— Значит, он не приехал ночевать?

— Да.

— Значит, какое-то время вы не волновались. Вы ему не звонили вечером, ночью, не связывался ли он с вами?

— Нет.

— Но когда же он должен был появиться дома в таком случае? Спать-то он должен был когда-нибудь.

— Он мог отдохнуть на работе. Я знаю, что утром ему непременно нужно было туда приехать. Вероятно, потому он и не ночевал.

— Но ведь офис издательского дома от вас совсем недалеко, — заметил Спицын, — они же на «Динамо», а вы на «Соколе» живете. Всего-то пять — десять минут езды.

— Ну и что? Если это нужно было для работы, то ему видней, как себя вести.

Удивительная женщина, подумал генерал. Ну да ладно, не мое дело.

— Так что я не волновалась, — продолжала

Катя, — да у меня и самой времени на это не было. У меня утром уроки были, — объяснила она. — Но к полудню я уже домой приехала. И тут они как раз позвонили. Я не знаю, может, они и прежде звонили, но у нас дома нет определителя номера. А я ведь Жору столько раз просила поставить... — Тут она не выдержала и заплакала.

Генерал чуть не крякнул от досады. Пошел на кухню, налил стакан воды, подумал и выпил его сам. Вернулся в комнату, когда Катя уже успокоилась.

— Катя, не помните название фирмы, с которой ваш муж вел переговоры?

— Нет, просто не знаю, я бы запомнила. Но вы же можете узнать это в издательском доме!

— Узнаем, не сомневайтесь, — заверил Спицын. — Я позвоню с вашего позволения?

— Телефон на столе.

— Нет-нет. — Спицын вытащил мобильный и позвонил Кудряшову. — Петя, есть что-нибудь?

— Допросил секретаршу, охранников, еще кучу народу. Пенгертон в офисе не появлялся с предыдущего рабочего дня и ни с кем в контакт с тех пор не вступал. От его имени — тоже никто.

Выходит, в офисе он не ночевал, сообразил Спицын. То есть фактически он исчез еще с предыдущего дня.

— Петр, узнай, с кем он вел накануне какие-то важные рекламные переговоры и после этого...

— Уже узнал. С представителями компании «Орбита». Есть конкретные фамилии, я с этими людьми до вашей команды не связывался.

— Молоток. А теперь бери их и тащи на Лубянку. Я сейчас приеду. А сам займись вплотную машиной Пенгертона.

— Так занимаюсь уже целый день! — взвыл Кудряшов. — Все ГИБДД на уши поставили, никаких следов.

— Ничего, найдешь, сынок, — заверил Спицын. — Если не захочешь меня расстраивать.

К сожалению, Пенгертон редко пользовался услугами водителя, он предпочитал водить машину — «Ауди А6» — собственноручно. Это еще больше затрудняло поиски.

— Не хотите пообедать со мной? — робко улыбнулась Катя. — Так одиноко... И страшно...

— Увы, — развел руками Спицын. — Но обещаю, мы с вами завтра увидимся.

— Понимаете, — тихо сказала Катя, — я очень боюсь, что... они сказали по телефону — никаких ментов, то есть, простите, никакой милиции, а теперь вы тут, и вот я боюсь, не будет ему ли ему хуже от этого — Жоре...

— Постарайтесь не волноваться. — Спицын знал, что его низкий, с хрипловатыми модуляциями голос действует на женщин успокаивающе. — Этим же вы ему никак не поможете. Что касается похитителей, то, что они вам сказали, — это в некотором роде игра. Они же знают, что Ванштейн напечатал в своих газетах про похищение Пенгертона, и не могут не понимать, что этим делом займутся органы... А по поводу ментов, — улыбнулся он напоследок, — я не обижаюсь, я из другого ведомства.

Спицын попрощался с Катей, оставил ей свои телефоны с настоятельной рекомендацией звонить немедленно, как только она что-то вспомнит либо произойдет что-нибудь, о чем она захочет ему, Спицыну, рассказать. О том, что ее телефон теперь прослушивается, а квартира находится под круглосуточным наблюдением, он говорить не стал.

Когда генерал приехал на Лубянку, там его уже

ждал начальник рекламного отдела компании «Орбита» — Антон Губкин, молодой человек лет двадцати шести — двадцати восьми, приятной наружности, с глазами чуть навыкате. Спицын предложил ему кофе, и Губкин не отказался, но, едва чашка оказалась перед ним, сразу же потерял к ней всякий интерес. Вообще он был как ртуть, все время создавалось ощущение, что сейчас примет низкий старт и умчится в неизвестном направлении. Это происходило не от робости и не от страха, Спицыну был знаком такой тип деловых людей, относительно юного возраста, вечно живущих с навязчивой идеей, что они могут что-то пропустить.

«Орбита» оказалась тоже молодой, но сильно прогрессирующей компанией, предоставляющей своим клиентам различные услуги в сфере телефонной и компьютерной связи. По словам Губкина (что подтверждалось и документами, которые Кудряшов привез из офиса «Товарища либерала»), «Орбита» собиралась заключить с издательским домом долгосрочный рекламный контракт, оплачивать который собиралась как раз предоставлением бесплатной связи в течение ближайшего года. Ванштейн от таких бартерных сделок был не в восторге, он предпочитал «живые» деньги, поэтому Пенгертон держал от него эти переговоры в секрете, но сам прагматичный американец понимал, насколько это выгодно и, судя по его подсчетам, которые сохранились у очкастой секретарши, реклама компании «Орбита», которая должна была появляться в главной газете издательского дома, предполагала принести экономию около полумиллиона долларов. Пока что это были виртуальные деньги, но при некоторых ухищрениях они вполне могли превратиться в реальные, что представляло очень даже лакомый кусочек. Рекламный бизнес в России — весьма запутанная вещь, тут вращаются огромные деньги, но преимущественно — черным налом, понятное дело, налогов все хотят платить как можно меньше. Не исключено, что эта самая сделка и стала причиной похищения Пенгертона. Но при чем тут тогда чеченские боевики? Пока непонятно.

Спицын отдал команду проверить вдоль и поперек компанию «Орбита», ее владельцев, учредителей и сотрудников.

Губкин сообщил генералу, что переговоры с Пенгертоном прошли успешно, они расстались в пять часов вечера, а на следующий день предполагали подписать все бумаги, примерно в два часа дня. Когда же он приехал в офис «Товарища либерала», его даже не пустили внутрь, охрана сообщила, что мистер Пенгертон болен и все откладывается на неопределенный срок. Губкин не успокоился и позвонил Пенгертону домой, чтобы выразить свое сочувствие (на самом же деле, как догадывался Спицын, чтобы убедиться, что все остается в силе). Губкин нервничал. К телефону подошел какой-то мужчина, который наорал на него и бросил трубку.

Это был Ванштейн, понял Спицын. И команду врать про болезнь Пенгертона отдал лично он. Круг замкнулся, черт побери.

Спицын отпустил Губкина и подумывал о том, стоит ли вообще сегодня обедать, заодно прикидывая на бумаге имеющиеся сведения. Их было немного.

1. После пяти часов дня и вплоть до звонка похитителей в квартиру Пенгертона о Джордже ничего не было известно. Значит, не исключено, что с момента похищения и до того, как террористы связались с Ванштейном, прошло около суток.

2. Пенгертон исчез по пути на работу, во всяком случае, уже после того, как покинул офис «Орбиты», находящийся на Пятницкой улице. Что подтверждается видеокамерами, установленными через дорогу от «Орбиты», возле дорогого итальянского бутика. Пенгертон отъехал в 17.15.

3. Никаких фактических следов похитителей на настоящий момент не обнаружено.

4. Кто и откуда звонил Ванштейну — не установлено.

5. Документы, которые Ванштейна вынудили печатать (и которые он, мерзавец, печатал с превеликим удовольствием!), приходили по почте маленькими порциями; первую порцию, судя по штемпелю, отправили из Ростова; документы — это сведения об операциях ФСБ, практически государственная тайна.

— Просто кошмар какой-то, — вслух сказал Спицын и сломал карандаш.

И тут в кабинет без стука ворвался Петя Кудряшов. Именно ворвался, влетел. Спицын уставился на него в немом изумлении: прежде такой непочтительности за помощником не наблюдалось.

— Нашел! — выпалил Кудряшов. — Тачку нашел! В смысле машину, Николай Николаевич.

— Пустую? — осторожно спросил Спицын. Только труп Пенгертона сейчас для полного счастья не хватало.

— Ага. Обнаружили ее на стоянке в Шереметьеве. Там паркуется местная мафия, те, кто таксует, чужих туда, как правило, не пускают, наверно, и местная милиция подмазана, так что это местечко не сразу и проверили.

— Мафия, — фыркнул генерал. — Что за слова? Просто мелкие ублюдки.

— Мелкие ублюдки, — послушно повторил Кудряшов.

— Это другое дело... В машине никаких следов борьбы, крови, отрезанных ушей?

— Чисто.

— Скорее всего, — вздохнул Спицын, — Пенгертона уже успели вывезти из Москвы...

Ближе к вечеру Спицыну на стол положили информацию по компании «Орбита» — о ее сотрудниках и учредителях. Никаких видимых связей с чеченскими бандитами не прослеживалось.

А потом на Лубянку привезли Катю Пенгертон. К этому времени Кудряшов в фонографической лаборатории подготовил пленки с голосами чеченских бандитов, неоднократно замешанных в историях с похищениями людей. Всего было записано двадцать девять человек. Генерал Спицын ожидал, что утомительная эта процедура займет много времени, и приготовился к гнетущему ожиданию. Однако, видимо, у Кати Пенгертон действительно были незаурядные память и слух. На прослушивание голосов двадцати девяти человек Катя потратила меньше полутора часов и уверенно дала отрицательный ответ. Человека, который звонил ей, в базе данных отдела по борьбе с терроризмом не было. Кто придумал, что отрицательный результат — тоже какой-то там результат?! Отрицательный результат — отвратительный результат.

Спицын подумал о том, не стоит ли дать прослушать пленки заодно и Ванштейну, но по здравом размышлении не стал тратить на него время. Между тем найти Пенгертона (и живым, и живым!) надо было как можно быстрее, и желательно — без помощи всяких доморощенных сыщиков.

Глава шестая

На третьи сутки сидения в камере, когда Денис в подробностях изучил все разводы на потолке и надписи на стенах, он вдруг вспомнил, что Александр Борисович Турецкий, с которым не так давно случился подобный казус[1] (только в случае Турецкого, как большой шишки и государственного человека, это было СИЗО Лефортово), так вот, упомянутый Турецкий, также несправедливо обвиненный бог знает в чем, от скуки и праздности озадачился вопросом, что на самом деле представляет собой система тюремного перестука. Денису об этом как о забавном эпизоде из своей практики рассказал их общий друг и общий же, между прочим, адвокат, Юра Гордеев. Помнится, Турецкий уперся в проблему, как разделить между собой отдельные буквы и целые слова, если предположить, что букву «а» надо выстукивать один раз, а «я» — тридцать два?! Разрешить ему ее тогда было не суждено, поскольку Гордеев довольно быстро вытащил его на волю, обвинение против следователя Генпрокуратуры рассыпалось как карточный домик. А подсказать Турецкому было некому, поскольку сидел он в одиночке. Хотя это, пожалуй, тут было ни при чем, вот Денис сидел не в одиночке, рядом имелись еще девять сокамерников, а что толку? Никто из них в стену не стучал и понятия не имел, как это делается. А жаль. Во-первых, потому, что из-за стены то и дело доносился какой-то аритмичный стук, — люди явно жаждали общения, а во-вторых, потому, что неизвестно, сколько здесь придется задержаться, да и как вообще все сложится. Как

---

[1] См. роман Фридриха Незнанского «Клуб смертельных развлечений» (М., 2003).

говорится, от тюрьмы да сумы не зарекайся. Вспомнив вторую часть пословицы, Денис нахмурился. Если обвинение в убийстве Кондрашина вдруг, по каким-то невероятным причинам, получит подтверждение (а почему нет, пока что подставляли его виртуозно), а сам он из недавно разрекламированного Кондрашиным супермена превратится в преступника, его же, Кондрашина, зарезавшего, то «Глорию» свободно могут закрыть, и пойдут тогда Филя, Сева и вся их развеселая компания по миру... Ну нет, по миру, конечно, не пойдут, таких классных специалистов любая контора с руками оторвет.

Денис произнес про себя слово «контора» и внутренне же осекся. Как говорится, оговорочка по Фрейду. «Конторой» ведь традиционно многие годы называли КГБ, а нынче соответственно — ФСБ. А в самом деле, не имеет ли к его несчастьям самое непосредственное отношение «контора»? Может, фэсбэшники элементарно разозлились, что им так принародно утерли нос, и решили отомстить? Между прочим, дядя, Вячеслав Иванович Грязнов, учил его, что самые простые мотивы — они же самые реалистичные. Так кому же он, Денис Грязнов, всего-навсего скромный частный детектив, наступил на хвост?

Денис невольно оглянулся на своих сокамерников. Ну и компания собралась. От восемнадцати до семидесяти. Половина — рецидивисты, в зону уже хаживали, и не раз. Да и новые статьи мужичкам светят такие, что мало не покажется. Хорошо, что никто не знает, кто он такой, могли бы запросто частного сыщика к ментам приравнять и ночью ненароком задушить. А ведь охранники-то вполне могут знать, а значит, и словечко в камеру шепнуть. Но раз вторые сутки прошли, а все нормально, выходит, его безвременная гибель никому не нужна. Ну еще бы, ведь признание в убийстве Кондрашина он пока что не подписал.

Положа руку на сердце, Денис надеялся, что дядя, или Турецкий, или даже оба вместе похлопочут за него, и сидеть придется относительно комфортно. Ну, если не в одиночке, так хотя бы в двойке. Какое там...

Тут Денис вспомнил первый допрос, который ему устроил следователь Мосгорпрокуратуры Зюкин, занимавшийся его делом. Зюкин был круглолицый добродушный мужик. Сперва он предложил Денису сигарету. Денис сказал, что не курит, и тут же вспомнил, что в кино в таких случаях ушлые арестанты добавляют: «Но я возьму для товарищей». Потом Зюкин поинтересовался условиями, в которых содержится Денис, и, выслушав короткий ответ, покачал головой:

— Тесновато, конечно. И ночью, наверно, воздух спертый, а?

— Точно, — кивнул Денис.

— Ну это ничего, Денис Андреевич. Одиночки не всегда хороши, уж вы мне поверьте. Вот мой приятель работает в дежурке одного из московских отделений милиции. Однажды после рабочего дня он с коллегами принял, так сказать, на грудь, в ближайшем кафе, да так крепко, что отрубился. Хорошо, у него друзья верные оказались. Они его назад в отделение затащили, решили там оставить, чтобы проспался, поскольку мужик на пьяную голову мог быть изрядно буен. Но куда ж его девать? Все кабинеты заперты, не в «обезьянник» же к бомжам! Посовещались и решили уволочь его в подвал. А помещение там было древнее, водопровод часто прорывает, и, чтобы боец не утоп, если вдруг что случится, на пол поставили кирпичи, на них положили деревянную дверь, а уж сверху — моего бесчувственного приятеля. А чтобы он ночью не начал чего непотребного вытворять, свет погасили и дверь в подвал заперли. Представьте, Денис Андреевич, трубы именно в эту ночь прорвало, и подвал понемногу стал заполняться водой. Мой друг очнулся и обезумел от ужаса: ему представилось, что он на каком-то плоту... Так греб, бедняга, что к утру из сил выбился. Видите, одиночки не всегда хороши, точно вам говорю.

Денис засмеялся.

В эту секунду следователь Зюкин изменился в лице настолько, что оно даже вытянулось, и натурально зарычал:

— А теперь, сволочь, колись, как Кондрашина завалил?!

Денис позволил себе немного удивиться:

— Это что — «злой» и «добрый» полицейский в одном лице?

— Ах ты!.. — задохнулся от бешенства Зюкин, но так и не нашел подходящего слова. — ах ты!.. — Он, видимо, нажал на кнопку в столе, потому что через несколько секунд в комнате для допросов появился конвоир. — Советую вам подумать, Грязнов, и выложить все начистоту, только так вы можете себе помочь. Уведите.

Допрос получился молниеносным.

Денис снова задумался о системе перестука, потому что за стенкой кто-то снова начал тихонько корябать, но мысль скользнула дальше, поскольку невольно он стал участником общего диалога. Совсем молоденький парнишка на верхних нарах жаловался:

— Суки, посылку всю распотрошили, сахар назад завернули...

— Да быть такого не могет, — возражал кто-то другой, — а мне вот передали.

— Сахар-рафинад был? — машинально поинтересовался Денис. — В коробке?

— Ну.

— Нельзя. Можно только песок и в полиэтиленовом пакете.

— А сало? — плаксивым тоном сказал парень. — Сало-то за что отобрали?

— Какое оно было? С прорезью? С мясом?

— Конечно! Здоровенный шмат!

— Тоже нельзя. Можно до трех килограмм, соленое или копченое — неважно, но только сало. Считается, что под видом мяса в него можно загнать дурь или что-нибудь еще.

В камере воцарилось молчание, Денис, погруженный в свои неспешные раздумья, даже не сразу это понял. А когда повернул голову, увидел, что все девять человек смотрят на него. Кто как, кто с ожиданием, кто даже с какой-то непонятной надеждой, а кто и откровенно враждебно.

— Ты это, паря, — наконец сказал один гнусавым голосом, — ты откуда всю эту хренотень знаешь? У меня третья ходка, и то я не в курсах. Во всех изоляторах же разные порядки.

— Так, — неопределенно ответил Денис. — Пришлось как-то выучить. Времени много свободного было. — Он имел в виду учебу на юрфаке, но камера поняла это по-своему и одобрительно загудела.

— Ты подожди, я сейчас карандаш достану, — сказал гнусавый голос, он у меня в укромном местечке... Ну все, теперь диктуй давай.

Денис пожал плечами и сказал:

— Колбаса — три килограмма. Сыр — только твердых сортов или колбасный — три килограмма.

Рыба — два килограмма. Овощи (лук, морковь, редька, чеснок, редис, свекла, репа) — по два килограмма. Фрукты (яблоки, апельсины, грейпфруты, лимоны, мандарины) — тоже по два килограмма. Сгущенное молоко — обязательно перелить в пластиковую тару, — это чтобы заточку не сварганили, ну а вес — до 1,2 килограмма.

— Почему это?! — возмутилась камера. — Почему не полтора, почему не килограмм?!

— Такие правила, — невозмутимо ответил Денис.

— Паря, а ты, часом, не мент? — снова сказал все тот же гнусавый голос и сам же себе ответил: — не, тогда тебя бы отдельно посадили. Ты диктуй, диктуй, я пишу.

— Печенье, пряники, сухари, сушки, вафли — по три килограмма. Конфеты, мармелад...

Гнусавый тщательно все записывал, а камера восхищалась. Денис подошел к концу списка:

— Нижнее белье, носки, постельное белье. Это все можно. Свои права рекомендую знать и ими пользоваться. Это добавит вам силы и уверенности в себе.

— А что ж ты сам этим не воспользовался, фраер, если разрешено? — мрачно осведомился человек, который молчал все это время, весь синий от наколок и, по наблюдениям Дениса, потенциально самый опасный в камере. — Постельным бельем, тапочками?

— Да пошли они, — под общий хохот сказал частный сыщик и повернулся лицом к стене.

На вторые сутки следователь больше не ломал комедию, а сразу же без обиняков повторил то, на чем закончил прошлый раз. Зюкину, однако, не повезло. Откуда ему было знать, что, когда Дениса вызвали на допрос, он проводил очень специальную медитацию, свойственную только абракадабра-йоге, так что, когда Грязнова-младшего привели к Зюкину, Денис фактически спал наяву. Ему было хорошо и спокойно, как никогда в жизни, очевидно, он достиг какого-то нового уровня мастерства, путь к которому только нащупывал на берегу Индийского океана. Денис любил сейчас всех на свете, и даже с этим ублюдком Зюкиным он чувствовал нерушимую кармическую связь. Только вот Зюкин пока об этом не догадывался, а потому снова предложил подследственному подписать добровольное признание.

Денис смотрел ему в переносицу и умиленно молчал.

— Эй! — закричал Зюкин. — Вы вообще меня слышите?!

— По вашему мнению, — медленно сказал Денис, — однажды подержав драгоценные камни в руках, я воспылал жадностью, а потом втерся в доверие к Кондрашину, добрался до камней, а самого Кондрашина зарезал?

— Да! — обрадовался Зюкин. Его ввел в заблуждение тон, которым это было сказано, — какой-то смиренно-отрешенный.

— Это неправда, — сказал Денис. — Нажмите кнопку в столе.

И тут Зюкину стало плохо. Он увидел, как его правая рука сама собой движется к кнопке вызова охраны, а левая бессмысленно хватает воздух, не в силах ее остановить.

Денис вернулся в камеру, а Зюкин, придя в себя, вызвал врача. Тот померил давление, пощупал пульс, заглянул в зрачки. Зрачки ему не понравились.

— Что т-такое с-со мной? — запинаясь, спросил Зюкин.

— Не будь вы следователь и окажись мы в другом месте, я бы спросил, какой дряни вы накурились. Но так вообще-то все нормально.

— Домой хочу, — вдруг обиженным голосом сказал Зюкин и действительно уехал. Дома он сразу же лег спать и впервые в жизни видел цветные сны, хотя, проснувшись, не мог вспомнить ни одного связного сюжета, все непостижимо развевалось и улетучивалось.

А Дениса не трогали еще сутки, так что он вполне мог себе позволить расслабленно размышлять на тему возможных вариантов тюремного перестука, а также о том, кто мог его так зверски подставить. В перерывах между медитациями, конечно. В камере к нему привыкли и не трогали. Только иногда советовались по поводу всяких внутренних тюремных тем, да еще тот мужик, весь синий от наколок, иной раз недружелюбно поглядывал. С ним Денис, как ни старался, кармической связи не чувствовал.

Щербаку не пришлось звонить матери Анастасии. Она сама его нашла. Позвонила домой утром и срывающимся голосом сказала:

— Нам необходимо встретиться!

— Хорошо, — зевнул Николай, медленно выбредая на кухню и поднимая жалюзи. — Давайте увидимся вечерком где-нибудь...

— Немедленно!

— Хм... У вас все в порядке?

— Да. Но это неважно. Я расскажу при встрече.

— Пускай будет так, — согласился Щербак, прижимая трубку к уху и включая кофеварку. — Я живу недалеко от зоопарка. Сможете быть возле центрального входа, скажем, через полчаса?

— Да.

Щербак задумчиво смотрел на бурлящую кофеварку. Голос молодой женщины ему очень не понравился. Что еще могло случиться? Все плохое уже вроде произошло. Денис в тюрьме, Кондрашин на кладбище, камни пропали... Или, может, напротив, это у нее такой экстравагантный способ сообщать хорошие новости? Ладно, чего там гадать, скоро он все узнает. Щербак стал под прохладный душ, потом выпил еще одну чашку кофе, со вздохом набросил на плечи легкий пиджак (иначе куда девать пистолет?!) и вышел из дому. Он жил в Большом Тишинском переулке, и до зоопарка действительно было несколько минут ходу. Но не все было так просто, вероятность слежки за сотрудниками «Глории», равно как и за женой олигарха, по-прежнему была значительной. Оставалось лишь надеяться на то, что женщина она весьма неглупая и сделает все верно.

Щербак свернул на Малую Грузинскую, потом на Красную Пресню и подошел к зоопарку. Потоптался возле входа, демонстративно поглядывая на часы. С момента телефонного разговора прошло двадцать семь минут. Он купил себе «Спорт-экспресс» и погрузился в изучение матчей Лиги чемпионов. «Реал» выиграл у «Динамо» из Киева. Ну а чего еще ожидать...

Прошло еще минут семь. Щербак нервно сунул газету в карман пиджака и стал мерить шагами площадку перед входом в зоопарк. Прошло еще минут десять. Получалось, что мадам Чегодаева основательно опаздывает на встречу, которой сама так добивалась. В конце концов, Щербак махнул рукой, купил билет, мороженое и пошел в зоопарк. Там он действовал совсем по-другому. Быстро шмыгнул к административному зданию и зашел в первый же кабинет.

За столом сидел человек с бородой до глаз, который что-то писал. Обильная растительность на руках добавляла ему сходства с нашими далекими предками. Подняв голову на Щербака, бородатый сказал безо всяких эмоций:

— Опять в окно?

— Ага.

Щербак обошел его стол, по пути положив перед бородатым двадцать долларов, и вылез в окно. Пригнувшись на всякий случай, он пробежал метров тридцать и относительно благополучно преодолел высокий забор — в основном благодаря тому, что делал это уже не раз. Бородатый администратор — это была его, Щербака, уловка, уже не раз выручавшая.

Оказавшись снова на Красной Пресне, он перешел дорогу в неположенном месте и через Пресненский переулок попал на улицу Заморенова. Там свернул налево и, обойдя замысловатое здание Киноцентра, вышел к станции метро «Краснопресненская».

Перестраховаться, пожалуй, стоило. После ужасных событий последнего времени, в самом деле, никто не мог поручиться, что за ними обоими не следили всеми возможными техническими способами. Щербак поглядел на часы: до встречи оставалась еще пара минут, но, учитывая, каким голосом говорила Анастасия, вполне можно было предположить, что она уже здесь. Не зря же, в конце концов, он рассказывал ей про приятеля, называющего по телефону другое время и место встречи. На другой стороне улицы по отношению ко входу в зоопарк — это было именно тут. Но Анастасии нигде не было!

Щербак подошел к ближайшему ларьку, взял пиво и чебурек, потом передумал и чебурек есть не стал. Запах сильный. Закрылся «Спорт-экспрессом». Что там еще случилось на зеленом газоне? «Челси» выиграл у «Манчестер Юнайтед». Круто. Это круто.

Он допил пиво, но женщины все не было. Да что же такое, черт возьми?! Всесильный супруг перехватил?

Щербак повращал головой. Ларьки, кафе, пивнушка, открытое кафе. Там он и увидел Анастасию. Она сидела за столиком и пила воду. Не совсем напротив кинотеатра, но зато лучше не придумаешь. Умница.

— Привет, — он опустился на скамейку напротив.

— Слава богу, я уже боялась, что вы не приедете.

— Смеетесь? Мой шеф в тюрьме сидит. Если я его оттуда не вытащу — останусь без работы. Рассказывайте, что случилось.

Оказалось, что Анастасию снова допрашивали. На этот раз другой следователь, не из ФСБ, как прошлый раз, а из прокуратуры. Какой-то противный Зюкин. Он так, мерзавец, на нее насел, что она запуталась и была вынуждена рассказать ему историю о проверке фальшивых камней — как ей позвонил какой-то человек и сообщил, что камни, служившие выкупом, были фальшивые, потому что Чегодаева одолела жадность, он быстро изготовил копии бриллиантов, и настолько грубые, что только совершенный дилетант мог заподозрить в них бриллианты. Ну и так далее.

Щербак вздохнул.

— Но то, что он назывался вашей фамилией, я не говорила! — прижала руки к груди Анастасия.

— И на том спасибо. — Щербак кивнул официантке, чтобы принесла пива. — Да не волнуйтесь вы так, все в порядке, чего в жизни не бывает.

Взгляд у молодой женщины был какой-то отстраненный.

— Эй, вы слышите меня?

— Понимаете, мне кажется, что меня тоже стали подозревать.

— Почему вы так решили?

— Не знаю точно... Но этот Зюкин, он странно себя вел, все время менялся, просто какой-то хамелеон. Понимаете, Коля, он намекнул, что я ведь тоже могла заменить настоящие камни на стекляшки. То есть что мне это было сделать легче, чем кому-нибудь другому. Вот...

— Ну да, — задумчиво сказал Щербак. — И что вы с Кондрашиным могли сговориться против Чегодаева.

— Да вы что?!

— Если следовать этой логике, то почему нет? Или, напротив, вы могли дружить с Чегодаевым против Кондрашина...

— О господи. — Она опустила голову. — Мне так стыдно... Вы правы. Зюкин так и сказал.

— Вот так-так, — присвистнул Щербак. — Что еще?

— Что только обилие и противоречивость возникших версий, а также то, что найденный у Дениса Грязнова камень — настоящий, мешают следствию посадить сейчас и меня. Представляете?!

Щербак молчал. Он не понимал, что происходит. Допрашивать вот так, раз за разом, жену могущественнейшего человека, намекая ей на серьезные проблемы? Да и что-то слишком много следователей занимается убийством Кондрашина: и менты, и ФСБ, они сами вот — частные детективы.

— Ваш муж в курсе?

— Он знает только, что меня вызывали на допрос в прокуратуру, и все.

— Вы были с адвокатом?

— Нет. Мне и в голову не могло прийти, что все

так обернется, что я буду нуждаться в защите. Я привыкла совсем к другому.

— Ладно, Настя. Если это все, давайте расстанемся, пока нас никто не увидел вместе. Я обдумаю то, что вы мне рассказали, и...

— Это не все.

— Не все?

— Нет. Появились еще какие-то люди.

— Какие люди?!

— Представьте себе, в черном. Они приехали к нам домой. Двое в черных костюмах. Степана не было. Задали несколько вопросов из тех, на которые я отвечала и раньше.

— Документы показывали?

— Помахали какими-то корочками, но я в них ничего не поняла. Они были похожи на фээсбэшников, я почему-то сразу так решила, едва их увидела.

— Фамилии запомнили?

Она покачала головой.

— А внешность?

— Пожалуй, да.

— Знаете что? Давайте попробуем составить фотороботы с ваших слов. У нас есть классный специалист, позвоните мне сегодня вечером, если я с ним договорюсь. Он может быть в отъезде. Ладно? Теперь скажите вот что: когда у вас появлялись эти люди в черном?

— Позавчера. До вызова в прокуратуру.

Щербак вытер пот со лба.

— Когда же вы мне собирались об этом сказать?

— Простите. Мне так стыдно.

— Почему?

— Я столько всего натворила...

— Настя, посмотрите на меня!

Она послушно подняла голову.

— Настя! Вы ничего не натворили. Знать бы, кто все натворил... — Щербак сжал кулаки. — А вы просто хороший человек, который попал в беду. Не волнуйтесь понапрасну и постарайтесь по-прежнему доверять мне. Все образуется. Теперь уходите.

Несмотря на то что дела были дрянь, Щербак не мог в очередной раз не обратить внимания, какое впечатление Анастасия производит на окружающих.

А специалист по фотороботам не был в отъезде, и Николай это отлично знал. Специалист по фотороботам был на службе, и договориться с ним о частной услуге было, во-первых, непросто, во-вторых, рискованно. Кто знает, что это за «люди в черном»? Специалиста звали Эммануил Степанович Сазонов, и это был совершенно уникальный человек, к услугам которого неоднократно прибегали Александр Борисович Турецкий и Грязнов-старший. Эммануил Степанович занимался своим ремеслом не один десяток лет и был настоящий художник, истинно творческий человек. Он умел входить с опрашиваемыми свидетелями в такой контакт, что в результате у него получались не страшные маски, которые все привыкли видеть на стендах с надписью «Разыскивается...», а живые, настоящие портреты.

Щербак позвонил Вячеславу Ивановичу Грязнову и, не вдаваясь в подробности, поинтересовался, не сможет ли тот в силу своего давнего знакомства с Сазоновым договориться с ним о небольшой халтурке.

— Это то дело, про которое я все время думаю? — пробурчал начальник МУРа.

— Нет, конечно, — соврал Николай, искренне надеясь, что будет понят как надо.

— Так и знал. Ладно, жди.

Через пять минут Грязнов перезвонил, договоренность была достигнута.

Щербак немедленно передал Анастасии через ее мать, что вечером им нужно встретиться по поводу, о котором она в курсе дела.

В половине седьмого Сазонова и Анастасию Чегодаеву разными маршрутами — Филя Агеев и Щербак соответственно — привезли на Октябрьскую улицу, все в ту же квартиру знакомой Севы Голованова. Эксперт и молодая женщина уединились в дальней комнате, откуда не выходили около трех часов.

Голованов достал из портфеля два новых мобильных телефона и вручил их своим друзьям со словами:

— Поскольку велика вероятность, что нас всех слушают, вот вам новые аппараты, они зарегистрированы на совершенно посторонних людей, которых с нами связать никак невозможно. Но этого недостаточно. Номера меняйте каждый день, регистрируйте их также на левые имена, надеюсь, у вас найдутся такие знакомые.

Сыщики кивнули, но Филя все же спросил:

— Зачем такая перестраховка?

— Лучше все же потратим на конфиденциальность наших разговоров несколько лишних сотен долларов. Как-то Турецкий рассказывал, что в Штатах у АНБ — Агентства национальной безопасности — есть такая программа: если человек в обычном телефонном разговоре произносит слово из специального списка, скажем «война», «Саддам», «Бен Ладен», «тротил» и так далее, то его разговор начинает автоматически записываться, потом анализируется и передается куда надо, после чего принимается обоснованное решение, начинать следить за этим человеком или оставить его в покое, поскольку, допустим, это был обычный обывательский треп. То есть там запросто при необходимости слушают всю страну, понятно?! Так вот, Филипп, если предположить, что наши спецслужбы записывают все разговоры по сотовой связи (которой в Москве гораздо меньше, чем в Штатах — обычных городских телефонов), они и ведут себя соответственно, а если вообще целенаправленно следят за нами...

— То меры предосторожности лишними не будут, — закончил за него Щербак. — Да все понятно, никто не возражает. Только мне кажется, при этом не будет ли полезным время от времени заодно говорить и по нашим старым телефонам, а? Типа, мы ими пользуемся, и все такое...

— Нехило придумал, — оценил Филя. — А как же Макс с Демидычем?

— Не волнуйся, на всех хватит, — успокоил Голованов и показал содержимое портфеля. Там лежало еще десятка два мобильников, никак не меньше.

Пару месяцев назад у «Глории» был клиент, владелец салона сотовой связи, который не смог расплатиться за оказанные ему сыщиками услуги. Тогда он предложил бартер, — взять у него что-нибудь на свой вкус. Денис Грязнов отказался, предпочтя подождать деньги, но сейчас Голованов решил, что время пришло.

Тут Сазонов потребовал крепкого чаю, а на все жалкие попытки Агеева узнать, как продвигается работа, говорил только одно слово:

— Брысь.

Частные сыщики в это время сидели на кухне и пытались пить пиво. Но оно просто в глотку никому не лезло.

Наконец Сазонов, закончив, поцеловал руку Анастасии и уехал своим ходом, отказавшись от машины.

— Ну как? — спросил Щербак у нее, боясь открыть папку, в которой лежали портреты. У него было нехорошее предчувствие, что лица эти окажутся ему хорошо знакомы.

— По-моему, очень похоже получилось, — сказала Анастасия. — Я даже не понимаю, как ему удалось, я ведь никаких таких особых подробностей не рассказывала, а он, пока рисовал, больше спрашивал, что я тогда чувствовала, чем про уши там или носы...

— Мастер, — одновременно сказали Голованов и Филя.

Щербак открыл папку: Сазонов изобразил двух мужчин, лет тридцати пяти и сорока соответственно, коротко стриженных, с довольно привлекательными и сильными чертами лица. Один был в очках. У второго были тонкие губы. Щербак видел их впервые. Он посмотрел на Филю и Голованова. Те отрицательно покачали головами.

— Вот черт, — сказал Щербак.

А ведь они все немало лет занимались своим делом, знали многих людей из органов и продолжали общаться

— Гастролеры? — предположил Филя. — Гастарбайтеры? Наемники из другого города? Но какого черта?

Щербак пожал плечами.

— А что, если попросить Макса взломать базу данных ФСБ? — продолжал Филя.

— Забудь об этом, — сказал Голованов. — Давайте-ка лучше отдадим портреты Грязнову. Раз он прислал нам Сазонова, так пусть и оценит эту живопись.

Еще некоторое время после конкурса «Мисс Вселенная» на Анастасию по инерции, как из рога изобилия, сыпались довольно лестные предложения от заграничных модельных агентств, но она непреклонно отказывалась, во-первых, учеба как была, так и осталась в ее жизни на первом месте, ну а во-вторых... во-вторых, не совсем так. Потому что с тех пор, как появился Кондрашин, все стало с ног на голову. Да она с первого взгляда распознала в нем «мужчину своей жизни», но то, как вел себя с ней Леонид... это опрокидывало все девичьи представления о счастье. Он исчезал у нее на глазах с другими женщинами, нимало не заботясь о ее чувствах, и умудрялся появляться как раз в тот момент, когда она уже прощала ему все. Чутье у него было что надо. Удивительно, но их роман был бурным и страстным, при этом отнюдь не быстротечным. Анастасия все терпела, и это продолжалось до самой защиты диплома, которая прошла у нее, разумеется, с блеском. Она получила приглашение на работу сразу от нескольких центральных телеканалов и не могла принять решения, пока не случилось одно памятное событие.

Леонид привел ее в модный среди творческих людей ресторан «Петрович», где решено было скромно отметить пилотный выпуск новой программы, которую он начал делать на частном канале СТВ. Владелец СТВ олигарх Чегодаев, по собственному признанию Леонида, сделал ему предложение, от которого журналист отказаться просто не смог: возглавить передачу о судьбе русских военных на Кавказе. Анастасия знала, что этот проект был давней мечтой Кондрашина, он столько с ним носился, что многие уже перестали верить в возможность его реализации. Ни один государственный канал выпускать такую передачу почему-то не хотел. Возможно, такая на тот момент была политика, а может, осторожные и бывалые телебоссы просто опасались Кондрашина, от которого всегда за версту попахивало авантюризмом.

И вот — такая удача!

Анастасия была счастлива не меньше Леонида. Собственная карьера на тот момент не слишком ее волновала, она знала, что не пропадет, что кое-что умеет, но у нее отсутствовала главная движущая сила тележурналиста — честолюбие. И она это хорошо знала про себя. Она была женщиной на двести процентов. И это видели все, кто ее окружал. Теперь это узнал Степан Чегодаев. Он был сравнительно молод, даже моложе Кондрашина на пару лет. Когда-то они были однокашниками, позже их пути разошлись, но вот снова переплелись, да еще таким причудливым образом: босс и наемный работник, с одной стороны, в то же время азартные партнеры — с другой.

Чегодаев молниеносно влюбился в Анастасию. Позже он говорил, что влюбился в ее левую ногу, потому что это было первое, что он увидел, едва девушка под руку с Кондрашиным вошла в «Петрович».

В конце концов, Анастасия вынуждена была признать, что Леонид, конечно, бесконечно замечателен, но, увы, связывать себя узами брака категорически не намерен. Ни с кем. Даже с ней. Поэтому как-то само собой вышло, что, когда Чегодаев предложил ей руку, сердце и кошелек, она, недолго думая, согласилась, решив прекратить любые отношения с Кондрашиным. (А также заодно отклонила все предложения о работе на телевидении. Позже она пожалела об этом, но гордость, которой, в отличие от честолюбия, было с избытком, не позволила сделать обратный ход.) Надо было отдать должное и Леониду: он тоже не искал встреч, прекрасно понимая, в каком щекотливом положении все трое могут оказаться. Впрочем, ему-то как раз это сделать было нетрудно:

работы в связи с новой программой навалилось невпроворот.

После свадьбы, на которую, кроме родителей Анастасии и нескольких важных государственных мужей, никто приглашен не был, молодая чета съездила отдохнуть на Каймановы острова. Это место не было так популярно среди новых русских, как Канарские или Мальдивские, а кроме того, у Степана там была своя вилла, стилизованная под замок графа Дракулы. Тогда Анастасии эта его причуда показалась забавной и даже милой. А вернувшись в Россию, она поначалу с увлечением принялась исполнять роль образцовой жены олигарха. Продолжалось это около полугода, ровно до того момента, пока она не попала в аварию.

Вечером, накануне Старого Нового года, на Ленинском проспекте ее «фольксваген-жук» подрезал какой-то «чайник» на «восьмеркс», слегка помяв заднее крыло. Анастасия остановила машину и величественно выглянула, чтобы сразить нахала одним своим взглядом, но сражена оказалась сама. Из «восьмерки» ей навстречу вылез улыбающийся Кондрашин. Они обнялись — чисто по-дружески, все-таки давно не виделись. И он ее поцеловал. Он держал ее голову двумя руками и не отпускал, все еще целуя и целуя. Анастасия потеряла почву из-под ног во всех смыслах. Она чувствовала, что куда-то уплывает, причем значительно дальше, чем на Каймановы острова. Леонид подхватил ее на руки и отнес в свою машину, даже не глянув на ее «фольксваген». Ехали недолго, свернули на проспект Вернадского. Она ничего не спрашивала, просто молча сидела, слегка привалившись к нему плечом. Подъехали к какому-то дому, поднялись на лифте, вошли в большую пустую квартиру. В дальней комнате, единственной из всех, были занавески на окнах и стояла широкая расстеленная кровать. Они упали туда и всю ночь доводили друг друга до изнеможения.

— Скажи, а почему ты ехал на такой странной машине? — спросила Анастасия. — Помнится, раньше все французские предпочитал. На «рено», кажется, меня возил...

— А я специально «восьмерку» одолжил, чтобы тебя стукнуть.

— Караулил, значит? Все подстроено?

— Ну да!

Она засмеялась и швырнула в него подушкой, встала, подошла к окну. Потом спросила еще:

— А что это за квартира?

— Твоя, — сказал Леонид.

— То есть как это?!

— Очень даже просто. Я ее купил, чтобы мы не шлялись по гостиницам, а чувствовали себя тут дома. Квартира эта — твоя, — снова повторил он. — Куплена на мое имя, но я уже оформил дарственную... Я, конечно, не олигарх, но кое-что могу для тебя сделать...

И они снова упали в постель.

Через полчаса он закурил первую за эту ночь сигарту и, все еще тяжело дыша, сказал:

— Я хочу уйти от Степана. И тебя с собой забрать.

— Как это? — Она спросила машинально, даже несколько отрешенно.

Леонид испытующе смотрел на нее. Не поняла или сделала вид, что не поняла?

— Мне осточертело это СТВ. Хочу слинять куда-нибудь. У меня сейчас знаешь какой рейтинг? Любая западная компания с руками оторвет. Или даже без рук.

— Но почему?! — Она в самом деле не понимала. — У тебя же все отлично. Ты делаешь прекрасную программу. Я знаю, что у Степана канал — не самый блестящий, но твоя передача — вне конкуренции. Это, если хочешь, даже документальные фильмы. Я тебе признаюсь... плакала несколько раз, когда ты наших мальчиков в Чечне показывал.

— В том-то и дело, — зло сказал Кондрашин. — Не хочу больше.

— Объясни же наконец!

— Это госзаказ, понимаешь? Я только делаю вид, что свободен. И Степа твой — такой же вид делает. Мы все там на привязи. Свобода определяется длиной цепи. Завтра скажут — снова начнем чеченских бандитов возвеличивать. Тьфу!

— Ты говоришь ужасные вещи, Леня! Неужели то, что ты снимал, — это неправда?! — Она прижала свои изящные руки к высокой груди, и Леонид на мгновение забыл о своем ожесточении, залюбовался ею подумал: «Только это настоящее, все остальное — неправда, все ложь». Он положил голову ей на колени, и она стала тихонько целовать его висок, как это делала раньше: — Милый мой, любимый, единственный, что с тобой? Как тебе помочь?

Боже мой, эта несчастная женщина предлагает ему помощь! Нет, это уже было выше его сил.

— Это я, я хочу тебе помочь, понимаешь?! — закричал Кондрашин. — Давай уйдем, я прошу тебя, ты — от своего олигарха, я — с телевидения, давай сбежим, а?

— Куда?

— Я не знаю, — прошептал он и снова уткнулся ей в колени.

Денис продолжал в перерывах между медитациями консультировать сокамерников по всяким мелким тюремным вопросам. В другие времена он бы здорово посмеялся над такой парадоксальной ситуацией: частный сыщик, явно находящийся, так сказать, по другую сторону баррикад, да еще племянник начальника МУРа, советует отпетым уркам, как им жить в тюрьме с максимальной выгодой для себя, не вступая при этом в антагонизм с администрацией.

А еще его по-прежнему занимал вопрос о системе перестука. Восемь человек, сидевшие с ним в камере, отрицательно качали головой, никто понятия о ней не имел. Правда, один вспомнил, что, когда первый раз сел, лет, наверно, тридцать тому назад, видел людей, которые такой способ общения активно практиковали. Еще один сказал, что сидел с мужиком, который сидел, в свою очередь, с тем, кто умел это делать. А девятый сокамерник Дениса, молчаливый и весь синий от наколок, в ответ на вопрос лишь презрительно сплюнул. Тогда обладатель гнусавого голоса, который тщательно записывал все полезные сведения, получаемые от Дениса, хихикнув, шепнул ему на ухо, что это — знаменитый домушник Пантелей Шмагин по кличке Музыкант, рожденный в зоне, не умевший читать и писать и соответственно — не знавший и алфавита. Неужели ты, паря, никогда про него не слышал?

И Денис вспомнил. Шмагин был легендой. Денису про него неоднократно рассказывал дядя. Кличку Музыкант он получил за то, что свои кражи и ограбления расписывал и исполнял как по нотам. Шмагин был юркий и виртуозный вор, начинавший как щипач, но со временем перешел на квартирные кражи. Собственно техническое мастерство тут требовалось меньшее, чем у карманников, но ловкость и изобретательность — большая. А главное — было больше возможностей и перспектив для карьерного роста. Говорят, в конце семидесятых, когда Шмагин промышлял в Ленинграде, тамошние серьезные бандиты сказали ему: «Если ты, Музыкант, сможешь за день сделать десять квартирных краж и при этом обеспечишь себе твердое алиби, мы тебя сделаем вором в законе». Шмагин впервые в жизни испытал что-то вроде приступа честолюбия. Прежде он никогда не задумывался об уровне своего мастерства, но сейчас поставленная задача, подкрепленная немыслимой наградой, крепко его завела. И он согласился.

Шмагин устроился слесарем-сантехником в ЖЭК в центре города и планировал «ограбление века» около месяца. Точнее, он даже ничего не планировал. Он ждал.

Десять квартиных краж он совершил 1 мая. Они были сделаны в десяти разных домах, следующих один за другим на главной улице города. Самое потрясающее, что обворованные жильцы почти во всех случаях были дома — торчали на балконах, пялясь на первомайскую демонстрацию. Ничего крупного Шмагин не брал, только из одной квартиры уволок понравившуюся здоровенную картину с голыми тетками, впрочем, потом оказалось, что она стоит копейки, а вот рама без картины продалась дороже. Но главное, он сумел стащить документы: пять паспортов, три пенсионных удостоверения, два военных билета и один студенческий. Это и было доказательством его подвига. Кроме того, у него было фантастическое алиби. Шесть человек подтвердили, что он нес плакат с портретом одного из секретарей ленинградского обкома КПСС! И это действительно было так, плакат Шмагин нес, только каждый раз, отлучаясь «на дело», он передавал его помощнику, имя которого история умалчивает.

Ленинградские серьезные бандиты поцокали языками, похлопали героя по плечу и разошлись. Слово свое они не сдержали, вором в законе Музыканта не сделали: с их точки зрения, это была шутка — не дело мелкого щипача и домушника авторитетом нагружать. А с точки зрения Шмагина, это было не шуткой, а предательством. И он, не задумываясь, сдал питерской милиции всех, кого знал. Воровская этика и солидарность для него больше значения не играли. В результате около пятидесяти человек оказались тогда под судом и были приговорены к различным срокам, из них четверо — к расстрелу. Руководство ленинградского ГУВД засыпали орденами и прочими более существенными наградами, а за Шмагиным оставшиеся на воле братки устроили настоящую охоту. Но — безуспешно. Несколько лет после этого о нем ничего не было слышно. Не исключено, что его прятали в какой-нибудь зоне или тюрьме. Всплыл Шмагин в середине восмидесятых, когда про него уже основательно подзабыли. Поселился в Подмосковье и потихоньку принялся за старое...

В двери открылся глазок, в него заглянул конвойный, а спустя несколько секунд он отпер дверь:

— Грязнов — на выход, к следователю.

Денис поднялся и пошел, провожаемый сочувственными взглядами.

— Грязнов, Грязнов, — пробормотал гнусавый. — Где-то, паря, я твою фамилию слышал, определенно слышал.

Денис флегматично пожал плечами и вышел. Пока шел по коридору, думал: не ровен час, вспомнят в камере про начальника МУРа, что тогда? А ничего. Тогда и видно будет — что.

Оказалось, его вызывает не следователь Зюкин. В комнате для допроса сидел начальник отдела по борьбе с терроризмом ФСБ.

— Удивлены? — спросил Спицын.

Денис покачал головой, и ему показалось, что генерал немного расстроился.

— Ну это неважно, — сказал Спицын. — Я хочу с вами поговорить. Вот это важно.

— Для кого?

— Для вас. Для меня. Для страны.

— Понятно, — сказал Денис. — Вам что-то от меня нужно. Но, боюсь, ничего нового рассказать не могу. Просто потому что нечего. — Денис уставился в некую точку на стене за спиной Спицына, стал втягивать ее в себя глазами и почувствовал тепло. Это было тепло человеческого тела. С той стороны кто-то был. По крайней мере, ему так казалось.

— Я все-таки не понимаю, как вам удалось столь лихо провернуть освобождение Кондрашина.

— По крайней мере, вы не думаете, что это я его похищал, — заметил Денис. — Уже неплохо для скромного частного детектива.

— Я этого не говорил, — проворчал Спицын. — Да ладно, к черту. Да, я думаю, что вы его не похищали. Но вот в чем проблема. Человек, которого вы застрелили там, в Ростове, — это Хожа Исмаилов, бывший чеченский боевик.

— Так в чем проблема? На чеченцев же как будто и думали.

— Похищение людей — не его профиль. Когда-то он был полевым командиром, еще в первую войну, но уже очень давно перешел на сторону федералов. Он служил в ФСБ Чечни, понимаете?! То есть, фактически, мой коллега, он лично участвовал в антитеррористических операциях! И отлично себя проявил... Если я не верю, что вы причастны к похищению журналиста, то еще больше я не верю, что замешан Исмаилов. Не верю, не верю и не верю!

Воцарилась минутная пауза, по истечении которой Денис сказал:

— Я вас понимаю и уважаю ваши корпоративные чувства.

Спицын бросил на арестанта быстрый взгляд: не издевается? Нет, вроде бы серьезен. Ну тогда вот тебе пробный шар, мальчишка, слопаешь — и тогда ты мой.

— Еще маленький нюанс, Денис Андреевич. Откуда у вас, елки-палки, — генерал вполне добродушно усмехнулся, — появился пистолет, там, на стройке?

Денис молча смотрел на него.

— Вам подсунул его какой-то дед в аэропорту, верно?

Денис по-прежнему молчал, и генерал вдруг понял, что этому психу все глубоко до лампочки, он смотрит не на него, а сквозь него. Ни черта из него не выдавишь!

А Денис думал о том, что Быковского упоминать нельзя ни при каких обстоятельствах. И так в этом деле оказалось замешано много совершенно посторонних людей. Вот, например, его собственные сотрудники. Что касается деда в ростовском аэропорту, то ясно, что со стороны генерала это был чистый блеф. «Дед» действовал настолько профессионально, что его никак не могли отследить. Передача оружия произошла за считанные секунды.

Денис смотрел на стену. Тепло. А может быть, там, в соседней комнате, просто включенная лампа? Спицын боится потерять свое кресло, вдруг понял Денис. Во внешнем мире происходят какие-то важные и неизвестные ему события.

— Между прочим, Грязнов, пока вы тут сидите и запираетесь по совершенно непонятным причинам, на свете продолжают происходить очень нехорошие события, в частности — похищения людей, в частности — журналистов.

Денис молча ждал продолжения.

— На днях исчез Джордж Пенгертон, и не просто исчез, а похищен, — эффектно выдержав паузу, возвестил Спицын.

— Кто это такой? — поинтересовался Денис.

Спицын не поверил своим ушам. Потом решил, что над ним издеваются. Но, внимательно посмотрев на Грязнова, передумал.

— Вы что, газет не читаете?!

— А то мне их тут дают, в вашем санатории...

— Пенгертон — это глава издательского дома «Товарищ либерал».

— Кажется, припоминаю, — кивнул Денис. — Это американец, который работает у Ванштейна?

— Ну вот видите, не такой уж вы и темный. Пенгертона похитили прямо посреди Москвы и по телефону потребовали от его издателя Ванштейна печатать документы чеченских полевых командиров, которые они ему будут присылать.

— И что, — поинтересовался Денис, — он их напечатал?

— Успел только первую серию, потому что после этого его арестовали, правда, по другому обвинению. У него финансовые проблемы...

— Понятно, — усмехнулся Денис.

— Что вам понятно?! Ну что вам может быть отсюда понятно?!

— Знаете что, Николай Николаевич, я помогу вам... — Денис то ли намеренно сделал большую паузу, то ли это уже прочно стало его манерой разговора, он даже сам не знал. Так или иначе, но это позволило ему убедиться в собственной правоте.

7 Зак. 1548

— Поможете, если что? — продолжил потерявший терпение генерал.

Итак, он все-таки нуждался в этом.

— Если окажусь на свободе. Из следственного изолятора мне вам помогать не с руки.

— Ну, знаете... Я все-таки не прокурор, и я...

— Бросьте. Вытащить меня отсюда вам вполне по силам. Более того, это будет в ваших интересах.

Тут Денис сообразил, как можно узнать о системе перестука.

— И еще у меня к вам просьба, Николай Николаевич.

Спицын слегка округлил глаза. Он не ослышался? Этот самоуверенный частный сыщик действительно впервые его о чем-то просит?

— Что, урки в камере донимают? — самодовольно усмехнулся фээсбэшник.

— Нет, речь совсем не о том, благодарю вас, у меня все в порядке.

— В порядке?!

Таких слов от человека, сидящего в тюрьме, Спицыну слышать еще не приходилось. Нет, он сам двинется с этим ненормальным йогом.

— Пока у меня много свободного времени, я бы хотел почитать одну книгу, но, боюсь, в тюремной библиотеке ее нет.

— Почему вы так уверены? Вы спрашивали? Тут хорошая библиотека.

— Потому что следователь ко мне не очень благоволит, что отражается на действиях м-мм... обслуживающего персонала.

«Обслуживающего персонала», ну надо же!

— Ладно, напишите мне вот здесь в блокноте, я распоряжусь, чтобы ее вам доставили.

Но Денис не видел протянутого ему блокнота, он

все втягивал в себя точку за спиной у Спицына. Тепло не уменьшалось.

— Нас подслушивают, — сказал частный сыщик вполне безучастным голосом.

— Вы бредите, — безапелляционно заявил Спицын. — Я — генерал ФСБ! Кто нас может подслушивать?

— Этого я не знаю. С той стороны. — Последовал кивок на стену.

Спицын вдруг изменился в лице и выскочил из комнаты. Сделал несколько стремительных шагов по коридору и рванул на себя следующую дверь. Замечательная картина предстала генеральским глазам: следователь Мосгорпрокуратуры Зюкин сидел на корточках на столе, вплотную придвинутом к стене, и пытался уловить, что происходит в комнате для допросов, с помощью кружки и своего оттопыренного уха.

— Ах ты мерзавец! — заорал Спицын, опрокидывая стол вместе с Зюкиным. — Вон отсюда!!!

На просьбу Голованова проверить по своей базе данных портреты людей, нарисованных Сазоновым со слов Анастасии Чегодаевой, Грязнов-старший отреагировал с неким даже удовлетворением. Наконец хоть чем-то он может оказаться полезен своему племяннику. Тем более что двое незнакомцев подозревались в принадлежности к одной из структур ФСБ, а всем известно, с какой любовью начальник МУРа относится к Большим Братьям. Сперва Вячеслав Иванович использовал все свои ресурсы, затем подключил несколько проверенных людей, в том числе полковника Иванчука, между прочим действующего сотрудника Федеральной службы безопасности, с которым в недавние времена[1] даже немного подружился (еще пять — десять лет назад такое совершенно не представлялось главному сыщику столицы возможным: комитетчиков он на дух не переносил). Но, увы, незнакомцы эти незнакомцами так и остались, о чем Грязнов-старший и сказал Голованову и Щербаку, приехавшим к нему на Петровку. Те мрачно покивали, а потом Щербак сказал:

— Сева, если они действительно самозванцы, может, нам стоит еще раз повнимательней отсмотреть пленки из подъезда? И заодно нашей красавице их показать. Вдруг эти бравые ребята все же там нарисовались? Или она кого-то другого узнает?

— Из какого подъезда? — заинтересовался Вячеслав Иванович. — Какие такие пленки?

— Из подъезда дома, где был убит Кондрашин. Мы там несколько камер по-тихому установили и...

— А ну валите отсюда! — рассвирепел начальник МУРа. — Вы во что меня втягиваете, анархисты?!

Частные детективы молча встали и понуро вышли из кабинета. Но за дверью весело посмотрели друг на друга. Разумеется, генерал-майор милиции, как официальное лицо, не мог одобрить такую самодеятельность, но, кажется, он был доволен этой идеей, а нюх у матерого сыскного волка был что надо, это они оба хорошо помнили. Щербак снова позвонил матери Чегодаевой, и та обещала, что к завтрашнему утру Настя появится. Сыщики предусмотрительно дали ей телефон квартиры отсутствующей знакомой Голованова, так что можно было больше не шифроваться.

На следующий день Анастасия приехала, как до-

---

[1] См. роман Фридриха Незнанского «Поражающий агент» (М., 2002).

говорились, к одиннадцати часам дня. Щербак и Голованов были в квартире вдвоем, ни Филю, ни Демидыча, ни тем более Макса звать не стали во избежание ненужного ажиотажа. Кроме того, должен же был кто-то в лавке остаться! Поджидая Чегодаеву, они сами снова просмотрели имеющиеся пленки и были в небольшом замешательстве. Но Анастасия быстро его устранила. Среди прочих многочисленных людей, входивших и выходивших из подъезда в день убийства, она уверенно указала на двух мужчин.

Щербак с Головановым переглянулись.

— Настя, — мягко сказал Николай, — но ведь... но ведь они совсем не похожи на тех людей, портреты которых были изготовлены с ваших слов.

— Ну так что же, — сказал Анастасия. — Тем не менее это они, не сомневаюсь. Я очень рада, что смогла вам помочь... — Она с некоторым беспокойством заглянула в лицо Щербаку. — Я ведь помогла, верно?

— О, да-да, конечно, — спохватился тот. — Вы уж простите, что мы вас так выдергиваем из вашей жизни все время, но сами понимаете, какая ситуация.

— Да какая там у меня сейчас жизнь. — она махнула рукой. — Вы меня проводите?

— Конечно! — спохватились мужчины.

— Ты знаешь, о чем я думаю? — сказал Сева Голованов уже на улице, глядя в спину удаляющейся женщины.

— О том же, о чем и я. — Щербак наблюдал, как Анастасия усаживается в свой «фольксваген-жук» лимонного цвета.

— Нет, не об этом. Тебе не кажется, что слава нашего гениального Сазонова несколько раздута?

— Слава не бывает раздута, — резонно возразил Щербак. — Она или есть, или ее нет. Что касается старика Эммануила, то я давно подозревал, что он больше психотерапевт, чем криминалист. Что он ни нарисует, свидетели, в конце концов, говорят, что именно этого человека они и видели.

Сыщики вернулись в квартиру, вытащили пиво из холодильника и уселись друг напротив друга.

— Денис сейчас бы помедитировал, — сказал Щербак, — впал бы в какой-нибудь транс, потом выпал оттуда и все расставил по полочкам.

— Так ты же не Денис, — напомнил Голованов. — И я не Денис. Ты этих двоих мужиков не знаешь, я правильно понял?

— Впервые вижу.

— Я тоже. Что будем делать? Снова отправим изображение в МУР? Кстати, один все-таки в очках, а у второго все-таки губы тонкие, обрати внимание, и еще он немаленького роста, метр восемьдесят пять как минимум.

Щербак почесал затылок:

— Ты лучше обрати внимание, что эти субчики на пленке ведут себя отнюдь не как жулики.

— Да. Но и не как детективы.

— То-то и оно! Они ни с кем из сновавших по лестнице фээсбэшников и прокуратурских работников в контакт не вступали. Как же их вычислить-то...

— Но в подъезд они тем не менее проникли без проблем, — напомнил Голованов.

— Ну и что? Мы тоже туда проникли... Слушай! — подскочил Щербак. — А автостоянка?

— Что — автостоянка?

— Автостоянка перед домом, помнишь? Платная парковка.

— Ч-черт. — Голованов бросил недопитое пиво и бросился в переднюю. Щербак — следом.

Чуть больше получаса понадобилось, чтобы добраться до проспекта Вернадского. Еще столько же, чтобы найти общий язык с охранником автостоянки. Дом был серьезный, инфраструктура вокруг — тоже. Все передвижения на автостоянке фиксировались на видео. В центре автостоянки была контора — контейнер с несколькими окнами, находившийся на возвышении.

— Смотри, — Щербак показал приятелю на видеокамеры.

Когда охранник совсем уже размяк и был готов за скромное, но внятно хрустящее вознаграждение показать, что требовалось, зазвонил телефон. Охранник молча выслушал сообщение, положил трубку и с явным сожалением сказал сыщикам:

— Отбой, ребята, начальство едет. Так что валите поскорей. Меня за такие дела отсюда выкинут. А мне тут нравится, хорошая работа.

— Какие проблемы, — согласился Голованов, — дождемся твоего босса и с ним договоримся.

— Сомневаюсь, — усмехнулся охранник. — Он упертый как... как... Нет таких, короче, больше. Бывший фээсбэшник. Вы с ним не добазаритесь, только ненужный геморрой заработаете. А потом он еще и стукнет куда надо.

Щербак с Головановым переглянулись.

— Понял, — сказал Сева. — Исчезаем. — И вот... — он все же сунул охраннику приготовленные пятьдесят баксов.

— За что? — удивился тот.

— За то, что ты хороший человек.

— Ну и за молчание, конечно, — добавил Щербак.

— Это будет нетрудно, — ухмыльнулся охранник.

Щербак с Головановым сели в свою машину и отъехали за угол дома, того самого, между прочим, кондрашинского. Щербак вытащил телефон и позвонил Агееву:

— Филя, ты где?

— В офисе, конечно, — отозвался тот.

— Что ты там делаешь?

— Жду руководящих указаний.

— От кого это?

— От Дениса.

— Денис же в тюрьме!

— Поэтому и жду с особенным трепетом.

— Ты там пиво, что ли, с Максом дуешь?! — догадался Щербак. — А ну немедленно езжай сюда, к кондрашинскому дому. Для тебя работа есть. Автомобильная.

— О! — только и сказал Филя.

Через полчаса он присоединился к своим приятелям и коллегам на своей знавшей и лучшие времена «шестерке», припарковался в сторонке и пересел в машину к коллегам.

— Знаешь, почему в отечественные автомобили не ставят подушки безопасности? — приветствовал его Щербак.

— Ну и почему?

— Потому что при столкновении ими может убить!

— Да я тебя на любой российской развалюхе обставлю, даже на старом «Москвиче», не то что на своей «шохе», — обиделся Филя, — даже если ты в «феррари» ехать будешь!

— Да я и не сомневаюсь, чего ты взъелся? — успокоил Щербак. — Это же шутка.

Не вылезая из машины, они наблюдали за тем, что происходит на автостоянке. Хозяин, тот самый, который бывший фээсбэшник, уже приехал, он припарковал свой «мерседес» на привилегированном месте, при въезде, а сам поднялся в контору и о чем-то беседовал с охранником, — стриженный ежиком крепко сбитый мужчина в вельветовых джинсах лет сорока восьми — пятидесяти на вид.

— Давай, — сказали Голованов и Щербак.

— Уверены? — не в первый уже раз спросил Филя.

— Давай-давай.

И Филя угнал этот «мерседес». Не зря же, в конце концов, он был в «Глории» главным автоспециалистом. Еще работая в МУРе, он много и успешно занимался автоугонщиками и автокражами. Время от времени друзья, посмеиваясь, говорили ему, что пора применить свои уникальные знания на практике. Никто, разумеется, и предположить не мог, что наступит день, когда это случится.

«Мерседес» отогнали в укромное место — в автосервис к одному знакомому, и к вечеру того же дня Голованов со Щербаком отправились на переговоры. Сева отговаривал Николая, но тот заявил, что терять им обоим особо уже нечего, ва-банк так ва-банк. К этому моменту они уже знали, что владельца автостоянки и «мерседеса» зовут Виталий Модестович Карповцев и что он действительно подполковник ФСБ в отставке. Несколько лет назад работал в отделе по борьбе с незаконным оборотом наркотиков. Ему пятьдесят три года, он женат, имеет внуков, ну и прочая малополезная информация. Бизнес у Карповцева отлажен хорошо: кроме этой парковки у него есть еще четыре других, и, между прочим, все на юго-западе столицы.

Пока Щербак выяснял все, что было возможно, про этого Карповцева, Филя и Сева попеременно следили за ним. Карповцев, обнаружив пропажу машины, побелел как полотно, бросился назад в контору и носа оттуда не казал. Но вот что странно: ни милиция, ни кто другой на автостоянку за весь день так и не приехал.

— Думаешь, он не заявил? — спросил Филя, кусая большое яблоко.

— Не знаю, — медленно ответил Голованов, не отводя взгляда от парковки и выпуская большое облако сигаретного дыма.

Наконец приехал Щербак. Они оставили Филю в машине и отправились на переговоры. Было уже начало одиннадцатого вечера, и охранник, тот, с которым пытались договориться, уже сменился. Это было им на руку.

Сыщики поднялись в контору. Кроме Карповцева, нервно вышагивающего из угла в угол, там был молодой парень, изучающий журнал «Наука и жизнь». Он сидел за столом, левая нога его была согнута в колене, а правая — вытянута и ниже колена — заметно толще левой. Протез, догадался Щербак. А еще у парня была характерная спецназовская стрижка, рукава рубашки закатаны так, чтобы продемонстрировать объем бицепсов. Похоже, Чечня, подумал Щербак. Он стал при входе, предоставив Голованову возможность вести переговоры, и внимательно следил за охранником.

— Что вам нужно? — сказал Карповцев, удивленный этим вторжением.

— Поговорить наедине, — сказал Голованов. — У меня информация о вашей машине.

— Кто вы такой?

— Частный детектив. Ко мне обратились как к посреднику. Я согласился выступить в этой роли.

Некоторое время Карповцев молчал. Потом показал рукой на малоприметную дверь, ведущую в соседнюю комнату. Они зашли туда.

— Вы можете вернуть мне машину? — сказал хозяин автостоянки, глядя на Севу исподлобья.

Кивок.

— Но от меня за это что-то потребуется, не так ли?

Кивок.

Карповцев провел рукой по своему ежику и выдавил:

— У меня нет сейчас *таких* денег.

Голованов в первые мгновения решил, что ослышался, но решил не форсировать события. Иногда молчание — лучший союзник.

— Вы слышите? — совсем уж непонятно настаивал Карповцев. — Но я готов все выкупить уже завтра. Вы же все равно не сможете это полноценно реализовать.

Бог ты мой, подумал Голованов, во что это мы еще влипли?!

— Мне что же, так и передать? — лукаво улыбаясь, спросил Сева и сделал шаг к двери.

— Нет, постойте, — схватил его за рукав Карповцев. — Чьи интересы вы представляете?

Голованов засмеялся.

— Да, понимаю, — пробормотал Карповцев. — Вы не скажете... Но я могу значительно увеличить вашу долю из своего кармана. Как вам такое предложение. Подумайте, молодой человек, подумайте. Такой шанс выпадает нечасто...

Елки-палки, Карповцев же работал с наркотиками, вспомнил Голованов. Возможно, об этом сейчас и идет речь, возможно, у него рыльце в пушку! Так что, получается, мы угнали тачку с наркотой?!

— Ладно. Я даю вам возможность продемонстрировать добрую волю. О деньгах сейчас говорить не будем. Дайте мне какую-нибудь служебную информацию.

— Что вы имеете в виду? — удивился Карповцев.

— Ну хотя бы... ну скажем... что бы такое придумать... Вот что, — Голованов весело щелкнул пальцами. — Дайте мне запись вашей видеокамеры.

— Зачем?!

— А я знаю? — все так же весело пожал плечами Голованов. — Недельной давности.

Карповцев помолчал, обдумывая услышанное.

— Ладно, только сперва я сам посмотрю, что там было снято. Полные сутки?

— Да нет, зачем же. Пару-тройку часов, когда у вас самая работа. Скажем, после пяти вечера. — Это было то самое время, когда неизвестная парочка проследовала через кондрашинский подъезд.

Карповцев молча кивнул и пошел отсматривать пленку. Голованов двинулся за ним. В соседнем помещении Щербак с охранником уже нашли общий язык и решали кроссворд с фрагментами, которыми всегда славился журнал «Наука и жизнь».

Карповцев нашел требуемую запись и минут за пять прокрутил пленку. Разумеется, ничего из ряда вон там не было, марсиане не приземлялись, сборная России не обыгрывала бразильцев. Карповцев пожал плечами:

— Не понимаю зачем, но — ладно, берите...

— Не нужно, — широко улыбнулся Голованов. — Я попросил, вы согласились. Вижу, что готовы сотрудничать. — Во время промотки Голованов успел увидеть все, что его интересовало. Камера, установленная на автостоянке, зафиксировала номер и марку машины, на которой уехали двое мужчин, позже наведывавшихся к Анастасии Чегодаевой, — это был «опель-вектра» синего цвета, девяносто пятого года выпуска. В Москве таких тысячи.

Голованов кивнул напарнику, и они со Щербаком двинулись к выходу.

— Подождите, — занервничал Карповцев, — но как же мы договоримся?!

— Сидите здесь, через несколько часов я приеду, — пообещал Голованов.

У Щербака имелся знакомый гибэдэдэшник, которого он иногда просил о мелких услугах. Гибэдэдэшник вполне мог проверить регистрацию автомобиля. Щербак отправился к нему, а Голованов с Филей — в автосервис, осматривать «мерседес». Проверили все возможные укромные места, но — безрезультатно. Конечно, можно было вскрыть покрышки, разрезать обшивку, выпотрошить все, но вот так сразу уродовать машину не хотелось, тем более что идея насчет наркотиков пока что была лишь догадкой Голованова. Но ведь отчего-то же Карповцев переживал так за свою драгоценную машину? Конечно, «пятисотый» «мерин» — само по себе неслабое вложение капитала, однако Карповцев был не просто расстроен, он был напуган. У него рыльце не в пушку, оно у него — в дерьме.

Сидели молча, смотрели друг на друга. Владелец автосервиса и его лучший слесарь — приятели Фили (и, кстати, Дениса Грязнова) — стояли, вытирая руки ветошью, ждали команды. Им было жутко любопытно. А вот Голованову было обидно. Задачу-минимум он уже выполнил: марку и номер машины незнакомцев определил, но, как известно, аппетит приходит во время еды. И теперь, когда он почувствовал, что у Карповцева (до которого, положа руку на печень, ему дела совершенно не было) рыльце в пушку, проснулся сыщицкий азарт. Или это пустышка, и нужно выбросить все из головы и вернуться к своим баранам?

Сева позвонил Щербаку:

— Есть новости, наконец?

— Пока что нет.

— В чем проблема, я не понимаю, — разозлился Голованов, — что, у этой тачки были номера штата Мичиган?! Задачка для первоклассника!

— Не ори на меня, — разозлился и Щербак. — Проблема в том, что я не могу найти своего приятеля! Ночь на дворе, понял? Мне сказали, что он на охоту уехал, понял?!

— Завтра же выходные, — простонал Голованов. Это означало, что «опознание» машины может быть отложено на пару дней, если, конечно, они не хотят лишнего шума. Или попробовать через Грязнова-старшего. Нет, пожалуй, он их пошлет подальше, и будет прав: в конце концов, со стороны «Глории» никаких результатов, одни просьбы.

— Ну так что, будем потрошить? — спросил молоденький слесарь. Ему, видно, жуть как хотелось поковыряться в такой роскошной машине.

— Я помню, Денис как-то рассказывал, — вяло обронил Филя, — они с Турецким лет пять назад тоже что-то в машине искали, не наркотики, правда, что-то другое, но какая разница, в конце концов. Так они тачку вообще на винтики разобрали, но ничего не нашли, а при этом наверняка знали, что тайник там есть. Собрали все назад и пригорюнилсь. Вот как мы почти. Только там с ними был ушлый фээсбэшник, он поинтересовался, сколько весит машина. Взвесили, оказалось, что килограмм на десять больше, чем по техпаспорту. Тогда Денис затряс слесаря в сотый раз, спрашивая, все ли он проверил, и тот сказал, что все, конечно... кроме панелей под дверцами. Их никто никогда не трогает, они привинчены и приварены.

— Давайте! — заорал Голованов, вскакивая на ноги.

— Может, взвесим для начала? — поинтересовался хозяин автосервиса.

— Не будем ни хрена взвешивать! Снимайте панели.

Автослесарь и его босс в четыре руки свинтили болты и за полминуты сорвали крепко приваренную первую панель. В узких пазах открывшейся панели лежали четыре пакета. Сева вытащил один пакет, проколол, попробовал белый порошок на язык и довольно ухмыльнулся. Победа! Остальные панели они даже проверять не стали. Голованов снова позвонил в МУР. Конечно, было уже поздновато, но Грязнов-старший в такой сумасшедший день вполне мог торчать на работе. Так и оказалось.

— Вячеслав Иванович, это Сева, — вкрадчиво сказал Голованов.

— Твой дурацкий голос я еще хорошо помню, — буркнул начальник МУРа. — Что тебе нужно на этот раз?

— Оказать вам услугу.

— Чего?!

— Как насчет десяти — пятнадцати килограммов героина, спрятанных в машине экс-фээсбэшника? Хотя почему «экс», вы же сами всегда говорили, что эти ребята в отставку уходят только на тот свет!

— Сколько килограмм?! Десяти — пятнадцати?! Ты представляешь себе, что это такое?

— Конечно, представляю. Можно всю Москву на неделю дозами обеспечить.

— Если не врешь, — обрадовался Грязнов-старший, — с меня причитается! Как вы его нашли?

— Тяжким и непосильным трудом, конечно. Долго думали, тщательно планировали. Результат не замедлил сказаться...

— Подожди-подожди, а какого черта вы вообще этим занимаетесь? Где эта машина?!

— Машина у нас. А фээсбэшник терпеливо ждет, пока его арестуют, в собственной конторе на проспекте Вернадского. У него там автостоянка.

Грязнов-старший засмеялся. Потом сообразил:

— Сева, а это случайно не в тех краях, где Кондрашина зарезали?

— Соседний дом.

— Хм... А что вы там делали?

— Вячеслав Иванович, я что-то не понимаю, вы хотите утереть нос Конторе или нет?! Кроме того, это хорошая карта в борьбе за Дениса, вы же меня понимаете?

— Кажется, да...

— Ну и еще просьбочка имеется, — непринужденным тоном подвел итог Голованов. — Надо бы тачку одну пробить по-тихому. Это тех двух субчиков касается...

— Так я и знал! Частный сыск бескорыстно не работает, да?

Денис прислушивался к шуршанию за стенкой и ставил в тетрадке какие-то буковки и галочки. Остальные постояльцы камеры обсуждали шансы выхода сборной России в финальную часть чемпионата Европы. Поскольку отечественные виртуозы кожаного мяча умудрились в этом году проиграть все, что можно, все, кроме домушника Шмагина, сходились на том, что при существующей чехарде тренеров и состава выйти в финальную пульку нереально. Шмагин против этого не возражал, он вообще ничего не говорил, наблюдал с противоположного конца камеры, как Денис рисует свои закорючки. И хотя Денис, по обыкновению, чувствовал себя превосходно в любой ситуации, все же такое пристальное внимание закоренелого рецидивиста его начинало смущать. Денис не понимал, о чем думает Шмагин, и это его немного удивляло, Денис уже привык к тому, что последнее время (после возвращения из Индии) со всеми своими собеседниками справлялся легко, быстро понимая их мотивировки и нащупывая личный интерес. С Музыкантом-Шмагиным все было иначе, возможно, потому, что их и собеседниками-то было нельзя назвать, ведь они совсем друг с другом не разговаривали, а первым идти на контакт Денис не видел смысла. Ну да ладно, бог с ним. Стоило, пожалуй, больше сосредоточиться на своих личных делах, хотя трудно было не признать, что от него самого сейчас зависело немного. Денис не сомневался, что его друзья на воле делают все возможное, чтобы вытащить его из СИЗО, но раз он по-прежнему здесь, выходит, ситуация складывается уж слишком не в его пользу. Выходит, камень, найденный у него дома, и отсутствие алиби в момент убийства Кондрашина пока что перевешивают немногочисленные аргументы в его пользу.

Денис снова прислушался к шуму из-за стены. Между прочим, оказывается, вопреки распространенному мнению (навязываемому общественности преимущественно Вячеславом Ивановичем Грязновым), фээсбэшники иногда ведут себя прилично, в том смысле, что слово свое они держат. По крайней мере, генерал Спицын сделал то, что обещал. А что не обещал — не сделал. Не обещал же вот вытащить Дениса из кутузки — и не вытащил. А обещал прислать заказанную Денисом книжку — и прислал. Это были «Дети Арбата» Анатолия Рыбакова. Дело в том, что Денис вспомнил, как можно выяснить про систему перестука: в этой самой книжке имелся эпизод, когда главный герой, репрессированный еще в начале тридцатых годов, сидя в камере какой-то московской тюрьмы, озадачился таким же, как и Денис, вопросом и точно так же не понимал, как разделять буквы и слова. Но в отличие от Дениса ему попался просвещенный в этом вопросе сокамерник, который объяснил, что алфавит делится на шесть рядов, по пять букв в каждом, при этом всякие мягкие и твердые знаки просто отбрасываются.

У Рыбакова Денис прочитал, что «...первые удары означают ряд, вторые — место буквы в ряду. Между ударами короткие паузы — это ряд; между буквами паузы чуть длиннее, между словами еще длиннее, царапание по стене, означает «кончил!», «стоп!» или «повторите!». Паузы и интервалы совсем крошечные, у опытных заключенных они измеряются долями секунды. В паузах и главная трудность — если их не уловить, звуки сливаются, получается не та буква и теряется смысл».

Герой «Детей Арбата» писал алфавит обгоревшей спичкой на картоне от папиросной коробки и, выстукивая по стене, прикрывался одеялом, чтобы не услышал надзиратель. Но в остальном он, по сравнению с Денисом, был в привилегированном положении: в те смутные времена многие знали этот способ связи, а кто не знал — быстро овладевал, нужда заставляла. Сейчас же была совсем иная эпоха, говорят, даже мобильные телефоны, черт бы их побрал, были в камерах у иных серьезных зэков. Хотя Денис лично такого не видел. Повезло еще, что за стенкой ему попался знающий сосед, вот только что именно он выстукивал, Денису пока что разобрать не удавалось. Слова то сливались, а то и вовсе получалась какая-то белиберда.

После обеда, состоявшего из таких блюд, одно упоминание которых в прежние времена у Дениса вызвало бы приступ тошноты (а сейчас ничего, ест же вот ведь и чувствует вкус тропических фруктов!), охранник, сопровождавший разносчика еды, крикнул:

— Грязнов, на выход!

Денис внимательно посмотрел на то, что он успел записать, запечатлевая в памяти каждую букву, и порвал страницу на мелкие клочки. Обсуждение футбольной темы на время прервалось, и все снова провожали его длинными взглядами. На этот раз уже не гнусавый, а Шмагин сказал:

— Грязнов, говоришь... Где-то и я слышал это погоняло.

Это не погоняло, урод, а нормальная русская фамилия, хотел было сказать Денис, но передумал и вышел из камеры, пытаясь по лицу охранника определить, к кому же на допрос его вызывают на этот раз: к следователю Зюкину или генералу Спицыну? Это была особая техника восприятия чужих впечатлений и эмоций. Однако то ли охранник был настолько непроницаем, то ли еще существовали какие-то помехи, но — не выходило.

Спустились по лестнице. Вышли в коридор.

— Остановиться! — скомандовал вдруг охранник. — Лицом к стене!

Денис выполнил команду. Мимо протопало несколько пар ног.

— Продолжить движение! Свернуть налево!

Это означало, что Денису приказывают идти не как обычно — не к двери в металлической решетке, через площадку за которой перпендикулярно проходит коридор с различными административными кабинетами, в том числе и комнаты для допросов, для свиданий и так далее. Что бы это значило?

Они свернули в новый коридор, который закончился через полсотни метров, Денис считал шаги, и вышло чуть больше семидесяти. По его представлениям это должен был быть самый край того крыла здания, где они находились. Так и оказалось. Вышли на лестничную площадку, и конвоир кивнул ему вполне по-человечески: шагай, мол, вниз. Никаких больше выкриков с его стороны не последовало.

Что же происходит, думал Денис, спускаясь по узенькой металлической лестнице в пространстве, где мог пройти только один человек. Что, в самом деле, происходит? А что, если его судьбой заинтересовались на самом верху, ведь он теперь был знаком, пусть и формально, с самыми влиятельными людьми в стране. Ассоциативно Грязнов-младший вспомнил, как тот же Турецкий, нежданно-негаданно угодивший в СИЗО, вдруг был вытащен оттуда и доставлен на личную беседу с президентом[1]. Так почему же с ним такое не может произойти? Хм... А потому что он — частное лицо, в отличие от Александра Борисовича, каковое частное лицо, между прочим, в личной беседе с президентом отказалось от государевой службы. Так какого ж хрена ждать помощи с этой стороны? Нет, надеяться стоит только на друзей. И на себя.

Они прошли несколько пролетов и остановились на крошечной площадке, ниже ходу уже не было. А

---

[1] См. роман Фридриха Незнанского «Клуб смертельных развлечений» (М., 2003).

прямо перед Денисом была обычная дверь, обитая жестью.

— Толкай, — сказал конвоир.

Денис так и сделал и оказался в маленьком квадратном дворике, замкнутом со всех сторон стенами тюрьмы. Сюда не выходило ни одно окно, совсем не как в том месте, куда их выводили на прогулку. Во дворике росли две чахлые березки и стояла скамейка. На ней, спиной к Денису, сидел человек.

— Гуляй, дыши воздухом, — сказал конвоир и вернулся, закрыв за собой дверь.

Человек на скамейке повернулся, и Денис узнал Ванштейна. Лично с ним знаком он не был, но, разумеется, хорошо знал это лицо, неоднократно фигурировавшее на телеэкране и в прессе.

— Денис Андреевич! — широко улыбнулся Ванштейн.

— Польщен, — коротко сказал Денис. — Спасибо за предоставленную возможность прогулки.

— Какие пустяки, — замахал руками Ванштейн. — В нашем-то с вами положении! Надо же проявлять солидарность, верно? Мы же, так сказать, по одну сторону баррикад, верно?

— Я вообще-то не вижу никаких баррикад. Я вообще тут ничего не вижу. — Денис сделал движение на триста шестьдесят градусов, как бы иллюстрируя свои слова. Действительно, кроме маленького квадратика неба, увидеть здесь ничего было нельзя.

Ванштейн рассмеялся:

— Тут вы правы. Как говорила моя бабушка, когда вы правы — вы правы, а сейчас — вы правы. Мне рассказывали о вашем уникальном хладнокровии и выдержке, и сейчас я вижу, что это не миф, поверьте.

— Ладно, — сказал Денис.

— Что — ладно? — не понял Ванштейн.

— Поверю.

Ванштейн засмеялся:

— У меня, видите ли, и в таких условиях остались кое-какие возможности, поэтому я не преминул ими воспользоваться, чтобы познакомиться с вами лично и засвидетельствовать огромное уважение, а также признательность за то, что вы вернули стране такого блестящего журналиста, как Кондрашин... Хоть, впрочем, и ненадолго. — И медиамагнат скорбно потупил взор.

Клоун, безразлично подумал Денис. В прежние времена он бы живо поставил этого лицемера на место, но сейчас лишь лениво наблюдал всю эту интермедию. В том, что это лишь начало какого-то серьезного разговора, Денис не сомневался. В самом деле, не заботы же ради о его легких организовал Ванштейн эту прогулку! Кстати, вот это любопытный момент — как организовал? Деньгами, разумеется, это понятно. Но не так-то просто посулить что-то конвоиру и тут же получить взамен требуемые в тюрьме блага. Тут, в конце концов, в разные времена сидело, да и сидит, масса состоятельных людей. Ну так что ж с того? В тюрьме их деньги, оставшиеся в непроницаемых для спецслужб и бандитов всех мастей швейцарских банках, были бесполезны... нет, тут что-то иное... Денис вспомнил, как не раз и не два слышал об уникальном умении Ванштейна налаживать человеческий контакт, входить в нужный ему союз с самыми, казалось бы, непримиримыми противниками. Очевидно, имелся у него такой дар. Вот ведь не просто же так лучших, как говорят, московских журналистов он к себе перетащил.

— Честно говоря, очень грустно слышать, — продолжал тем временем Ванштейн, — что именно вас сейчас обвиняют в несчастье, которое случилось с Леонидом.

Интересно, подслушивает ли охранник, подумал Денис и посмотрел на дверь. Нет, едва ли. Даже без применения специальной методики видно, что оттуда едва ли можно что-то услышать, тем более что говорили они негромко.

— Кстати, то, как вы сумели отвоевать Кондрашина у чеченцев, до сих пор не умещается у меня в голове.

И этот туда же, подумал Денис.

— В самом деле, в ФСБ, наверно, локти кусают, могу себе представить, все лишь один частный сыщик справился с задачей, непосильной спецслужбам сверхдержавы!

Денис машинально покивал, и Ванштейн расценил это превратно.

— Денис Андреевич, каюсь, лукавить больше не стану. Мне нужна эта информация. И совсем не по той причине, по какой это, наверно, хотели бы узнать всякие там идиоты в погонах. Поймите, это мой хлеб! То, что они могли вам предложить, несравнимо с моей ценой. Я хорошо знаю, что нужно людям, и экономить на этом категорически не привык. Живем один раз, я вас прекрасно понимаю...

— Борис Семенович, кажется? — покашлял Денис, прерывая этот поток финансового сознания. — Вы же знаете, что мне пришлось прийти на передачу к Кондрашину, и даже там я не стал выдавать подробностей операции. Какие же у вас основания полагать, что, если я отказал одному СМИ, то вдруг не откажу другому?

— Серьезные, мой юный друг! — вскричал Ванштейн.

— Вы сделаете мне предложение, от которого я не смогу отказаться?

— Лучше, гораздо лучше!

— Если лучше, то говорите тише.

— Вы правы. — Ванштейн воровато оглянулся. — Понимаете... это ведь не первая история похищения людей, которая происходит почти на моих глазах. — Ванштейн тщательно подбирал слова. — Я много чего повидал и научился кое-что в них понимать. Услуга моя будет вот какого рода: не исключено, что я могу помочь вам найти еще одного пропавшего журналиста.

Денис внимательно смотрел на невысокого плотного человечка. Может, это очередная подстава? Может, Ванштейн играет на стороне спецслужб и его за веревочки дергает Спицын? Да какая разница, все равно он, Денис, ничего не скажет.

— Я, кажется, догадываюсь. Речь идет о том, кто пропал уже после того, как меня арестовали?

— Да. У меня много информаторов и есть неплохие соображения на этот счет. Жаль только, мне не удалось их реализовать, пока я был на свободе. Я просто не успел, а спецслужбам доверять не привык.

Денис улыбнулся:

— Грубо говоря, обладая вашей информацией, я освобожу этого журналиста, заработаю себе медаль и верну расположение органов, а взамен поведаю вам в эксклюзивном порядке, как все было в Ростове?

— Вы предельно лаконично сформулировали мою мысль, — одобрил Ванштейн. — Из вас получился бы неплохой журналист.

— Нет уж, увольте. Но вы, господин Ванштейн, упускаете одну деталь. Как же я все это проверну, находясь в следственном изоляторе?

— Но вы же не вечно будете здесь сидеть! — с

жаром перебил Ванштейн. — Почему-то мне кажется, вы сумеете выбраться.

— Вы думаете? — Денис с интересом посмотрел на собеседника. А что-то есть в этом коротышке. Такой безоглядный авантюризм не может не вызывать уважения. Что он теряет, в конце концов? — Ладно, давайте попробуем. Только утром — деньги, вечером — стулья.

— Что же я, не знаю правила игры? — даже немного обиделся медиамагнат. — Разумеется, дадите мне информацию, только когда убедитесь, что я, в свою очередь, сказал вам правду.

— Хорошо, говорите.

— Я уже все сказал, — улыбнулся Ванштейн, встал со своей скамеечки и прислонился к березке. Странная это была картина: Ванштейн и березка.

— Простите? — Денис выказал на своем лице изумление, кажется, первый раз после Индии.

— Вы не ослышались. Подумайте над моими словами. И еще одно. Я рассчитываю на вашу скромность и... порядочность. — Ванштейн погладил березку по тонкому стволу: — Тоже мне деревья. Вот у меня на даче сад, вот это сад. У меня, знаете ли, Денис Андреевич, скромная такая дачка, очень советская. Я вообще-то абсолютно городской житель, так что, несмотря на имеющиеся, как вы понимаете, возможности, не стал себе отгрохивать какие-то хоромы. Не скажу, что у меня сохранились классические советские шесть соток, там чуть-чуть побольше, но зато летом там все так живописно, все в зелени, в двух шагах друг друга не видно, и Москва под боком... искупаться можно... Впрочем, я вас больше не задерживаю.

Денис не просто уже был удивлен, он пребывал даже в некотором замешательстве. Что все это значило?! Разве что Спицын приложил руку?.. Сомнительно... Что ему сейчас нужно, так это хорошая медитация. Скорей бы на нары.

Конвоир вернул его в камеру, и едва за Денисом захлопнулась дверь, как раздались слова:

— Я вспомнил, где я слышал про Грязнова.

Начинается, подумал Денис. Самое грустное, что сказал это Музыкант-Шмагин, самый, на взгляд Дениса, небезопасный тут человек. Сейчас что-то будет.

— Вспомнил! — черные глаза Шмагина даже зажглись каким-то зловещим светом. — Был такой медвежатник в Горьком. Потрясающего умения человек!

— Надо говорить не в Горьком, а в Нижнем Новгороде, — немедленно откликнулся гнусавый.

— Это для тебя, шавка, он — Нижний, а для всех нормальных советских людей был и остается Горький! — огрызнулся вор-домушник.

Эти двое вступили в спор, а камера прониклась к Денису еще большим благоговением, и, внутренне хохоча, он повалился на нары и снова приник к стене, впитывая шорохи и стуки с той стороны.

Глава седьмая

...Безоблачного счастья уже никогда больше не было. Анастасия и Кондрашин снова начали встречаться, но теперь все изменилось. Им было по-прежнему хорошо вместе, но забыться удавалось ненадолго. Разумеется, они больше никуда не ездили вместе, это было небезопасно. Встречались в основном в квартире на Вернадского. Анастасия нашла в том районе элитный косметический салон, так что ее вылазки были всегда чем-то оправданы.

Однажды она спросила:

— Объясни мне, Леня, почему мы не могли быть вместе раньше, когда я была свободна? Почему ты этого хочешь теперь, когда я замужем за твоим другом?

— Он мне не друг! — закричал Кондрашин.

— Ну хорошо, приятель, знакомый, работодатель, какая разница? Суть не в этом. А в том, что ты предал меня. Причем даже больше, чем раньше.

— Я не хочу говорить об этом!

— А я хочу, буду говорить! Я люблю тебя, несмотря ни на что. И хочу понять, что с нами происходит? Объясни, ты же всегда так здорово умел все объяснять!

Но объяснить ей он ничего не мог. Видимо, Кондрашин был той самой пресловутой собакой на сене. И эту собаку она любила. Вместе с тем нельзя было сказать, что она плохо относилась к мужу, все-таки между ними уже была стойкая человеческая привязанность, которая не могла исчезнуть вот так, в одночасье. Она часто задавала себе вопрос, знает ли Чегодаев о том, что их чувства с Леонидом снова вспыхнули, и не могла найти категоричный ответ. С одной стороны, Степан вел себя так, словно ничего не происходит и их семейная жизнь совершенно безоблачна. С другой стороны, зная его всепоглощающее стремление к власти, стремление контролировать всех и все, ей трудно было представить, что он не попытается максимально ограничить ее свободу, а заодно защитить свое имя от возможных сплетен и пересудов. Нет, скорее, он все-таки и не знает. И слава богу.

Так продолжалось почти полгода.

Но однажды Анастасия услышала телефонный разговор, который объяснил все. Как-то раз она уехала было в бассейн, но по пути почувствовала себя неважно и решила вернуться домой: вполне можно было просто полежать в джакузи с гидромассажем. Вошла в прихожую, сняла трубку, чтобы позвонить подруге, но услышала телефонный разговор. Оказывается, Чегодаев был дома, он не слышал ее возвращения и продолжал говорить как ни в чем не бывало.

— А я тебе говорю, что мне плевать! — своим властным голосом внушал кому-то Степан. — Пока ты работаешь на меня, все будет оставаться именно так, понял?

— А я тебе говорю, что это невыносимо!

Услышав этот голос, Анастасия вздрогнула, как от удара хлыстом. Собеседником ее мужа оказался... ее любовник.

— Кончится тем, что я возненавижу не только тебя, но и ее! А я этого не хочу! Я знаю, что ты всю жизнь привык использовать людей и умеешь это делать столь виртуозно, что они, несчастные, потом еще и говорят тебе спасибо. Но поступать так с Настей — это уже чересчур! Почему она да и я должны быть заложниками твоих политических амбиций?! — Кондрашин уже даже не кричал, а визжал, таким Анастасия его никогда не слышала. «Таким»... Каким — таким? Слабым, поняла она. Просто слабым. Степан сумел согнуть и его. А еще говорят, что то, что нас не убивает, делает сильнее. Ерунда.

— Бесполезный разговор, — резюмировал Чегодаев. — Позвонишь мне, когда будешь адекватен. Вот вернешься из Чечни, тогда и поговорим. Надеюсь, со следующей передачей у нас все в порядке?

— Да, — сдавленно пробормотал Кондрашин.

Разговор был окончен.

Анастасия осторожно положила трубку, неслышно вышла из дома и снова поехала в бассейн. Она была как во сне. Итак, ее муж не просто в курсе ее измены! Эта самая измена происходит с его благословения. Благодаря ей он держит на коротком поводке Кондрашина. А она, она... просто марионетка. Ну что ж... ну что ж... Тогда она уйдет от них обоих. Не пропадет. Она все-таки кое-что из себя представляет, чтобы суметь сделать столь решительный шаг. Конечно, это рискованно, Степан — слишком могущественный человек...

Анастасия не успела прийти ни к какому решению. На следующий день муж сказал ей, что Кондрашина похитили в Чечне местные бандиты, и она разом забыла обо всех своих сомнениях и рефлексиях. Правда, на мгновение шевельнулась мысль, а не сам ли Степа это и подстроил... но — нет, нет, ведь Кондрашин нужен ему, ведь он — лицо телеканала. Это абсурд.

Анастасия чувствовала просто физическую боль, она даже не думала тогда о том, любит ли теперь вообще кого-то, она просто хотела, чтобы это все наконец прекратилось. Когда она узнала о требуемом за Кондрашина выкупе, она почувствовала огромное облегчение: ведь отдав эти проклятые камни, она сможет Ленечке помочь! Конечно, надо немедленно заплатить выкуп и ни в коем случае не торговаться, всем известно, как жестоки и беспощадны чеченские бандиты!

Но тут, к ее изумлению, оказалось, что Чегодаев вовсе не разделяет такой ее убежденности и не спешит платить выкуп. Это было неслыханно! Неужели для него какие-то деньги (не очень-то и серьезные, между прочим, для такого богатого человека) важнее, чем жизнь не самого постороннего ему человека, которого он знает много лет и называет своим другом. Пусть он даже так и не считает! Какая разница?! Надо спасать Ленечку!

Чегодаев, однако, тянул до последнего, и даже когда бандиты прислали отрезанное ухо прямо в студию СТВ, он все еще не хотел платить. Разговаривать с ним было уже бесполезно. Он превратился в какого-то робота, который бесконечно взвешивал все аргументы «за» и «против».

Впервые в жизни Анастасия пошла в церковь. Она толком сама не понимала, зачем она так сделала. Она не была верующей и даже не была крещеной. Но в церкви она поставила свечку и шептала, подняв вверх глаза, какие-то бессвязные слова и даже звуки. Сколько времени это продолжалось, она точно не знала, оттуда ее вывел водитель Чегодаева, которого тот послал за женой. Оказывается, Степана вызывали в Кремль, и он решил, что правильней будет ему там объявиться с супругой. Чтобы продемонстрировать, что в Датском королевстве все спокойно, несмотря на различные происки и грязные инсинуации.

Они ехали в черном лимузине, из породы тех огромных монстров, что заворачивают за следующий угол, еще не полностью выехав из-за предыдущего. Анастасия сжалась в клубок на заднем сиденье, рядом с довольной ухмылкой сидел Степан Петрович Чегодаев. Он репетировал различные выражения лица для беседы с президентом. Похоже, он был уверен, что его везут на встречу именно с первым лицом государства. И оказался несколько разочарован, когда в кабинет, где их попросили подождать, вошел очень молодой и красивый генерал-майор.

— Герман Иванович, — осклабился Чегодаев. — Когда же нас примут?

— Я уже вас принимаю, — невежливо сказал Герман Иванович, и тут Анастасия впервые увидела, как может побледнеть ее непрошибаемый и непотопляемый Степа. — Вы что же это творите, господин олигарх?! — железным голосом продолжал генерал. — Вы кого хотите подставить?! Кого скомпрометировать?! Вы чего ждете? Чтобы Кремль выкупил у вас эти камни? Советую вам немедленно сделать то, что от вас требуется. Вы поняли меня?

Чегодаев подавленно кивнул.

— И не только я это советую, — добавил генерал и, повернувшись на каблуках, вышел, не прощаясь. Аудиенция была окончена.

По дороге назад Анастасия спросила мужа, кто это был, и Чегодаев, безуспешно пытаясь закурить толстенную сигару, бросил сквозь зубы:

— Генерал Медведь из армейской контрразведки. Молодая талантливая сволочь. Последний фаворит, так сказать...

Разумеется, для родного племянника ничего не жалко. Грязнов-старший пробил номера автомобиля «опель-вектра» синего цвета по своим каналам, и оказалось, что машина зарегистрирована на имя некоего Астахова Виктора Ивановича, 1961 года рождения, проживающего на Каширском шоссе. Идентификационный номер прав и дата регистрации прилагалась. Больше о нем ничего известно не было. В базе данных МВД такой человек не значился, это означало, что, по всей вероятности, к уголовной ответственности он никогда не привлекался, не был под следствием и даже никогда не проходил ни в каком уголовном деле в качестве свидетеля. Вячеслав Иванович передал эту информацию Щербаку с Головановым и умыл руки. Ему сейчас было чем заниматься: задержанный с поличным Карповцев выражал горячее желание сотрудничать с правосудием и рвался давать показания. (Голованов педантично отогнал «мерседес» назад на автостоянку, где под надзором затаившегося ОМОНа состоялась его передача законному владельцу).

Голованов поехал отсыпаться, Филя уже давно спал прямо в своей машине, а Щербак вернулся в офис «Глории», где бессменно дежурил компьютерный гений Макс. Дежурил — это, конечно, сильно сказано, просто он там спал за своими любимыми железками, а когда просыпался, набивал себе брюхо, рыскал в Интернете и писал свои загадочные программы. Что конкретно Макс делал, чем и для чего занимался, Щербак понять был не состоянии, да он и не пытался, хотя, с его точки зрения, истинным гением был не Макс, а Денис, сумевший, во-первых, где-то отыскать компьютерного монстра, а во-вторых, раз за разом заставлявший употреблять его малоприменимые в обыденной жизни умения для их общей профессиональной деятельности. Теперь это предстояло сделать Щербаку.

Николай ввалился в офис с двумя полуторалитровыми бутылками «Очакова» и пакетом, набитым чипсами, жареным миндалем и вяленой рыбой. Он хорошо знал, что Макс живет по бессмертным заветам Карлоса Кастанеды: когда ему хочется спать — он спит, когда ему хочется есть — он ест, так что необходимо, чтобы в случае определенных физиологических запросов все было под рукой.

— Макс, у меня для тебя халтурка есть, — весело сообщил Щербак, видя, что гений не дремлет, а стучит по клавишам как пианист-виртуоз.

— Халтуркой пусть Филя занимается, — не оборачиваясь, бросил Макс, и Щербак понял, что взял неверный тон.

— Ладно, Макс, у меня для тебя работа имеется. — Щербак опустил свои пакеты на стул.

— Пусть негры ночью работают, — отозвался Макс, продолжая заниматься своими делами.

— Слушай, я не понял, мы Дениса из тюрьмы будем вытаскивать или нет?!

Макс мгновенно повернулся на своем вертящемся кресле:

— Что нужно?

— Все, что сможешь найти, вот на него. — Щербак передал компьютерщику бумажку с немногочисленными данными на Астахова и несколько фотографий, вычлененных из видеосъемки. — Этот тип крутился в доме после убийства Кондрашина.

Макс промочил горло и принялся трудиться, а для Щербака наступило томительное время. Сна не было ни в одном глазу, а снотворное он не жаловал, кроме того, никто никогда не знал, сколько могут продлиться поиски Макса. На памяти Щербака однажды Макс искал хозяйку потерявшегося бультерьера (у него на ошейнике были инициалы почтенной дамы) несколько суток, а в другой раз добыл уникальную информацию по делу «Бэнк оф Нью-Джерси» за считанные минуты. Макс был художник, и он был подвластен приступам вдохновения и хандры.

Позвонить, что ли, Анастасии, ни с того ни с сего подумал Щербак, но посмотрел на часы и ужаснулся этой мысли. Кто он ей такой, чтобы будить в полпятого утра? Да и звонить-то бы пришлось не ей, а матери...

Ну что там, интересно, у Макса, нашел ли он наконец что-нибудь стоящее? Щербак привстал было, чтобы двинуться к компьютерам, но гений (уловив движение воздуха?!) тут же бросил раздраженно:

— Не мешай!

Часа два прошло в напряженном ожидании. Первая бутылка пива была выпита, чипсы и орешки съедены. Задумчиво-раздраженный Макс постукивал пальцами по столу и лишь изредка — по клавишам.

Не клеится, расстроенно подумал Щербак. А в самом деле, как может клеиться, если совершенно непонятно, где и как этого Астахова искать... Ну что ж, есть, конечно, его домашний адрес, точнее, адрес прописки. Можно будет поутру сунуться туда, в ЖЭК, может быть, заглянуть... Щербак поймал себя на том, что настойчиво пытается вспомнить, как была одета Анастасия, когда они виделись в последний раз. Вот ведь фу-ты ну-ты, что за наваждение!

— Ну что-нибудь нашел, Максим? — не выдержал ожидания Щербак.

— Я говорю, не маячь за спиной, — зарычал Макс. — Пойди вон лучше порнуху посмотри на крайнем компьютере.

— Ну можно, — вяло согласился Щербак, подсаживаясь к другому столу.

Но не успел он загрузить компьютер, как Макс сказал:

— Беги к принтеру, сейчас распечатаю.

И уже несколько секунд спустя Щербак изучал краткую биографию Астахова.

Итак, этот тип родился в Калуге 1 февраля 1961 года, то есть сейчас ему сорок два года. Среднее образование получил с положительным аттестатом, еще окончил музыкальную школу по классу фортепиано, занимался легкой атлетикой (в семнадцать лет 1-й разряд в беге на длинные дистанции). Отец и мать работали на мебельной фабрике. Сына унылая гражданская жизнь не прельщала, и он стал военным.

В 1983 году Виктор Астахов закончил Рязанское десантное училище, соответственно — лейтенант. Командир взвода, роты. В 1985-м — старший лейтенант. С осени того же года в Афганистане, вплоть до вывода оттуда Ограниченного контингента Советских войск в 1989 году. К этому моменту он уже майор, два боевых ордена плюс медаль «За отвагу». С 1990 по 1992 год — на курсах при Академии Генерального штаба. С 1993-го по 1999-й — командир подразделений армейской разведки в различных частях, причем не только десантных. (Что это, интересно, были такие за курсы при академии?) Уволился из Вооруженных сил по состоянию здоровья в 1999-м в звании полковника. С 2001 года и поныне работает начальником охраны торгово-посреднической фирмы «Дина», юридический и фактический адрес прилагается.

Что касается семейного положения, сейчас холост. В 1990 году женился на Тузиковой Наталье Николаевне, от этого брака имеет сына Артема. В 1993 году развелся. По данным на 1999 год: рост 181 сантиметр, вес 79 килограммов. Глаза голубые, носит очки, точные диоптрии близорукости неизвестны. Давление в относительной норме: 130 на 85...

— Елки зеленые, — изумился Щербак. — Это-то ты откуда взял?! Рост, вес и все остальное?

— Обычное дело, — пожал плечами Макс. — Медицинская карта, он же состоял на учете в спецполиклинике, а они все свои карточки загнали в электронные базы. Дураки. — И Макс с чувством выполненного долга открыл вторую бутылку пива.

Щербак посмотрел на него, как на бога.

— Максимушка, — сказал сыщик,— хочешь, родной, я тебе тараночку почищу?

— Ну почисть, — милостиво позволил гений. — Я с икоркой предпочитаю...

Щербак действительно почистил ему рыбу и сказал:

— Ну а теперь с этой «Диной» разберись, пожалуйста.

— Так я и знал, — заворчал Макс, — пива попить спокойно не дадут.

— Если нужно, я еще принесу, только не затягивай, у нас времени в обрез.

— Ты хочешь, чтоб я спился?! — возмутился Макс. — Лучше минералки.

Расслабившийся после первой локальной удачи, Щербак поудобней устроился в кресле и неожиданно для себя заклевал носом. Ему казалось, что он лишь задремал, но, когда Макс крикнул, что пора забирать распечатку, шел восьмой час утра. Оказалось, что возни с поиском информации по фирме «Дина» вышло гораздо больше, чем с самим Астаховым. Как раненая птица, она в руки не особенно давалась. Удалось только выяснить, что никакой торгово-посреднической деятельностью «Дина» не занимается, вероятно, все это только вывеска.

— А чем же тогда занимается? — машинально спросил Щербак, тут же понимая нелепость вопроса.

— Непонятно. Честно говоря, не знаю, как к ней подобраться, — пожаловался Макс.

— И мне непонятно: как ты узнал, что торгово-посредническая деятельность — это липа?!

— Это-то как раз было несложно. У «Дины» есть электронный адрес. От лица различных несуществующих фирм я послал им пять вполне достойных предложений и на все пять получил отказ в очень вежливой форме: мол, извините, мы сейчас так перегружены работой в других областях, что, к превеликому нашему сожалению, сотрудничать с вами не сможем. Примите уверения в совершенном к вам почтении и прочее.

— Кто это мог тебе отвечать в такое время суток? — удивился Щербак.

— В том-то и дело, странновато... Хотя не исключено, что просто у них на почтовом сервере стоит программа, которая автоматом рассылает эти ответы. Но если они из-за своей перегруженности не могут заняться, скажем, покупкой армейского металлического лома, то, может быть, готовы продать немецкую молочную продукцию? Ан нет. Ничего не могут. «Дина» — это ширма для чего-то другого. Они не бизнесмены.

— А зачем им тогда вообще электронный адрес?

— Электронный адрес сейчас есть у любой мало-мальски приличной лавочки. Допустим, какой-нибудь крендель из Владивостока узнал про услуги «Дины» и захотел с ними связаться. Допустим, звонить по телефону ему накладно, да и в письменном виде можно гораздо более внятно изложить свое предложение.

Щербак почувствовал нарастающее раздражение. Что же, выходит все зря? Конечно, частным детективам не привыкать работать вхолостую, но сейчас, когда Денис за решеткой, а времени в обрез, это непозволительная роскошь.

— Ты сам себе противоречишь. Если ты их искал с таким трудом, то кто же сможет на них напороться просто так?!

— Кто знает, — философски заметил Макс, — не исключено, что мы просто нафантазировали про их загадочность, но на самом деле они тихо и мирно занимаются своим бизнесом, сведения о чем имеются в каком-нибудь специализированном справочнике.

— Извини, но ты же только что сам сказал, что «Дина» — вывеска!

— Я так предположил. Я за базар отвечаю. Просто по моим ощущениям это — вероятней всего.

— Если, как ты предполагал, «Дина» — вывеска или ширма для чего-то, то ведь зачем-то же они делали эту страничку в Интернете и электронный адрес, — с надеждой предположил Щербак. — А?

Макс пожал плечами:

— Ты не грузись. Вообще-то в Интернете много иррациональных вещей. Иногда люди начинают что-то делать, потом вдруг бросают на полпути или превращают в нечто такое, о чем и сами первоначально не предполагали. У меня был приятель-хакер, который по ошибке взломал сервер общества слепых.

— Шутишь?

— Ничуть.

— Но... зачем слепым Интернет?

— А я знаю?

— Как же понять, чем они занимаются? — пробормотал Щербак. — Макс, а где у «Дины» офис находится? Адрес есть? Телефоны? Хоть что-нибудь?!

— Адреса нет, но телефон имеется. Дождешься начала рабочего дня — позвонишь и все узнаешь.

— Ладно. — Щербак глянул на часы и улегся на диван, действительно можно было еще подремать.

В следующий раз его разбудили Голованов с Демидычем, приехав на работу. Щербак сел, протер глаза и потянулся к телефону.

— Оставь, — сказал Сева. — Мне Макс оставил записку, и я уже позвонил в эту «Дину». Никого там нет.

— В смысле — не снимают трубку?

— Хуже. Телефон фальшивый. Мы его пробили, оказалось, во-первых, он — квартирный, во-вторых, отключен за неуплату полгода назад. Числится за каким-то алкашом-пенсионером. Туфта, короче.

Специально они такой номер подобрали. Макс, скорей всего, прав, это — ширма.

— Н-да... Ездить туда, как я понимаю, бесполезно. Вот черт! Так что же, все впустую?!

— Слушай, ты завтракал? — спросил, глядя на него, чисто выбритый и явно неплохо отдохнувший за ночь Голованов.

— Угадай с двух раз.

— Мне и одного достаточно. Сходи поешь куда-нибудь, заодно и мозги проветришь.

— От Дениса ничего нет? — хмуро спросил Щербак.

— Как будто я бы тебе не сказал.

— А как быть с бывшей семьей Астахова? Сева, может, я съезжу, пошпионю за ними?

— Нет, туда я Демидыча пошлю.

— Ладно, тогда пойду пожру.

Выходя из офиса, Щербак столкнулся с Агеевым.

— Ты куда? — жизнерадостно спросил тот. — Видок у тебя не очень.

— Пельмени есть.

Рядом с «Глорией» была отличная пельменная, которую сыщики давно облюбовали и были там постоянными клиентами.

Филя тут же развернулся и пошел со Щербаком, этой информации было достаточно, чтобы принять жизненно важное решение: поесть он всегда был не дурак.

Филя взял себе вареники с картошкой и грибами, а Щербак есть не стал, просто выпил две чашки кофе, наблюдая, как Филя заливает очередной вареник большой лужей сметаны. Филя между тем тарахтел без умолку. У него была теория, что общение за столом способствует правильному перевариванию пищи, и Филя ее, эту теорию, на практике с успехом применял. Сейчас он рассказывал Николаю, как встретил свою давнишнюю подружку, с которой они расстались больше года назад из-за того, что она тогда словно взбесилась, приревновала его непонятно к чему и к кому: Филе пришлось следить за неверной женой одного постоянного клиента «Глории» (этот мужик, владелец фотоателье, женился и разводился в среднем раз в год, так что клиент он действительно был постоянный и деньги на нем Денис со своими сотрудниками зарабатывали неплохие). Экс-подружка застала Филю за этим занятием (в кинотеатре «Кодак-Киномир» Филя следил за неверной женой владельца фотоателье, подружка — за Филей) и устроила грандиозный скандал, чем привлекла внимание неверной жены, которая сообразила, что к чему, и в результате сама ушла от владельца фотоателье. Во всех отношениях обманутый муж отказался от услуг агентства «Глория», Филя получил жесточайший нагоняй от Дениса и в расстроенных чувствах порвал с ревнивой дурой.

И вот сейчас эта бывшая подружка стала обвинять Филю в том, что он не отвечал на ее письма. Какие письма, возмутился Филя, не было никаких писем! Нет, были, настаивала девица, причем все как одно — длинные и покаянные. Она к нему, видите ли, с открытым сердцем, а он черствый бездушный эгоист, растоптал ее чувства. Ну и так далее, все в таком же духе.

— В общем, я плюнул и снова сбежал от нее, — говорил Филя, не забывая тщательно пережевывать пищу. — И представь, Коль, уже вечером ложусь спать, и тут меня пробивает. Ведь я же почту как получаю? Часть приходит на адрес «Глории», а другая половина — на почтовую ячейку, которую арендую в своем отделении связи, причем уже много лет. Потому что в моем подъезде тинейджеры вечно почтовые ящики уродуют. Но ведь эта дура, кажется, никогда мне раньше не писала, значит, она-то вполне могла написать просто на домашний адрес. Ну я набрасываю куртку и спускаюсь по лестнице. И что ты думаешь? Несмотря на то что замок сорван, в ящике действительно лежат четыре письма. Четыре, Коля! И все толстые. Я даже слов столько не знаю. В общем, мне стало нехорошо. А почему мне должно быть нехорошо? Я так считаю: надо жить сегодняшним днем, ну не сложилось у нас, что поделаешь, верно? В общем, я, не распечатывая, сложил все письма в один конверт побольше и отослал ей их назад с извинениями. Как считаешь, правильно поступил?.. — Филя собирался было проглотить очередной вареник, но не донес его до рта, остановился, вернее, его остановило выражение лица Щербака. — Коля, ты чего?!

— Говоришь, значит, письма так и лежали? — пробормотал Щербак, вскакивая со стула.

— Коля, да ты что?! Куда ты? — Филя хотел было последовать за приятелем, но посмотрел в тарелку и не стал. Не оставлять же, в самом деле, такие замечательные вареники. Надо жить сегодняшним днем.

А Щербак, ворвавшись в «Глорию», принялся будить Макса.

Голованов смотрел на эти его судорожные действия с недоумением.

— Не советую, — сказал Сева и был, разумеется, прав, потому что проснувшийся (хотя при этом так и не открывший глаза!) Макс разразился потоком ругательств.

— Макс, почта, черт побери, почта «Дины»! — пытался донести свою мысль Щербак. — Им же мог писать кто-то еще кроме тебя!

Компьютерный гений перестал орать и открыл один глаз.

— Ну и что с того? — сказал он.

— А то, что эти письма могут по-прежнему лежать в их почтовом ящике и в них может содержаться полезная для нас информация!

Макс, не открывая второй глаз, молча бросился к компьютеру.

— Ничего не понимаю, — признался Голованов. — Объясните же кто-нибудь!

— Мало ли какие электронные письма «Дина» получает, — сказал Щербак, глядя, как Макс молотит по клавишам. — Эти письма могли сохраниться: ведь далеко не все пользователи Интернета уничтожают свою почту. А Макс влезет к ним в почтовую программу и посмотрит.

— Они-то, может, и уничтожают, — сообщил Макс, не оборачиваясь, — но если они, как большинство пользователей, действительно работают с почтовой программой, которая банально выкачивает их почту из почтового ящика, то еще не факт, что в самом ящике ее больше не остается. Для этого нужно зарядить специальную функцию на автоматическое уничтожение. Но далеко не все это делают...

Через двадцать минут Макс подобрал пароль и вскрыл почтовый ящик. В папках «Outbox» («Отложенное») и «Sent» («Отправленное») ничего не было. Зато в папке «Inbox» («Входящее») лежали письма — целых семь штук. Правда, пять из них были письмами Макса — собственноручно им изготовленные коммерческие предложения. Зато еще два были другими. Одно письмо содержало в себе строчку из двенадцати цифр и букв, а второе было немного похоже на письма Макса, оно тоже содержало коммерческое предложение — фирме «Дина» предлагалось арендовать землю. Письмо было послано от имени строительной фирмы «Ноев ковчег» два месяца назад.

— Ноев ковчег — это что-то знакомое, — пробормотал Голованов.

— Это из Библии, — высказался Макс.

— Не остри. Я где-то недавно видел такое название. Ты вот что, пока пошли им письмо, официальное, от имени Дениса, что так, мол, и так, у нас есть эксклюзивная информация, касающаяся вашей безопасности, ну и будем ждать.

— Зачем это? — даже несколько обиделся Макс. — А «Яндекс» на что существует, а «Рэмблер»?! У нас четыре компьютера, и три из них простаивают. Дайте и мне и им поработать, наконец!

Оказалось, что «Ноев ковчег» — это московский холдинг, занимающийся по преимуществу ипотечными программами, строящий жилье в кредит и прочую недвижимость. Когда удалось это узнать, Голованов вспомнил, где он слышал название фирмы: читал пару недель назад в «Московской правде», что там, в «Ковчеге», разразился какой-то скандал. Голованов попросил Макса поискать выпуск газеты с тем материалом, и Макс нашел ее, разумеется, в электронной версии.

Выяснилось вот что.

Руководящий работник этой фирмы пытался дать сотруднику налоговой полиции крупную взятку, чтобы скрыть махинации с пенсионными фондами, которые по уставу компании должны были храниться в неприкосновенности, в то время как активно использовались в качестве взносов вымышленных клиентов. Таким образом, так сказать, на халяву был построен целый шестнадцатиэтажный дом, чистая прибыль от продажи которого составила примерно пятнадцать миллионов долларов. Разумеется, никаких налогов с этой аферы никто платить и не думал, а выплата пенсий при этом регулярно задерживалась, поскольку деньги были в обороте. Наконец один пенсионер, недавний служащий «Ноева ковчега», в прошлом юрист, а в настоящем — большой любитель кроссвордов, сумел заподозрить неладное. Пенсионер поступил нетрадиционно, он настучал на свое недавнее начальство не в ЖЭК, не в правоохранительные органы, не в редакцию любимой газеты, а в Министерство по налогам и сборам. Те заслали в «Ноев ковчег» шпиона под видом частного подрядчика-строителя, имеющего в своем распоряжении строительно-монтажную фирму и предлагающего услуги по стремительному возведению жилья повышенной комфортности. «Подрядчик» вел себя столь умело и профессионально, что ему, в конце концов, предложили провести некоторые работы в достраивающемся доме. Этот шпион и вытащил всю историю на белый свет.

Генерального директора компании звали Вадим Вячеславович Катульский, это тоже было в статье, и этой информации Голованову было вполне достаточно. Голованов довольно ухмыльнулся и, не дожидаясь больше ответа на электронное письмо, отправился в «Ноев ковчег» самостоятельно.

Офис компании находился на Покровке, в старинном особняке. Голованов вручил охраннику визитную карточку Дениса Грязнова и негромко сказал:

— Если Вадим Вячеславович не увидит ее в течение ближайших пяти минут, я уйду, а он будет этим расстроен. Очень сильно.

Охранник ничего на это ответил, но, посоветовавшись со своим начальством, куда-то ушел. Время

Голованов специально не засекал, но прошло явно не больше трех минут, когда охранник вернулся и просил следовать за ним. Несмотря на то что в доме было три этажа, имелся лифт — причудливое полукруглое модернистское творение. Они поднялись на нем на третий этаж. Охранник провел Голованова в приемную, где, стоя, их ждала секретарша. Из неплотно закрытой двери начальства были слышны крики:

— Ну так найди мне другого адвоката, твою мать! Если сам не можешь! Я за что тебе такие бабки плачу?!

Секретарша умоляюще выставила вперед ладони, мол, ради бога, подождите, и заглянула в кабинет. Вопли тотчас же стихли. Голованова пригласили к генеральному директору «Ноева ковчега».

Дюжий молодой мужчина с круглым, как помидор, лицом, не вставая из-за стола, угрюмо сказал, глядя на визитку:

— Денис Андреевич Грязнов? Знакомая вроде фамилия. Так что вы хотите?

— Я думаю, вы и сами знаете, — свободно ответил Голованов. — Оказать вам некоторую гуманитарную помощь. Не желаете предложить мне сесть?

— Ну, — кивнул Катульский.

— Хотите вспомнить, где слышали фамилию Грязнов? Это начальник Московского уголовного розыска. А Денис Андреевич — его единственный и потому горячо любимый племянник. Соображаете, что к чему?

— Д-да... наверно... — сглотнул Катульский. — А почему вы о себе в третьем лице. Вы...

— О нет, что вы, я — не он, я не Грязнов. Он сам такой ерундой, как вы, не занимается. Я — его сотрудник, который приехал оказать вам услугу. У вас проблемы с правоохранительными органами, и даже, как я слышал, с собственным адвокатом. Но о ваших проблемах поговорим после. А сперва вы окажете мне услугу. Окажете ведь? — ласково уточнил Голованов, вставая из удобного кресла, садясь боком на стол и заглядывая в глаза Катульскому.

— Все, что в моих силах! — с энтузиазмом подтвердил тот.

— Вот и чудно. Ваша фирма состояла в деловой переписке с неким торгово-посредническим предприятием «Дина». Припоминаете?

Катульский кивнул:

— Да... но ведь так ничего и не вышло. Пока мы нашли то, что они искали, было уже поздно.

— Объясните подробней.

— Да вы же сами, наверно, все знаете... Месяца два-три назад мне позвонили из этой «Дины», поинтересовались, можем ли мы найти в аренду большой земельный участок.

— Для чего? Для жилищной застройки?

— Не знаю. Вряд ли. Они хотели не меньше пяти квадратных километров...

Неслабо, подумал Голованов. Там можно несколько кварталов построить. Нет, тут что-то другое. Завод разве что какой-нибудь, фабрика?

— ...Я дал команду своим сотрудникам, но, пока мы искали, они, вероятно, уже что-то нашли в другом месте, потому что на наше предложение последовал вежливый отказ.

— У вас остались какие-то координаты этой «Дины»? Адрес офиса, телефоны?

— Так ведь и не было же ничего! — заверил Катульский. — Они сами звонили, и то только один раз.

— Ладно. — Голованов встал. — Всего хорошего.

— Подождите! — закричал Катульский. — Но какое отношение «Дина» имеет к нашим проблемам?

«Никакого», — чуть было не ответил Голованов, но удержался, лишь скромно улыбнулся и сказал:

— Советую вам проявить добрую волю и максимально быстро пойти на контакт с правосудием, пока вас не заставили это сделать силой... Насчет внедрившегося работника налоговой полиции. Вы уверены, господин Катульский, что среди ваших сотрудников больше нет засланных казачков?

— Подождите, — сказал Катульский осипшим голосом. — Вы так и не сказали, как вас зовут...

— В разных ситуациях по-разному, — сказал Голованов и, внутренне хохоча, покинул «Ноев ковчег».

Едва он сел в машину, позвонил Демидыч. Сказал, что водит бывшую жену Астахова по городу. Та шляется по магазинам, трещит по мобильному с подругами. Ни с какими мужчинами в контакт не вступает. И так уже два часа.

— А пацан? Как там его, Артем, кажется?

— На тренировке. Он ходит в футбольную школу ЦСКА. Мамаша отвезла его туда на машине, а сама отправилась в центр. Сейчас мы, представь, в «Дикой орхидее», на Кузнецком мосту.

Голованов представил увальня Демидыча в элитном магазине дамского белья и засмеялся.

— Говоришь, отвозила сына на тренировку? Какая, кстати, у дамочки машина?

— «Пятерка» «БМВ» в приличном состоянии. И одета, кстати, весьма и весьма. Короче, мужик где-то у нее есть, и вполне состоятельный, потому что сама она — врач-рентгенолог. Не замужем и фамилию не сменила.

— Это-то ты как узнал? — удивился Голованов.

— Это не я, это Макс по своим компьютерным лазейкам, отзвонил мне совсем недавно.

— Хорошо, продолжай работать, вечером Филипп тебя сменит.

— Я к вечеру настолько не устану.

— Вечером Филипп тебя сменит, — с расстановкой повторил Голованов. — Если ты считаешь, что мужик где-то рядом, то нам остается только молиться, чтобы это был Астахов.

Голованов пожелал коллеге терпения и удачи (главное, что требуется сыщику, осуществляющему непрерывную слежку), а сам поехал в мэрию. Там у него в департаменте земельного имущества работал старинный знакомый, которому когда-то Голованов оказал серьезную услугу.

Сын этого человека дезертировал из армии, ранив в карауле двух своих сослуживцев — старшего сержанта и лейтенанта. Все это происходило еще в советские времена, когда подобные истории отнюдь не были достоянием общественности, когда не существовало Комитета солдатских матерей и когда солдату срочной службы, сбежавшему из своей части, да еще совершившему при этом нешуточное преступление, рассчитывать на милосердие было нечего. История эта случилась в подмосковной воинской части, и вышло так, что прибывший недавно в отпуск из Афганистана майор Всеволод Голованов, отправляясь рано утром на рыбалку на Истринское водохранилище, остановился, увидев на загородном шоссе голосующего парня. Это и был пресловутый дезертир. Голованов быстро заметил под рубашкой знакомые очертания пистолета ТТ, но не стал разоружать парня. Он взял его с собой на рыбалку, и они провели вместе двое суток, много говорили, парень рассказал Голованову все, что с ним случилось. Сева слышал и видел на своем армейском веку много подобных историй и прекрасно понимал, что мальчишка стал жертвой обстоятельств, имя которым, с одной стороны, дедовщина, с другой — уставщина, и если сейчас его посадить (а так, скорей всего, и случится), то лучше от этого никому не будет. И тогда у него в голове созрел совершенно авантюрный план: отправить парня добровольцем в Афган. В конце концов, везде ведь люди, и война войной, но жить можно и там. Парню было уже все равно, единственно, чего он не хотел, — это оказаться за решеткой.

Дело было за малым — как миновать всесоюзный розыск и государственную границу? Теоретически нужны были поддельные документы. Голованов перевез парня в безопасное место — на пустующую дачу одного полковника ВДВ, с которым был на дружеской ноге, взял с парня слово, что он никуда не сбежит, а сам вернулся в Москву. Переговорил с приятелем, работавшим в МУРе, рассказал ему все как есть. Тот обещал подумать и поискать варианты и предложил самому Голованову, в свою очередь, подумать о работе в уголовном розыске.

— Ты, Всеволод, — сказал приятель, — умеешь с людьми разговаривать. — А это, знаешь ли, талант, который нечасто встречается. Мышцы легче нарастить, чем это.

Две недели спустя новые документы был готовы, и из Таджикистана за «новобранцем» прислали двух прапорщиков. Он пробыл полгода в учебной части, где не было никакого лицемерия, где честно готовили людей, чтобы воевать, и все называли своими именами. После «учебки», заматерев и превратившись в сержанта спецназа, он отправился в Афганистан, откуда вернулся спустя полтора года целым и невредимым, с орденом Красной Звезды и медалью за «Боевые заслуги». В новые времена он занялся общественной деятельностью, активно участвовал в организациях ветеранов войны в Афганистане. На фоне же этих заслуг его собственный отец, скромный инженер Мосгорводоканала, легко стал депутатом Моссовета, потом Мосгордумы, а потом — и не последним чиновником в мэрии. Вот к этому-то чиновнику и ехал теперь Голованов.

Чиновник не был вице-мэром, не был членом правительства Москвы, не руководил департаментом, но ведь все хорошо знают, что в столичной мэрии удельный вес человека определяется далеко не только его должностью, он зависит от степени приближенности к...

Отец бывшего дезертира обладал этим достоинством, кроме того, на взгляд Голованова, он был вполне неплохой человек, не страдающий короткой памятью, равно помнящий врагов и друзей. С ним не нужно было играть в кошки-мышки, не было нужды заходить издалека — и слава богу, потому что большим запасом времени Сева не обладал. Он коротко сформулировав свою проблему: необходимо выяснить, где некая фирма «Дина» (не исключено и другое название) два-три месяца назад сняла под аренду большой земельный участок, площадью не менее пяти квадратных километров. Голованов спросил, когда можно будет получить ответ. Он не уточнял, реально ли это было вообще.

— Либо сегодня к шести-семи вечера, либо никогда, — серьезно ответил чиновник.

Голованов попрощался и поехал в «Глорию». Выруливая на Неглинную, он улыбнулся, подумав, что это все же немного странно: делать до вечера ему, в сущности, нечего, вполне ведь можно было отправиться в любое другое место, скажем вкусно пообедать или навестить каких-нибудь знакомых, которых давно не встречал, но нет, сейчас, как и во многих подобных случаях свободного времяпрепровождения, все сотрудники детективного агентства, словно притянутые магнитом, неизбежно стекаются на Неглинную. Офис «Глории» давно уже стал для них своеобразным клубом, вот только жаль, что сейчас там не было самого главного его завсегдатая — Дениса...

— Ничего, это ненадолго, — вслух сказал Сева, выходя из машины.

В офисе картина была привычной. Щербак нервно расхаживал, ожидая новостей, Макс истязал свои компьютеры, Филя спал, предполагая вечером сменить Демидыча в качестве топтуна.

— Никто не звонил? — поинтересовался Голованов, наливая себе кофе.

— Грязнов-старший, — сказал Щербак.

— Есть новости насчет Дениса? — обрадовался Сева.

— Пока нет, — пробурчал Щербак. — Вячеслав Иваныч на этот счет ничего не сказал, напротив, сам интересовался, как у нас дела.

— А что с героином?

— Сказал, чтобы мы освободили место в холодильнике. Что за этого бывшего фээсбэшника... как его...

— Карповцева, — подсказал Голованов.

— Ну да, Карповцева, что с него, Грязнова то есть, за это причитается, ну и все такое...

— Так я не понял, он передал его генералу Спицыну? Ведь в этом же был весь смысл нашей операции!

— Ты думаешь, Спицын поменяет Дениса на десять килограммов героина?

— Очень на это надеюсь, — честно признался Голованов. — А ради чего мы тогда старались? Ты новости какие-нибудь не смотрел, нет ли чего в СМИ про дело?

— Я видел в Сети, — отозвался Макс. — Сейчас найду... специально же закладку ставил... Ага, вот — на «Ленте.ру». «ФСБ провела блестящую операцию по выявлению крупной партии наркотиков на Юго-Западе столицы, которые были спрятаны в машине марки «мерседес». Руководство осуществлял капитан Кудряшов...»

— Стоп, — сказал Голованов. — Дальше не надо. Кудряшов — это парень из отдела по борьбе с терроризмом, то есть человек Спицына. Значит, все в порядке. Если они это дело на свой счет записали, значит, генералы между собой о чем-то договорились.

— Будем наде... — Тут Щербака прервал телефонный звонок.

Это был не офисный телефон, а мобильный Голованова, причем самый последний, так что, учитывая, что все сотрудники «Глории» были тут, звонить мог лишь Демидыч. Голованов посмотрел на дисплей — так оно и было.

— Она встретилась с ним, — сказал Демидыч, и впервые за многие годы Сева услышал в его голосе волнение. Вот оно как, оказывается: в повседневной жизни сыщики относились друг к другу со сдержанной иронией, но, когда случилась беда, переживали друг за друга, как за родных братьев, и сейчас Демидыч был искренне уверен, что его слежка за бывшей женой Астахова — важнейшая миссия, которая непременно поможет вытащить Дениса «из застенков». Вообще все знали, что Демидыч, самый старший среди оперативников «Глории», питает к Денису почти отцовские чувства.

— С Астаховым? — уточнил Голованов.

— Да. Что делать, а? Вдруг разъедутся?! Они сейчас обедают в маленьком ресторанчике, тут, рядом с «Дикой орхидеей», на площади Воровского...

— Астахов на машине приехал? Как он выглядит?

— Нормально выглядит, уверенный в себе здоровый мужик. В очочках. Такой, знаешь, профессор, который свободное от студентов время в тренажерном зале проводит. Он это, Сева, не сомневайся, что ж я, бывших армейских не разгляжу, будь он хоть трижды разведчик. Приехал на том самом «опелевектре», только он перекрасил его из синего цвета в вишневый и номера сменил.

— Так с чего же ты решил, что это та же самая машина?!

— Есть особые приметы, но это детали все, Сева, решай быстрее, что делать.

Голованов думал недолго.

— Я сейчас пришлю к тебе Филиппа, он в офисе, так что быстро доберется.

— А если парочка все же расстанется?

— Тогда бросай женщину и следи за Астаховым. Но если приедет Филипп, передай Астахова ему, а сам продолжай свою работу.

— Понял. Сева, запиши новый номер «опеля»...

Через три минуты Филя уже отъезжал от «Глории», а Голованов все думал о том, кто же такой этот неуловимый Астахов и зачем он поменял номер машины, от кого вообще прятался? А зачем мы меняем мобильные телефоны каждый день?! — сам себя спросил Сева. Чтобы избежать слежки ФСБ. Так может, и Астахов прячется от них же...

Через двадцать пять минут позвонил уже Филя:

— Сева, мы пока что все вместе. Астахов едет куда-то на север, жена — за ним, Демидыч — за женой, я — замыкающий. Так и следуем на четырех машинах, как правительственный кортеж. Представляешь картинку? Жаль, сфотографировать некому.

— Ладно, шутки в сторону. Сконцентрируйтесь, не теряйте их. Отзванивай каждый час и, кроме того, каждый раз, когда что-то меняется.

Голованов, сидя на телефоне, вспомнил времена, когда Грязнов-старший, уйдя из МУРа (как он тогда наивно полагал — навсегда!), создавал свой ЧОП — частное охранное предприятие, именно так ведь, согласно закону, официально называется их детективное агентство. Голованов хорошо помнил это бессмысленное хождение по инстанциям, в результате которого выкристаллизовался тезис: «Основное направление фирмы — комплексное обеспечение безопасности. Предоставляют также отдельные услуги в области безопасности: такие, как личная охрана, охрана грузов, иногда — инкассация, сбор информации, проведение контрразведывательных мероприятий, проверка помещений на закладки и их «чистка», проектирование и установка систем технической защиты. Оказывают также консалтинговые и маркетинговые услуги...» И Грязнов-старший на полном серьезе убеждал всех бесчисленных бюрократов, встречавшихся на его пути, что они будут всем этим заниматься. Какой-то идиотизм. Можно подумать, они организовывали альтернативное МВД или ФСБ! Все эти слова требовались в качестве серьезных аргументов для законного владения оружием и использования специальных технических средств. Получить лицензию и стать детективом мог человек, отработавший не менее трех лет в оперативном или следственном аппарате, прошедший обучение в специальной школе или имеющий юридическое образование. Он получал право на ношение газового оружия и спецсредств. Разрешение же на хранение и ношение огнестрельного оружия мог получить только сотрудник собственно охранной службы...

Ну и что, к чему же все свелось? Грязнов-старший вернулся в МУР и, в конце концов, его и возглавил, передав «Глорию» в талантливые руки своего племянника. А остальные частные сыщики и по сей день редко чем пользуются, кроме мозгов, кулаков и мобильных телефонов. Впрочем, всякое, конечно, случалось...

Полчаса спустя Агеев перезвонил снова:

— Командир, есть новости. Представь, наши экс-супруги и не думают расставаться.

— То есть? Они в ЗАГС, что ли, пошли?

— Да нет, не в том смысле. Они вместе пошли смотреть на тренировку сына. Мы сейчас на ЦСКА. Сегодня тут официальная игра — против спортшколы «Торпедо». Рубятся пацаны вовсю, даже приятно смотреть, не то что в нашей премьер-лиге. Ты вот, к примеру, на кого ставишь, на «ЦСКА» или на «Торпедо»?

— Иди к черту. Следи лучше за Астаховым, он разведчик, не забывай, засечет тебя — смоется, и глазом моргнуть не успеешь.

— Да слежу уж, дальше некуда! Демидыч пошел пообедать, тут кафешка на улице в сотне метров, так что, если будет нужен, быстро на коня запрыгнет.

— Ладно...

Следующий звонок был не от Фили или Демидыча. Позвонил чиновник из мэрии.

Голованов молча выслушал его, что-то записывая в блокнот. Положил трубку и сказал Щербаку:

— Поехали. Макс, а ты из офиса — ни шагу.

— Как будто я и так не выхожу, — обиделся Макс.

Глава восьмая

Денис закончил медитировать и прислушался к разговору. Дело в том, что в камере появился новый постоялец — весьма интеллигентного вида худощавый пожилой мужчина. Его тут же прозвали Профессором, хотя, по его словам, он был доцентом в одном элитном московском вузе. Загребли Профессора-доцента, вроде бы когда он брал крупную взятку на вступительных экзаменах. Денис про себя засомневался, что за такое малоуголовное, в общем-то, преступление могут посадить в СИЗО, но, оказывается, Профессор был организатором «преступной группы»: под его чутким руководством взятки брались на всем факультете, широко и с размахом. Словом, на воле он не скучал.

Не скучал Профессор и сейчас и не давал скучать остальным: развлекал всю камеру свежими анекдотами самой разнообразной тематики. Народ веселился вовсю. Денис прислушался, и Профессор, тут же заметив его интерес, подстроился:

— Покупатель в книжном магазине обращается к продавцу: «Не порекомендуете хороший детектив?» — «Вот то, что вам нужно: детектив, который читается на одном дыхании, а самое главное, до последней страницы неизвестно, кто же убийца! Чудесная книга!» — «Отлично, и как же называется эта замечательная книга?» — «Сторож-убийца».

Денис вежливо улыбнулся и повернулся к стенке, раскрыл свою тетрадочку. Ему все еще не удавалось перевести на человеческий язык то, что выстукивали из соседней камеры. Почему-то это казалось ему очень важным. Но вот беда: со вчерашнего дня стук и прочие шумы прекратились. Может быть, того, кто их воспроизводил, куда-то перевели или даже выпустили? Если так, то Денис был рад за своего неизвестного соседа, но все же ему было и немного грустно: ведь, как он уже убедился, в нынешние времена система тюремного перестука почти никому не известна, так с кем же тогда общаться? А если вдруг случится мотать большой срок?.. Ну надо же — мотать большой срок! Он уже заговорил на здешнем сленге. А не пора ли выбираться отсюда, в самом деле, пока еще что-нибудь похуже не случилось? Вот и наседку ему уже подсунули: в том, что Профессор специально подослан, чтобы разговорить его, Грязнова-младшего, Денис почти не сомневался: интеллигентный дядька должен был вызвать естественный интерес человека, соскучившегося по цивилизованному общению. Денис сомневался только в том, чьих это рук дело: Спицына или Зюкина? Да какая, в сущности, разница...

И словно кто-то услышал его мысли. Через пару часов дверь камеры заскрежетала, и голос охранника возвестил:

— Грязнов — с вещами на выход!

Камера оживленно загудела. Появились версии одна экзотичнее другой, и Грязнов-младший не особенно-то с ними был не согласен, потому что он и сам не знал, что это означает. Неужто генерал Спицын решил вытащить его отсюда, неужели его устроило последнее предложение Дениса: помочь в его расследованиях в обмен на свободу? Это было бы приятно. И полезно — и для здоровья, и вообще.

Денис побросал весь свой немногочисленный скарб в сумку, попрощался с сокамерниками, отдельно кивнул знаменитому домушнику, сдержанно — Профессору и вышел в коридор.

— Лицом к стене!

Пока он выполнял команду, раздался скрип открывающегося замка. Странно, зачем понадобилось снова открывать камеру?

— Повернуться!

Денис повернулся и увидел, что открыта теперь дверь не его камеры, а соседней, той самой, из которой несколько дней кряду доносились стуки и шорохи. Его переводят, вот оно что. Ну и замечательно, раз так, теперь он, может быть, даже воочию познакомится с тем, чей виртуозный тюремный язык так и не смог разобрать, узнает какие-то нюансы не в теории, а на практике.

— Вперед!

Денис вошел в камеру и бросил сумку на койку. Он ничем не выдал своего удивления, а удивляться было чему.

— Вот ведь, мля, — сказал конвоир, — в одиночку тебя перевели, улучшенного содержания. Две недели ее ремонтировали. А зачем, мля? Важный перец, что ли, мля? Ну ладно, сиди. — И он закрыл дверь.

Денис хотел было сказать, что он тут гораздо меньше, чем две недели, и, значит, ремонт камеры не имеет к нему никакого отношения, это просто совпадение, но не стал, все это было слишком длинно, а главное — ни к чему. Он блаженно растянулся на чистом матрасе и засмеялся. Он смеялся над самим собой, над собственными фантазиями и химерами. То, что он принимал за тюремный перестук, было звуками ремонтных работ: в стену соседней одиночки монтировали полки, умывальник, долбили дырки, чтобы привинтить койку... Ну и ну! Тюремный перестук...

Денис порвал тетрадку и бросил клочки в сторону унитаза, они, разумеется, не долетели и стали плавно оседать на пол. Оттого, что никто этим не возмутился, оттого, что не заорал вечно подглядывающий охранник, Денис почувствовал себя на какие-то мгновения свободным человеком. Стоило, пожалуй, воспользоваться этим счастливым состоянием души. Он лег на спину, закрыл глаза и заснул. Что-что, а отключаться теперь от надоевшей реальности он умел в считанные мгновения.

Снился ему Ванштейн. Возможно, это был не самый лучший сон, но выбирать не приходилось. Ванштейн окапывал молоденькую березку, потом вбивал рядом клинышек и привязывал к нему хрупкий саженец. Хотя почему хрупкий, подумал Денис, помнится, лет пять назад, когда по Москве прошел ураган и повалило тысячи деревьев, березы стояли насмерть, как герои-панфиловцы. Тогда-то он как раз и запомнил, что береза обладает уникальной гибкостью, ее можно прогнуть, но сломать — очень даже затруднительно... Между прочим, у нее в этом есть некоторое сходство с Ванштейном... Странный какой сон, думал Денис, отчего это мне больше снятся мысли, чем события? Скучно... Пожалуй, не стоит больше спать.

Сердце его забилось быстрее, давление усилилось, и сознание вернулось в полной мере. Денис открыл глаза и сел. Отчего-то снова подумал о Ванштейне. То есть не отчего-то, а вполне закономерно подумал! Конечно же его не оставлял в покое этот разговор, было отчетливое ощущение, что он что-то не понял, пропустил мимо ушей. Или его просто провели, разыграли как мальчишку?

Но зачем?!

А просто так. В тюрьме у всех свои развлечения. Вот у Ванштейна, возможно, они такие.

Или... нет?

Как там говорил медиамагнат? У него, кажется, на даче нет никаких хором. «Вот у меня сад, вот это сад... скромная такая дачка, очень советская... правда, не классические шесть соток, чуть-чуть побольше... но зато летом там все так живописно, все в зелени и в двух шагах друг друга не видно... и Москва под боком... искупаться можно...»

Денис усмехнулся, он знал, что приятели нашли его вернувшимся из Индии в несколько заторможенном состоянии, разумеется, он не был с этим согласен, но вот сейчас впервые подумал, что, может, не так уж они и не правы?

Как там было в анекдоте?

«Не порекомендуете хороший детектив?» — «Вот то, что вам нужно: читается на одном дыхании, и до последней страницы неизвестно, кто убийца». — «Как же называется эта замечательная книга?» — «Сторож-убийца».

Сторож-убийца! Все на поверхности. Ну конечно же Ванштейн сказал ему, где искать Пенгертона, только он, йог несчастный, с высоты своего интеллекта этого даже не заметил! А вот интересно, следователь Зюкин заметил бы или нет?

Узнать это так и не удалось, потому что следователя Зюкина Денис больше в глаза не видел. Вечером этого же дня Дениса выпустили под подписку о невыезде. Убийца Кондрашина определен не был, бриллианты не найдены, так что Денис все равно оставался основным фигурантом этого странного дела, о чем ему и сообщил новый следователь, серьезная полная дама.

На выходе из СИЗО Дениса встретил человек со смутно знакомым лицом. Он предложил Денису сесть в машину. Когда Грязнов-младший увидел номера, то начал догадываться, что происходит: это была машина из гаража МУРа. Дениса отвезли на Петровку, 38, завели в здание отнюдь не через парадный вход и предложили подождать в маленьком темном кабинете с зарешеченным окном.

Через пару минут туда с термосом вошел Вячеслав Иванович Грязнов. Они молча обнялись.

— На вот, — сказал начальник МУРа, открывая термос, — соскучился небось по своему мерзкому зеленому чаю. Специально для тебя купил эту гадость.

Денис с благодарностью взял чашку. Сделал несколько мелких глотков, просто физически чувствуя, как с каждым из них в его организме восстанавливается какая-то очередная жизненно важная, но совсем недавно еще утраченная функция.

— Представь, племяш, — пожаловался Вячеслав Иванович, — это единственная комната на Петровке, насчет которой я уверен в плане «жучков» и прочей подслушивающей ерунды. Вроде бы я тут хозяин, а вроде — кто его знает... Во времена настали, а?

Денис кивнул: понял, мол, что к чему.

— Дядя Слава, только честно, почему я вдруг вышел? Ты договорился со Спицыным? Как это удалось?

— Благодаря Голованову и всей твоей компании. Они подкинули мне совершенно беспроигрышное дельце с наркотиками, а я его великодушно отдал Спицыну в обмен на тебя. Точнее, на твою подписку о невыезде. Разумеется, такого разговора не было: ты мне это, а я тебе то. Но мы с ним друг друга поняли.

— Я что-то такое и предположил, — сказал Денис. — У меня создалось впечатление, что у Спицына какие-то серьезные проблемы.

— Ты не ошибся, так и есть, — подтвердил Грязнов-старший. — Не понимаю, правда, как ты об этом узнал, а в высших сферах, — он поднял взгляд к потолку, — ходят упорные слухи, что под Ник-

Ником пол качается. Так что ему взять с поличным наркодельцов было весьма кстати. В общем, благодари Севу со Щербаком. Ну и все остальные постарались. Они там за тебя, оболтуса, переживают, между прочим, сильно.

Денис задумчиво посмотрел на дядю и сказал:

— Благодарить не буду... пока.

— Почему это? — удивился тот.

— То, что меня втихую прямо к тебе привезли, — очень кстати. Не говори никому, что я вышел... так надо.

— Ну хорошо, — пожал плечами Грязнов-старший. — Но это же официальная информация.

— Следователь, я думаю, интервью давать не станет, не до того ей... Махараджа Парикшит был императором мира и великим раджарши — святым царем...

— Ты что это? — изумился Грязнов-старший.

— ...Он был предупрежден, что через неделю умрет, поэтому оставил свое царство и удалился на берег Ганга, чтобы поститься до самой смерти и обрести просветление.

— Хм... Ты на что намекаешь? Спицын в отставку не уйдет, не из таковских он, чтобы поститься.

Родственники помолчали, и если Денис примерно представлял, о чем сейчас думает его дядя (для него вообще последнее время мысли другого человека особого секрета не составляли), то вот дядя относительно племянника был в полном недоумении и боялся, как бы тот снова не наломал дров.

— Куда ты сейчас пойдешь?

— Есть одно место. И есть кое-какие дела. Снабди меня каким-нибудь незасвеченным телефоном, и тогда я буду все время на связи.

— А машина?

— Перебьюсь.

— А ФСБ? Или ты размечтался, что они на тебя теперь рукой махнули? Так ты здорово ошибаешься...

— Дядя Слава, — сказал Денис, — ты лови бандитов, ладно?

— Ловлю, между прочим, — обиделся начальник МУРа, — и получше многих!

Денис не питал иллюзий относительно ФСБ. Разумеется, его многоопытный дядя был прав, фээсбэшники висели на хвосте, что особенно четко проявилось в метро, когда Денис поехал домой — переодеться и принять ванну. Дениса особенно умилило, что один из шпиков читал «Лолиту» Набокова.

Он провел в своей квартире пару часов, вышел из дому, приветливо помахал рукой двум топтунам, развалившимся с пивом на лавочке (с понтом, работяги, оттягивающиеся после работы) и еще — тем, которые сидели в машине на выезде из двора, потом что-то вспомнил и вернулся в подъезд. Денис поднялся на лифте на последний этаж, сорвал пломбу на люке, ведущем на чердак, — чердаки и подвалы были опечатаны бумагой с печатью местного участкового, для защиты от чеченских террористов, хотя какой в этом прок? По чердаку Денис спустился в соседний подъезд, оттуда — в также опечатанный подвал, из которого можно было выбраться не во двор, а на улицу. Три минуты спустя Денис поймал машину и на вопрос таксиста, куда ехать, сказал фразу, которую долго вынашивал и лелеял как раз для такого случая:

— Прямо и быстро.

Как бы теперь узнать то, что ему необходимо? Лучше всего мог бы помочь Макс, но Денис, во-первых, не хотел сейчас привлекать никого из своих друзей и сотрудников, во-вторых, позвонить или заявиться в «Глорию» значило опять-таки засветиться самому. Оставалась еще электронная почта, но как доказать Максу, что это пишет именно он, Денис, что это не подстава? Конечно, были кое-какие нюансы, известные только им двоим, и это могло служить паролем, но ведь и электронные письма частенько перлюстрируются, Денис это знал. Нет, слишком рискованно, надо постараться обойтись своими силами.

Денису нужно было выяснить, где находится дача Бориса Ванштейна. Для этого имелось несколько теоретических возможностей.

1. Отправиться в издательский дом «Товарищ либерал» и войти в контакт с кем-нибудь из его сотрудников. Там сменилось руководство, временный управляющий, и как знать, не станет ли эта попытка Дениса тут же прозрачной для ФСБ. А как он уже дал понять дяде, меньше всего Денис хотел сейчас делиться информацией с кем бы то ни было, в первую очередь — со спецслужбами. Эта скрытность имела двоякую природу: с одной стороны, он боялся утечки информации, чтобы ею не воспользовались его таинственные противники, с другой — чтобы не навредить своим друзьям, пусть лучше крепче спят.

2. Информация о личной жизни Ванштейна, включая его движимое и недвижимое имущество, наверняка имеется в заначке у его конкурентов, значит, в первую очередь у олигарха Чегодаева. Но к Чегодаеву соваться тоже нельзя, причины — те же самые.

3. Определенно в природе кроме изданий Ванштейна существуют и другие «желтые» газеты и журналы, которые что-то про него знают. Но сколько Денис ни скреб в затылке, он не мог припомнить своих знакомых, работающих в таких местах. А просить об этом дружественных ему, Денису, более при-

личных журналистов значило решать проблему через третьи руки. Опять же, возможна утечка.

4. Можно позвонить Юрке Гордееву, давнему приятелю, бывшему следователю Генпрокуратуры, а ныне — весьма успешному адвокату, и поинтересоваться, кто защищает интересы Ванштейна. Это наверняка какой-нибудь элитный юрист. А потом уже побеседовать непосредственно и с ним. Может быть, даже Ванштейн, раз уж он такой любитель психологических загадок, оставил на этот счет своему адвокату специальные инструкции для него, Дениса Грязнова. Но опять-таки, фээсбэшникам определенно известен его круг знакомств, и этот разговор, скорей всего, будет подслушан. Съездить к Гордееву лично? Та же опасность, за ним так же, как за ребятами из «Глории», может быть установлено наблюдение.

— Так и будем ехать, пока в Северный полюс не упремся? — поинтересовался таксист, отвлекая Дениса от его мысленных поисков.

Денис посмотрел в окно. Они уже выехали на Новый Арбат.

— Остановите прямо здесь.

Он прошел пару кварталов пешком, целью была Ленинская библиотека.

Все это очень сложно, думал Денис, поднимаясь по гранитным ступеням: электронная почта, адвокаты, конкурирующие медиамагнаты... Научно-технический прогресс нас погубит. А если бы я сидел сейчас на берегу Индийского океана... ну ладно, пусть не там, но хотя бы на берегу Черного моря, где-нибудь в Гурзуфе, и передо мной стояла бы точно такая же задача, что бы я сделал?

Несмотря на то что Денис был вполне современным человеком, ездил на джипе, владел всеми видами оружия, пользовался Интернетом и часто засыпал с ноутбуком в постели вместо женщины, он все же пользовался услугами знаменитой Ленинки уже много лет, и никакие рассуждения компьютерного гения Макса о том, что электронные библиотеки гораздо практичнее, не могли перешибить кайфа, который он получал от волшебного процесса общения с настоящей бумажной книгой. Итак, вперед, к живому печатному слову!

В читальном зале Денис взял подшивку нескольких «желтых» изданий, а также вооружился картами Москвы и Подмосковья. Потом со вздохом встал и отправился в компьютерный зал: Интернетом воспользоваться все же придется. На запрос «Борис Ванштейн. Дача. Загородный дом. Участок. Подмосковье» «Яндекс» выдал несколько тысяч ссылок. Денис остановился на шестом десятке. Кое-что он нашел, кроме того, по опыту знал, что вся действительно полезная информация, как правило, содержится в самых первых ссылках, а чем дальше, тем больше вероятность простого совпадения слов. И потом ведь, в конце концов, на свете есть и другие Ванштейны, в чем Денис убедился, уже открывая одиннадцатую ссылку. Там речь шла о физике Борисе Константиновиче Ванштейне, российском академике, создавшем серьезные труды «...по теории рентгено- и электронографии, структурному анализу кристаллов, строению биологических кристаллов и макромолекул, электронной микроскопии». Были у медиамагната и другие тезки и однофамильцы.

Денис вернулся в читальный зал, и еще часа два ушло на сужение круга поиска. В четырех различных статьях дом Ванштейна упоминался в том или ином контексте. В одной статье у него в этом доме брали интервью, в другой писали, что Ванштейн хранит там потрясающую коллекцию икон, еще в одной скупо сообщалось о ночной оргии, которой были возмущены соседи медиамагната, а в четвертой была вообще замечательная фраза:

«Известный издатель Борис Ванштейн, которого федеральный телевизионный канал хочет привлечь к суду за клевету, заперся на своей даче и на звонки не отвечает».

Были еще кое-какие прилагательные, но они Денису пока что не сильно помогли.

Денис откинулся на спинку стула и потер виски. Сесть в позу лотоса? Нет, пожалуй, здесь это не слишком удобно.

«Известный издатель Борис Ванштейн, на звонки не отвечает...»

На звонки — не отвечает...

На звонки!

Будда — свидетель, он идиот! Не Ванштейн идиот, Ванштейн — умница, каких поискать, это Денис — идиот.

В дополнение к огромным томам, и так заваливщим его стол, Денис взял телефонную книгу. Дача — старая, она у Ванштейна давно, там вполне может быть телефон — еще с тех времен, когда никто не подозревал о том, что грядет эпоха мобильной связи.

Оказалось, Ванштейнов и в телефонной книге пруд пруди. Правда, на «Б» — всего трое. И из них только один — Б. С., хорошо бы — Борис Семенович. Телефон: 197-15-16. Между прочим, явно московский телефон. Или подмосковный? Ну да, он же говорил — Москва рядом... Нет, как же он говорил, в самом деле, стал вспоминать Денис. Ах да: «...и Москва под боком... искупаться можно». Искупаться. При чем тут купание? Просто Ванштейн перечислял достоинства своей дачи? Ну нет, что же он — маразматик-пенсионер?! Отнюдь. У него что ни слово —

точно дозированная информация. Значит, Москва — это Москва-река, вот где искупаться можно. У Ванштейна дача рядом с Москвой-рекой.

Денис нашел в справочнике «Желтые страницы» таблицу, где по первым трем цифра номера телефона можно было определить район. 197 — это Хорошевский...

Хм, какая же там дача? Почти центр города...

А в Серебряном Бору, вот какая дача! И Москва-река под боком. Искупаться можно. *Искупаться!*

Дальнейшее было делом техники, которой частные детективы владеют лучше других, даже иногда лучше других детективов. Спустя еще полчаса у Дениса был точный адрес дачи, и он уже ехал в Серебряный бор. Добрался на метро до «Полежаевской», там сел на 86-й троллейбус и полчаса спустя, миновав мост через Москву-реку, подъехал к Серебряному Бору.

Здесь был совсем другой, не городской воздух. Денис с некоторым удивлением прислушивался к себе, шагая по узкой улочке, сформированной высокими деревянными заборами, за которыми высились могучие сосны, и понял, что этот воздух, пожалуй, нравится ему сильнее, чем соленый аромат Индийского океана. Ладно, сейчас не до сантиментов.

Вообще-то, если я окажусь прав, думал Денис, это будет удивительно. Неужели фээсбэшники настолько тупы, что не отработали эту версию? Или им просто в голову не могло прийти подобное нахальство?

Ворота дачи Ванштейна были, конечно, заперты, и на звонок, разумеется, никто не реагировал. Никакого шевеления, кошка не мяукала, собака не лаяла. Нет, что ли, вообще собаки? Тоже неглупо. Нет собаки — на даче никто не живет. Итак, что дальше?

Денис разбежался и, быстро отталкиваясь ногами, взлетел по гладкому забору так, как это в дурном сне не могло присниться ни одному дачнику. Он перемахнул через забор, мягко, по-кошачьи, спрыгнул на землю. Осмотрелся.

Ну что ж, зелени действительно немало, похоже, за ней тут никто не следит. Как-то все немного диковато и, пожалуй, живописно. Дом деревянный, старый, хотя недавно покрашен. Наверно, дача какого-нибудь красного командира или директора завода, репрессированного в тридцатых. Таких тут, в Бору, говорят, много было.

Денис направился к дому и вдруг заметил, как в окне второго этажа дрогнула занавеска. Тогда он подошел к дому вплотную, чтобы относительно окон быть в мертвой зоне, и, стараясь ступать неслышно, подобрался к крыльцу. Тщательно обследовал его, дверь и пришел к выводу, что никто не входил и не выходил здесь как минимум пару недель. А как же занавеска? Может быть, действительно внутри дома есть кошка? Хм... скорее, тут есть еще одна дверь.

Денис продолжил свое круговое движение, пока не обнаружил то, что искал, — малоприметную, скрытую заросшим диким виноградом легкую дверцу. Подергал. Было заперто изнутри, но уж больно несерьезно, даже вышибать не нужно, стоит лишь дернуть покрепче, и вот он уже внутри дома...

Осматриваясь в полумраке, Денис подумал, что на жилище медиамагната это не сильно похоже. И коллекция икон, про которую писали в «желтой» газетке, скорей всего, хранится в другом месте. И интервью у него брали явно не здесь.

— Стойте, где стоите, или я буду стрелять, — раздался вдруг мужской голос сверху.

Говорили на чистом русском языке, и это Дениса немного смутило.

— А чтобы вы не стреляли, я должен оставаться на месте? — уточнил Денис. В переговорах всегда самое главное — тянуть время.

— Да.

— Но я же не могу стоять здесь все время, у меня есть всякие естественные потребности, и вы тоже не можете следить за мной все время, у вас будут те же самые проблемы.

— А я не один! — запальчиво сказал голос, и Денис сразу понял, что он врет.

— Вот что, Пенгертон... — сказал было Денис.

В ответ сразу же раздалось:

— Стойте на месте, я сказал!

— Вообще-то я еще не двигался. — Денис поднял руки вверх, демонстрируя чистоту своих намерений, и сделал несколько шагов вверх по скрипучей лестнице. Господи, неужели действительно можно поверить, что Ванштейн тут устраивал какие-то оргии? Да эта лестница больше одного человека не выдержит. Разве что оргии организованно проходили во дворе? — Пенгертон, не бойтесь, я не из ФСБ, — громко сказал Денис. — Я частный сыщик, меня послал Ванштейн. Иначе сами посудите, как бы я вас нашел? Кроме него, никто же не знает, где вы прячетесь. Бросайте свою берданку и спускайтесь, поговорим.

Возникла полуминутная пауза, по истечении которой последовал ответ:

— Поднимайтесь вы. Я должен убедиться, что вы один.

Пока я буду идти, понял Денис, он к окну метнется, проверит. А неглуп американец. Но действительно ли американец, уж больно чисто по-русски шпарит?

Денис медленно прошел семь ступенек, больше опасаясь не выстрела, а как бы ветхое деревянное строение не рухнуло под его тяжестью, повернул на маленькой площадке и снова пошел вверх. Теперь он уже видел этого таинственного жильца. Но что это такое у него в руках? Или только кажется в полумраке?

Поднявшись на второй этаж, Денис сделал короткое движение, и пистолет Пенгертона оказался теперь уже у него. Пенгертон с недоумением смотрел на свою пустую растопыренную ладонь, а Денис приветливо ему улыбался. Так и есть, газовый пистолет. И смех и грех: его, матерого профессионала, какой-то журналюга держал на мушке с помощью такого вот дамского оружия. Хотя, впрочем, этот пугач можно использовать по-всякому.

— Джордж, давайте поговорим, — мягко сказал Денис. — Давайте, что ли, чаю попьем...

— Вы, наверно, близкий друг Бориса, — сказал Пенгертон, медленно приходя в себя, — если знаете, где у него что лежит. Я вот до сих пор питаюсь тем, что привез с собой. И чай не пью.

— Нет, вы ошибаетесь, я здесь впервые.

Они сели, Денис — в кресло, Пенгертон — на кровать, на которой валялась груда различных газет и журналов, очевидно, он пытался тут не терять форму.

Денис наконец смог внимательно рассмотреть Пенгертона. Огромные кисти рук, длиннющие ступни. Наверно, росту в нем — метр девяносто, никак не меньше. Да, конечно, это был тот самый, всеми искомый «похищенный» американец. Во-первых, в библиотеке Денис нашел многочисленные фотографии Пенгертона, появившиеся в прессе после его исчезновения, а во-вторых, простого взгляда на это худощавое, немного лошадиное лицо было достаточно, чтобы понять, что перед вами иностранец, сколько бы лет он ни прожил в России, и чистый русский выговор никого тут обмануть не мог. Было в нем что-то наивное, какое-то непреходящее выражение удивления, застывшее в серых глазах.

Чтобы разговорить Пенгертона, понадобилось немного времени, и хотя в общем и целом картина была ясна Денису и раньше, теперь она получила подтверждение со слов непосредственного участника событий. Пенгертон отсиживался на старой даче Ванштейна. Вся история с похищением американца была от начала и до конца выдумкой. Ванштейн придумал и разыграл ее как по нотам. Якобы под давлением террористов он начнет печатать «чеченские дневники», а реально — им самим собранные документы.

Денис понял, что Ванштейн уже много времени сидел на отличном компромате, который жег ему одно место. С точки зрения современной журналистики это был прекрасный материал, просто бомба, но Ванштейн понимал, что, напечатай он все это, Кремль его сожрет, и тогда он придумал эту схему с похищением своего главного редактора, после чего он будет *вынужден печатать то, что ему присылают.*

Денис имел кое-какое представление о его биографии. Первоначальный капитал медиамагнат сколотил на порноиндустрии, удачно инвестировал средства и сказочно разбогател; став медиамагнатом, переключился на политическую порнографию. Ванштейн был неоднократно бит жизнью и властью, и теперь он даже мог себе позволить подкармливать правозащитников и оппозиционные партии и просто делать то, что ему нравилось.

Денис не осуждал издателя, но и не был его сторонником. Случилось так, что они кое о чем договорились, и теперь нужно было выполнять свою часть сделки. Денис сказал Ванштейну во время прогулки на тюремном дворе: «Грубо говоря, обладая вашей информацией, я освобожу этого журналиста, заработаю себе медаль и верну расположение органов, а взамен поведаю вам в эксклюзивном порядке, как все было в Ростове?» Ванштейн пусть своеобразно, но поведал ему о том, где скрывается Пенгертон. И кстати, перед тем как рассказать о своей чудесной даче, заметил: «Я рассчитываю на вашу скромность и... порядочность».

Выйдя из «Глории», уже на улице Голованов сказал Щербаку:

— Знаешь, все очень странно. Эта загадочная «Дина» действительно арендовала земельный участок в ближнем Подмосковье два с половиной месяца назад. Произошло это молниеносно, очевидно, что с помощью каких-то рычагов в мэрии, мой источник затрудняется даже предположить, кто был задействован. Он смог раскопать лишь, что «Дине» было предложено несколько вариантов на выбор, каковой пал на изрядный кусок земли в Николо-Архангельском районе, там, где он упирается в Салтыковский лесопарк, это на востоке от Москвы, примерно в...

Щербак, садясь за руль, кивнул: знаю, мол, расслабься.

— Причем там участок, который предлагали в аренду, оказался очень большой, даже не пять, а десять квадратных километров. Но это их устроило.

— Кого — их, твой источник не сказал?

— Нет... Стой, что ты делаешь, почему направо не сворачиваешь?!

— Нам нужно всего лишь с Кольцевой выехать на Носовихинское шоссе, — сказал Щербак. — А там как раз свернем на Салтыковскую. Так что доедем до кольца, а ты пока отдохни.

Когда они доехали до кольца, позвонил Агеев, он радостно сообщил:

— Сева, игра закончилась, «ЦСКА» выиграл!

— Я счастлив.

— Ты не понял, я говорю, матч закончился, Астахов поцеловал сына и уехал. А жена осталась. В смысле — бывшая жена.

— Куда он уехал?!

— А я знаю? — на одесский манер ответил Филя.

— А какого черта тогда я послал тебя следить за ним?! — заорал Голованов так, что даже Щербак вздрогнул и крепче вцепился в баранку.

— А я что делаю? — обиделся Филя. — Он уехал, и я за ним.

— А, — успокаиваясь, сказал Голованов. — Прости, не понял. И где вы сейчас?

— Сам не разберу. Прём куда-то по Кольцевой. С севера Москвы — по часовой стрелке, так сказать. Прём как угорелые, между прочим. Он восемьдесят, я — восемьдесят, он сто, я — сто...

— Ты не очень-то увлекайся.

— А что делать? Ты же меня вертолетом пока что не снабдил... Вот это, кстати, мысль, — оживился Филя. — Неслабо было бы на вертушке наблюдение осуществлять, а?.. О, черт!!!

— Что такое, что там у тебя случилось? — забеспокоился Голованов.

— Астахова гаишники тормознули. В смысле —

гибэдэдэшники... Ну и я стану за компанию. Как считаешь, лучше до поста остановиться или после?

— А ты на каком расстоянии его держишь?

— Все по хрестоматии — через две машины... Знаешь, пожалуй, проеду вперед подальше, тут все равно нет никаких ответвлений, так что деваться ему некуда.

— А вдруг гибэдэдэшники его заберут?

— Да не волнуйся ты, я вижу его в зеркало заднего вида... Ага... Так... Ну и дела. Ну и дела!!! Менты ему козыряют, и Астахов отъезжает. Он вообще кто?!

— Филипп, а он из машины выходил?

— Нет, ждал, пока мент сам подойдет, уверен в себе, гад. Ладно, до связи. — Агеев закончил разговор.

Ну и ну, подумал Голованов, да кто же он, в самом деле, такой, этот чертов Астахов?!

— Где они сейчас? — спросил Щербак.

— Где-то на Кольцевой. Говорит, едут по кольцевой стрелке с севера города.

— Вот так так! — оживился Щербак. — Думаешь, в Николо-Архангельский район?

— Ничего пока не думаю. Констатирую факт. Следи за дорогой.

Через час с лишним они добрались до Салтыковского лесопарка. Затормозили, огляделись. Лесной массив обрывался ровным треугольником, очевидно было, что это не дикая природа. Стали объезжать лесополосу по направлению к югу, и километров через десять появился указатель: «Николо-Архангельский район».

Тут снова позвонил Филя:

— Мы съехали с кольца и выехали на Носовихинское шоссе. Тут возможны несколько вариантов...

— Так, все ясно, — оборвал его Голованов. —

И — никаких вариантов. Отпускай Астахова, иначе засечет слежку. Мы уже тут, мимо не проедет. Встретим.

— Где вы?! — изумился Филя.

— Долго объяснять. Притормози и покемарь пока, я тебе перезвоню.

— Не, я тогда пожую лучше, у меня тормозок заначен, — поделился Филя. — Пирожки с капустой. Спать не буду, так что говори сразу, куда мне потом ехать...

Щербак съехал с дороги и остановил машину в высокой ржи. Ждать пришлось восемнадцать минут, они специально засекли время, спорили: Сева говорил, что ждать придется двадцать пять, Николай — что двадцать.

«Опель» стремительно пронесся мимо. Сыщики проводили его взглядами.

— Сева, машин-то больше нет, — заметил Щербак. — Что делать будем? Астахов же не идиот, поймет, что к чему.

— Отпустим его на пару километров и двинем следом. Он же нас раньше не видел, так что, если даже Филю засек, сразу наверняка не сообразит, за ним мы движемся или нет.

— Если он Фильку засек, — возразил Щербак, заводя машину, — то он догадается, что Филька нам его передал. Он ведь даже больше чем не идиот, он — армейский разведчик, ты забыл?

Тем не менее они все же поехали вслед за «опелем» на расстоянии в километр-полтора. «Опель» Голованов на ровных участках дороги разглядывал в бинокль.

— Свернул направо, — пробормотал Сева, наводя резкость. — Ч-черт, теперь не вижу...

Щербак притормозил.

— Ты что? — удивился Голованов. — Уйдет ведь, оторвется, не найдем больше. Гони за ним.

— А если он тоже притормозил? — возразил Щербак. — Давай пешком, тут уже рядом этот участок должен быть, что «Дина» арендует.

Голованов подумал и кивнул. Позвонил Агееву, объяснил, как найти их машину, приказал остановиться там же и дальше тоже двигаться пешком. Сыщики взяли оружие, бинокль, сумку с кое-какой аппаратурой и побежали, пригибаясь, через поле. Около десяти минут потребовалось, чтобы найти то, что они искали.

Огромная территория была ограждена высоченным бетонным забором с колючей проволокой. Забор уходил просто за линию горизонта.

— Ты видел что-нибудь подобное, а? — сказал Голованов. — Может, они тут атомную электростанцию строят?!

Сыщики легли на землю на расстоянии полусотни метров от ворот и по очереди разглядывали, что было возможно, в бинокль. Щербак обратил внимание, что с южной стороны вдоль забора растут густые тополя.

— Ля-ля, тополя, хм, хм, — пробормотал Николай.

— Ты о чем это?

— Так... есть идейка.

Тут появился Филя. В руках у него была бутылка минеральной и пакет с недоеденными пирожками.

— Все еще не остыли, — объяснил он.

Сыщики отказались.

— Ну как хотите, сам доем... Вы что, тут в засаде? Может, вовнутрь попробуем? Хотя заборчик, конечно, высоковат... О, там «колючка». Ну так ее можно кусачками. Сбегать к машине?

— Не надо. Она под током, — шепотом сказал Щербак.

— Почем ты знаешь? — спросил Филя.

— Посмотри туда. — Щербак дал ему бинокль, и Агеев разглядел, что от колючей проволоки в двух местах, по обе стороны от железных ворот, вниз идут какие-то провода.

— Видишь какие-нибудь лазейки? — спросил Голованов.

Филя тихо выругался. Потом сказал:

— Что у нас хорошо организовано, так это преступность.

— Не скажи, не скажи, — пробормотал Голованов.

— Что — не скажи: что преступность или что хорошо организована?

— Я вижу лазейку, — оборвал этот философский диспут Щербак. — Вернусь через десять минут. — И он, согнувшись, побежал к забору.

Вскоре он исчез из виду, и, как Филя ни шарил биноклем по пространству, увидеть Николая не удавалось... Филя вздохнул и принялся за свои пирожки.

— И как ты можешь есть в такие минуты?! — в который уже раз поразился Голованов.

— Это у меня нервное...

Щербак вернулся через девять минут.

«Ну что?» — безмолвно спросили его друзья.

Щербак вздохнул и попросил воды. Сделал несколько больших глотков, закрыл бутылку.

— Значит, так. Дело ясное, что дело темное. Я залез на дерево. Внутрь пробраться все-таки совершенно невозможно, но заглянуть сверху — немного получается. Вот что я увидел: длинные ангары, людей не видно, вдоль забора бегают голодные доберманы.

Голованов с Филей переглянулись, и последний покрутил пальцем у виска.

— Я не шучу, — подчеркнул Щербак, — натуральные монстры, просто собаки Баскервилей какие-то.

— Что же они, тебя не учуяли и не залаяли?

— Что я лох — не знаю, с какой стороны ветер дует? Слава богу, повезло...

— Это плохо, — сказал Голованов.

— Почему? — удивились остальные сыщики.

— Если бы собаки залаяли, мы бы узнали, есть ли там вообще кто-нибудь. А так — будем ждать.

— Между прочим, — сказал Щербак, — Астахов там наверняка. Девался же он куда-то, в конце концов!

— А ты что, его машину рассмотрел на территории?

— Представь — нет. Там такая территория, что не то что машину — авианосец спрятать можно.

Они прождали еще полтора часа, к этому времени стемнело, и разглядеть что-то можно было только в бинокль, слава богу, это была продвинутая модель — для ночного видения.

— Надеюсь, вы не имеете в виду, что мы здесь будем ночевать? — вопросительно сказал Филя.

Ни Голованов, ни Щербак ничего на это не ответили.

— Вы что, серьезно?! — расстроился Филя. — Так я бы хоть термос прихватил...

К началу одиннадцатого вечера к воротам подъехал огромный джип «шевроле» и остановился, потому что ворота не открылись, сколько джип ни сигналил. Из машины вышли четверо мужчин разного возраста, примерно от двадцати пяти до сорока пяти лет. Один из них разговаривал с кем-то по телефону, другой — колотил в ворота. Остальные просто ждали.

Все четверо были как на подбор — с военной выправкой, двое из них — явные кавказцы. Голованов многократно сфотографировал всю компанию и их машину на сверхчувствительную пленку.

— Коля, тебе среди этих четверых никто не знаком? — поинтересовался Голованов.

— Дай подумать...

— Вот тот, что повыше остальных, — подсказал Голованов. — Кажется, мы его уже видели.

— Ты хочешь сказать, что у него тонкие губы? Это тот тип, что вместе с Астаховым тусовался в кондрашинском подъезде?

— Точно! Пока все сходится.

Голованов дождался, пока ворота наконец откроют (открыл-то им, между прочим, как раз Астахов!), и послал Щербака обратно к тополям: установить на деревьях самофокусирующиеся и включающиеся на движение видеокамеры, между прочим, те самые, которые они устанавливали в подъезде убиенного Кондрашина.

Примерно в полночь сыщики вернулись к своим машинам и поехали в Москву.

Денис отлучился на несколько часов и вернулся теперь уже на автомобиле— на белом медицинском фургоне.

— Пока ждите меня здесь, — сказал он мужчине и женщине, сидевшим в машине, и пошел в дом.

В принципе они с Пенгертоном уже почти обговорили план предстоящей операции. Причем когда Пенгертон впервые произнес слово «операция», он, бедняга, даже еще и не предполагал, насколько оно будет непосредственно применимо к нему самому.

Джордж рассказал Денису, что Ванштейн на подставное лицо приобрел еще одну дачу, специально для того, чтобы использовать ее в качестве места, где якобы содержали «плененного чеченцами» Пенгертона.

— Понимаете, Дэн, это очень удобно, формальные хозяева живут в Канаде, и дача сейчас как бы брошенная.

— Где она находится? — поинтересовался Денис.

— В Абрамцеве — это немного к северу от Щелковского шоссе.

Денис кивнул, пряча улыбку, его забавляло, что Пенгертон учит его географии. Он все никак не мог привыкнуть к тому, что этот длинный костлявый человек, сидящий напротив, так здорово знающий Москву и московскую жизнь, на самом деле — иностранец. Операция между тем предстояла нешуточная. И Денис подумал, что Ванштейн-то неплохо устроился, слив ему информацию о «похищенном» Пенгертоне: мало кто смог бы все это правдоподобно организовать и провернуть.

— У меня есть знакомый доктор, — сказал Денис. — Он вам сделает наркоз, так что мы сможем нанести побои, чтобы все было правдоподобно. Не волнуйтесь, сделаем синяки и ссадины по первому разряду, никто не подкопается. Потом, когда очнетесь, болеть, конечно, будет прилично, но уж придется потерепеть.

— Как побои?! — ужаснулся Пенгертон.

— Ну а вы что хотели, господин журналист? Влезли в большие игры — так терпите теперь. Или вы предпочитаете без наркоза?

— Нет уж, давайте ваш наркоз. Но вы гарантируете, что мне ничего не повредят?!

— Слово бойскаута, — побожился Денис. — По-нашему — честное пионерское.

— Да знаю я. Но что-то сомнительно. Я уже привык к тому, что, если русские за что-то берутся, то результат обычно непредсказуем.

— Джордж, вы бы доверились в этом вопросе Ванштейну?

Пенгертон задумался:

— Пожалуй...

— Ну так вот, а он прислал к вам меня. Мое слово сейчас — это его слово. Вы получите счастливое возвращение из чеченского плена и станете героем, или как там у вас было задумано...

— Не хочу я ни в какие герои, — застонал Пенгертон, — я домой хочу, к Кате, мне все это уже осточертело!

— Вот, — оживился Денис. — Вот это слова нормального человека — и мальчика, и мужа.

Пенгертон посмотрел на него с удивлением:

— Вроде пословица по-другому звучит?

— Моя редакция, — объяснил Денис.

— Хм... Дэн, вы себя в журналистике никогда не пробовали?

— Бог миловал. Не по мне это, слишком уж опасная у вас работа, — искренне сказал частный детектив.

— Пожалуй, вы правы, — подумав, согласился американец. — Ладно, поехали к вашему доктору. — Постаравшись придать своей лошадиной физиономии мужественное выражение, он бодро встал.

Денис успокаивающе похлопал его по плечу:

— Не надо никуда ехать. Он уже здесь, в машине сидит.

— Как здесь?! — закричал Пенгертон, и лицо его сразу же приняло обычное лошадиное выражение, только с примесью совершенно детского испуга перед уколом.

Денису стало его жаль. Во что же ты влип, парень, подумал он. Ну, делать нечего, теперь надо идти до конца.

ПЕНГЕРТОН ЖИВ И СВОБОДЕН!

«В подмосковном Абрамцеве был уютный домик, принадлежащий семье молодых талантливых программистов, уехавших на заработки в Канаду. В этом доме некоторое время жили их друзья, а потом он пустовал. Говорят, зимой там отогревались бомжи. Но не будут больше гостить друзья программистов, и не смогут отогреваться бомжи. Потому что негде.

Вчера, туманным ранним утром, примерно в начале шестого, на этой даче разразилась война. Так, по крайней мере, рассказывали те из соседей, кто воочию если не видел (нос на улицу рискнули высунуть немногие), то слышал происходящее. Восемь или девять свидетелей (среди них несколько человек когда-то служили в армии) сошлись примерно на следующем.

Стрельба велась не менее чем из пяти стволов, включая один пулемет и два автомата. Гранаты взрывались от семи до десяти раз. Было еще два совершенно оглушительных взрыва, которые вынесли стекла во всех домах в радиусе пятидесяти метров. Интенсивная перестрелка длилась около получаса, после чего кто-то (сколько человек — неизвестно) уехал на большой машине (по разным свидетельствам «Газель», «Соболь» или джип на высокой подвеске). К этому времени в Абрамцеве было по-прежнему достаточно темно. Война окончилась, и только спустя еще полчаса появилась милиция. Местные жители подозревали, что милиция, которую сразу же вызвали минимум пять (!) разбуженных и перепуганных дачников, приехала гораздо раньше, но два молоденьких сержанта остановили свой «бобик» в ближайшем леске, где не по годам мудро ожидали окончания боевых действий. Когда они рискнули войти в дымящийся дом, то обнаружили там двоих человек. Один из них, раненный в руку, был относительно в порядке, он приводил в чувство второго, всего избитого и истерзанного, но тоже чудесным образом серьезно не пострадавшего.

Сержанты бросились было вызывать подкрепление, но мужчина, оказывавший помощь, предъявил свои документы. Он оказался директором частного охранного предприятия «Глория» Д. А. Грязновым, ставшим не так давно известным благодаря освобождению тележурналиста Кондрашина из рук чеченских боевиков. А избитый и истерзанный мужчина оказался главным редактором издательского дома «Товарищ либерал» Джорджем Пенгертоном, также совсем недавно похищенным!

Господин Грязнов сообщил сержантам, что уже позвонил в ФСБ знакомому генералу, так что не нужно устраивать тут лишний шум. Сержанты резонно возразили, что шума было уже столько, что громче все равно не получится, и вызвали подкрепление.

В результате спустя час изумленным жителям Абрамцева на фоне прекрасного августовского утра предстала впечатляющая картина. Около двадцати машин, набитых сотрудниками разнообразных силовых ведомств, съехались на пепелище (которое, говорят, местные жители тут же прозвали «домом Павлова») и стали выяснять между собой отношения...»

Спицын не дочитал, смял в бешенстве свежий номер «Товарища либерала» и отшвырнул прочь. В кабинете кроме него были капитан Кудряшов и Денис Грязнов. Грязнов сидел на стуле, вытянув уставшие ноги, левая рука у него была забинтована ниже плеча. Кудряшов стоял, как верный пес, ожидая любой команды хозяина.

— Петр, выйди! — рявкнул Спицын на своего верного помощника.

Тот моментально выполнил приказ, и генерал принялся сверлить Грязнова взглядом.

— Ну что? — спокойно спросил Денис.

— С вас ведь взяли подписку о невыезде? — мрачно осведомился Спицын.

— Взяли, — с готовностью подтвердил Денис.

— Так что же вы?!

— А что я? Я разве удрал из Москвы? А расписку в том, что я буду позволять вашим сотрудникам везде и всюду за собой ездить, с меня, между прочим, взять не догадались. По-моему, никакого закона я не нарушил. Разве не так?

Спицын даже побелел от злости, но задержал дыхание, посчитал до пяти и медленно выдохнул.

— Это вы напрасно, — сказал Денис.

— Что напрасно?!

— Неправильно дышите. Правильно дышать, конечно, быстро не научишься, но есть, по крайней мере, элементарные вещи. Самураи вот, например, не принимали важного решения, не сделав семь глубоких вдохов и выдохов.

«Что этот наглец себе позволяет?!» — хотелось завопить Спицыну, но вместо этого он спросил:

— Почему семь-то?

— А я знаю? — пожал плечами Денис. — Я в этих японских делах — ни бум-бум.

По крайней мере, заговорил как человек, подумал генерал.

— Нет, в самом деле, Николай Николаевич, — продолжал гнуть свое Денис. — Ну посудите сами, разве я виноват, что мне так не везет, что я все время с этими боевиками проклятыми сталкиваюсь?

— Я бы сказал, что вам как раз очень везет, молодой человек! В очередной раз вы спасаете известного журналиста и в очередной раз выходите целым из этой передряги. Просто удивительно!

Денис вместо возражения красноречиво показал на свое плечо.

— Оставьте это! Мы оба прекрасно знаем, как такие штуки делаются! Я вас последний раз спрашиваю, об уголовной ответственности за уклонение от сотрудничества предупреждать не буду, я не следователь: от кого вы узнали о месте содержания Пенгертона?

Спицын допрашивал Грязнова уже битый час. Несмотря на услугу, оказанную ему, Спицыну, дядей Грязнова-младшего, генерал-лейтенант и не думал миндальничать с частным детективом. Дело было слишком серьезным. Денис Грязнов утверждал, что сведения о том, где прячут Пенгертона, получил по телефону от неизвестных доброжелателей, когда заезжал к себе домой — переодеться и принять ванну. Тупиковость этой идиотской ситуации усугублялась тем, что его телефон не успели снова поставить на прослушку, так что доказать, что частный сыщик врет, не было возможности.

Теперь ФСБ готова была инкриминировать Денису Грязнову связи с чеченцами, если он не объяснит последние события иным образом. Взбешенный Спицын недвусмысленно заявил, что собирается повесить на него и похищение, и убийство Кондрашина, и кражу драгоценных камней, и даже само похищение Пенгертона. Конечно, положа руку на сердце, Спицын по-прежнему не верил в то, что Денис сам же и организовывал похищения этих людей, но ведь антитеррористическому отделу нужно же было двигаться в каком-то направлении! К сожалению, допрос Джорджа Пенгертона тоже никакой ясности внести не смог. Американец рассказал, что его машину прямо посреди улицы остановил сотрудник ГИБДД, попросил права, а дальше он ничего не помнит. Очнулся связанным в этом самом доме, в Абрамцеве. Довольно быстро потерял счет времени и вообще плохо понимал, что происходит. Рядом с ним постоянно были два человека в масках, лиц своих они не показывали, говорили на каком-то кавказском языке. Кормили мало и плохо. Били часто.

Последнему Спицын доверял больше всего, следы от побоев на Пенгертоне выглядели просто устрашающе, чудовищные гематомы могли быть лишь следствием постоянных ударов, вероятно, ногами. Неужели все-таки действительно Грязнов?!

Денис тем временем вздохнул и сказал:

— Рука что-то ноет. Пожалуй, мне на перевязку пора. — И он встал со стула.

— Кость не задета? — ехидно спросил Спицын.

— Нет. Навылет, по касательной.

— Ну надо же какое везение! — восхитился генерал.

— Да, — покивал Денис, выходя из кабинета, — бывает.

— Денис Андреевич, я вас официально предупреждаю: из Москвы — ни ногой!

Денис снова кивнул, понял, мол.

А ведь он оживился немного, неожиданно для себя самого подумал Спицын, с тех пор как из этой чертовой Индии приехал. Тогда ведь совсем китайский болванчик был. Оно и понятно, наша расейская действительность какого хочешь йога на уши поставит.

А Денис думал, КПД от всей этой истории пока что даже не нулевое, а отрицательное. Слово-то, данное Ванштейну, он сдержал, только вот вместо благодарности от органов оказался под еще большим подозрением. Кажется, теперь фээсбэшников особенно возмущает, что он даже не удосужился придумать благозвучную версию нахождения Пенгертона. Ну и фиг с ними, пусть бесятся.

Хвала Будде, что не арестовали прямо сразу, подумал Денис, выходя из монументального здания на Лубянке и усаживаясь в машину на заднее сиденье. А еще спасибо за то, что на переднем сейчас были Щербак с Головановым. С ними сразу все стало както проще и спокойней. Макс был в офисе, Демидыч и Филя за кем-то следили, как объяснил Сева. Щербак вел машину, сдержанно хмыкая, а Голованов рассказывал Денису о том, что случилось, пока его не было с ними.

— Думаю, что расследовать убийство Кондрашина нам все-таки придется, — сказал Денис.

— Вот! — обрадовался Голованов.

— Хм, — скептически произнес Щербак, однако подумал, что может появиться еще одна возможность увидеть Анастасию Чегодаеву. Правда, зачем ему это нужно — бог весть...

— Но искать убийцу среди близко знакомых, врагов и конкурентов — неправильно, — продолжал Денис.

— Почему?

— Из-за моего участия в освобождении Кондрашина, которое, как назло, наделало столько шума... Эта телепередача и все остальное... В общем, немало людей имело возможность изучить мою биографию, так что подставу мог организовать кто угодно. И порошком из сушеных индийских трав, который нашли на месте преступления, я сорил повсюду, и в дом ко мне могли забраться без проблем... Честно говоря, в СИЗО я начал подозревать Анастасию Чегодаеву: зачем она хранила драгоценности не в сейфе в доме у мужа, а притащила на неохраняемую квартиру?

Голованов со Щербаком переглянулись, но ничего не сказали.

— И вообще, — продолжал Денис, — а вдруг Анастасия и Кондрашин сами подстроили похищение — ради шести миллионов можно и уха лишиться, а потом пришить себе новое, верно?

— У следователя Зюкина тоже была такая версия, — сказал Голованов. — Анастасия Николаю рассказывала.

— Ладно, — хмуро сказал Щербак, въезжая на Неглинную, — ты, Денис, лучше расскажи, что дальше делать-то? Не ровен час, прикроют вообще нашу лавочку...

— Думаю, мне придется перейти на нелегальное положение. Давайте обсудим систему связи...

— Мы каждый день меняем номера мобильных телефонов, — сказал Щербак. — Как же общаться-то? Разве что через третьих лиц? Или электронную почту использовать, тоже каждый день — новые почтовые ящики?

— Надо с Максом посоветоваться. Кстати, Денис, где ты прятаться собираешься? — уточнил Голованов.

— Извини, Сева, — улыбнулся Грязнов-младший, — но это я даже вам сказать не могу.

Глава девятая

Демидыч и Филя не просто за кем-то следили — они ездили в Николо-Архангельский район, туда, где тяжким непосильным трудом сотрудникам «Глории» удалось найти участок, арендованный загадочной «торгово-посреднической» фирмой «Дина». Денису по дороге на Неглинную друзья рассказали об этой эпопее, ну и о том, разумеется, что помимо Астахова удалось сфотографировать еще четырех человек, приехавших туда поздно вечером на джипе «шевроле», и что с одним из этих четверых Астахов заходил в кондрашинский подъезд.

Демидыч больше не следил за женой Астахова, в настоящий момент он с Филей должен был заменять кассеты в видеокамерах, установленных возле таинственной территории, огражденной бетонным забором с колючей проволокой.

— Может быть, кстати, они уже и вернулись, — сказал Щербак, подъезжая к офису «Глории».

Сыщики вышли из машины.

— Ну что, Денис, хорошо быть дома? — засмеялся Голованов, хлопая его по плечу. — Ты не волнуйся, там можно смело говорить, мы все регулярно на предмет прослушки проверяем.

— Странные какие-то ощущения, — пробормотал Денис, заходя в офис. — Словно во сне. Не думал все же, что так скоро вернусь... Хотя возвращением это назвать трудно, учитывая, что предстоит очередное бегство.

Нет, Демидыча с Агеевым не было, зато Макс, как всегда, торчал за своими компьютерами. Увидев шефа, он заулыбался, от чего его огромная физиономия стала еще шире. Проблему будущей связи он решил тут же:

— Можем связываться через интернетовские чаты. Будем чатиться.

— Что мы будем делать?! — изумился Голованов.

— Чатиться. Общаться в чатах.

— Это еще что за хрень?

— Способ общения в Интернете в реальном времени. Все, что ты пишешь, сразу видит другой человек. Чаты — это такие тусовки, на которых одновременно общается куча народа, все — под псевдонимами. Вот где затеряться проще простого, там толпы тинейджеров бродят, там уж фээсбэшникам никакая слежка не поможет. Нам просто нужно будет условиться о том, в какой день каким чатом пользоваться.

— Отлично, — сказал Денис, — потусуемся с тинейджерами.

— А у меня, кстати, новости, — сообщил Макс. — Удалось вычислить еще троих гавриков, которых Сева у «шевроле» заснял. Двое — чеченцы, Авторхан Чилаев и Казбек Шамитов, что самое замечательное, по официальным данным, они якобы погибли еще в первую чеченскую войну.

Щербак невесело засмеялся.

— Третий — некто Роман Спиридонов, майор в отставке, как и Астахов, бывший армейский разведчик, год назад уволенный из рядов Вооруженных сил за служебное несоответствие. Ну, подробности его биографии нам сейчас ни к чему, за исключением того, что какое-то время Спиридонов служил под началом Медведя.

— Та-ак, — сказал Денис.

— Кого? — недоуменно переспросили Голованов и Щербак.

— Ах да... — Денис повернулся к ним. — Перед тем как меня забрали, я успел Максу слить кое-какую информацию, просто на всякий случай, чтобы она у него хранилась. Он ведь у нас сам по себе — компьютер с большой буквы. Вам, мужики, не обижайтесь, эти сведения были ни к чему, только увели бы в сторону. В общем, есть такой человек, генерал-майор Герман Медведь, особа, приближенная к императору, в смысле — к президенту. Он присутствовал при моем разговоре с президентом, точнее, он-то его и вел. На волне успеха с освобождением Кондрашина мне была предложена работа в какой-то новой супер-пупер спецслужбе, я отказался, после чего от меня потребовали хранить этот разговор в тайне. Ну, что вы теперь думаете?

Сыщики ошарашенно молчали. Макс сообразил, что самое время сварить побольше кофе.

Щербак сказал, не глядя на Дениса:

— Кстати насчет успеха с освобождением Кондрашина. Ты все-таки не хочешь нам рассказать, как ты это провернул в Ростове?

Голованов сердито стрельнул в его сторону глазами, но Денис успокаивающе поднял руку:

— Пока не хочу, Коля. Все по тем же причинам: целее будете. Уж очень этих сведений ФСБ домогается, и кто знает, кто еще.

Макс раздал чашки с кофе. Денис свою понюхал, но пить не стал.

— Тогда такая версия, — предложил Голованов. — Я в такие совпадения не верю: если Медведь с Астаховым уже серьезно в этой жизни пересекались, то, значит, они и сейчас вместе завязаны в этой истории. Думаю так. Этот твой Медведь собирается устроить в ФСБ грандиозную чистку, для чего сколотил бригаду пусть не кристально чистых, но зато надежных и профессиональных людей. Знаете, сколько недавних военных не могут сейчас найти себе применения? А разведчики — это же элита! Возможно, Медведь рассчитывает, что ФСБ облажается с расследованием убийства Кондрашина, как уже облажалась с поимкой его похитителей.

— И люди из этой его бригады, как ты говоришь, пасут фээсбэшников, — продолжил мысль Денис, —

фиксируя их малейшие промахи, чтобы Медведь мог потом предъявить президенту собранный таким образом компромат или сведения об их профнепригодности?

— Ну! Хотя сейчас ясно одно: Медведь со своими ребятами — это слишком круто для «Глории». И опасно. Надо отстраниться.

Щербак внес свою лепту:

— А я уверен, что Кондрашина люди Медведя не убивали, иначе зачем бы они там крутились?!

Все подумали и согласились, это выглядело, пожалуй, вероятным. Вдруг Голованов со Щербаком уставились друг на друга. Николай озвучил их общую мысль:

— Елки-палки, Сева! Нам нужно немедленно убрать со «складов» всю аппаратуру, пока ее еще не заметили! Звони мужикам, вдруг они еще там!

Голованов схватился за телефон, но не успел набрать семь цифр, как в «Глорию» вломились Филя с Демидычем и принялись по очереди тискать Дениса в объятиях.

— Ну ладно, — оборвал эту бурную сцену Голованов, — поздоровались, а теперь — прощайтесь. Денис сваливает от нас на время. А вы возвращаетесь назад — снимать камеры.

— Давай сами съездим, — возразил Щербак. — Пусть они отдохнут. Я камеру устанавливал, я и сниму.

— Куда это Денис сваливает?! — расстроился Демидыч. То, что нужно было снова ехать бог знает куда на ночь глядя, его волновало в гораздо меньшей степени.

— Ухожу в подполье, — улыбнулся Грязнов-младший. — Поселюсь где-нибудь в шалаше... Кстати, вы посмотрели съемку, там есть что-нибудь?

— Ни шиша! — с чувством сказал Филя, падая на диван. — Холостая работа. Одни проклятые доберманы носятся. И я проголодался, как сволочь. Может, по случаю прибытия-отбытия босса сообразим куда-нибудь съездить поужинать?

Счастливо освобожденный Пенгертон после долгожданного общения с семьей отправился в клинику, которая обслуживала руководящих сотрудников издательского дома, и прошел там комплексное обследование.

После того как все многочисленные рентгены показали, что переломов и трещин нет, внутренние органы находятся в относительном порядке, не считая ущерба, нанесенного алкоголем (а кто ж его считает?!), Пенгертон посетил терапевта, который наблюдал его уже много лет. Терапевт прописал физиотерапию и выказал искреннее изумление по поводу того, как при таком несметном количестве ссадин, синяков и гематом Пенгертон обошелся без серьезных травм.

Пенгертон подумал о том, что, пожалуй, стоит похлопотать перед Ванштейном (когда он выйдет на свободу, разумеется), чтобы организовать Денису Грязнову пожизненную пенсию. Ведь то, что этот человек для них сделал, — это маленькое чудо. Или даже большое. По сути дела, он их всех спас. Рано или поздно Пенгертона бы нашли, и тогда Ванштейну предъявляли бы совсем иные обвинения, а его медиаимперия перешла бы в иные руки. У Российского государства на этот счет имеется много отработанных приемов, в результате применения которых собственность вдруг меняет владельца.

А пока что Пенгертон отправился к адвокату

Ванштейна. Тот просил не приезжать в офис и принял американца на дому. Адвокат был опытный, заматеревший как раз на клиентах типа Ванштейна — 40 — 50-летних крупных бизнесменах, как правило находящихся в недружественных отношениях с властью. На нем была бархатная жилетка и цветастая бабочка. Адвокат пил кофе из крохотной фарфоровой чашечки, отставив в сторону мизинец с перстнем, подарком Ванштейна, между прочим. Своему гостю он тоже предложил кофе.

— А чего покрепче не найдется? — спросил Пенгертон.

— Как это по-русски, — покачал головой адвокат. — А ведь еще только первая половина дня.

Пенгертон пожал костлявыми плечами.

— В таком случае, могу предложить к кофе ирландский ликер.

— Только чашку побольше.

— Как скажете, Джордж. Мой клиент...

— Борис Семенович, вы хотите сказать, — перебил Пенгертон.

— Мой клиент, — повторил адвокат, — выражает неудовольствие положением дел в его бизнесе, за который вы сейчас несете полнокровную ответственность.

— То есть? — изумился Пенгертон.

— Издательским домом руководит временный управляющий, осуществляющий несвойственную моему клиенту политику.

— Называйте вещи своими именами! — вспылил Пенгертон. — Ванштейну не нравится, что Кремль подминает под себя его издания, так? Это понятно. Но что я-то могу сделать в этой ситуации?!

— Насколько я понимаю юридическую суть проблемы, — вкрадчиво заметил адвокат, — вас никто не увольнял. Вы исчезли, вас похитили. Но, учитывая то существенное обстоятельство, что сейчас вы целы, невредимы и пребываете в здравом уме и твердой памяти, господин Алексашин занимает ваше кресло незаконно. Его назначал не Ванштейн, который все еще является законным владельцем издательского дома.

Пенгертон хлопнул себя по лбу:

— Shit! Надо созвать пресс-конференцию! Пригласить корреспондентов всех телеканалов и всех ведущих изданий!

Адвокат благосклонно покивал:

— Именно на эту вашу идею и рассчитывал мой клиент. Кроме того, как известно, за время вашего похищения в издательский дом приходили ценные материалы...

— Политический компромат относительно действия федеральных сил в Чечне.

— Я их не читал, — заметил адвокат, — но знаю, что моего клиента вынудили прекратить их печатать, посадив в тюрьму. Но ведь это же не значит, что у его сотрудников, то есть у вас, этих материалов больше нет, не так ли? — Адвокат тонко улыбнулся.

Улыбнулся и Пенгертон. Понятно, к чему клонит старый лис. Ванштейн хочет, чтобы игра продолжалась, и он прав, черт возьми! Ванштейн хочет, чтобы Пенгертон дал пинка временному управляющему Алексашину и слил всю имеющуюся информацию в западные издания. Так он и сделает. Он сам этого хочет!

Пенгертон поехал в издательский дом. На входе его приветствовали секьюрити. Ну что ж, служба безопасности прежняя, это уже неплохо.

...Ни в какой ресторан сыщики, увы, не поехали, перекусили на скорую руку в офисе и разбежались по своим делам: Филя с Демидычем — отдыхать, Денис — растворяться в пространстве, Щербак с Головановым — «собирать урожай» — снимать аппаратуру с деревьев. Поехали на денисовом же, кстати, джипе, он сам и попросил погонять его машину, а то, мол, «Бродяга» — он ведь как живой, когда застаивается, потом далеко не сразу форму набирает. Щербак покрутил пальцем у виска, но возражать не стал, ездить на «форде-маверик» было сущим удовольствием, это знали все. Пока Денис сидел в СИЗО, его машину сперва забрали фээсбэшники, несколько дней что-то в ней искали, потом вернули — в приличном, на удивление, состоянии. И тогда оперативники «Глории» поставили ее в гараж к знакомому владельцу автомастерской, от греха подальше.

— Севка, давай сегодня, когда закончим с делами, заедем куда-нибудь выпьем, — сказал Щербак, съезжая с Кольцевой автодороги на Салтыковскую улицу.

— Коля, алкоголь — это яд, следи лучше за дорогой.

— Что за ней следить, если машина сама едет?

— Я сейчас тебе объясню, почему всегда важно следить, куда движешься. Вот представь. Подхожу сегодня утром к метро, покупаю газету по дороге, иду, читаю, поднимаю глаза и вижу чудесную картину: у входа в метро стоит мужик в обнимку с колонной и полным страдания взглядом провожает тех, кто может самостоятельно передвигаться...

— Бывает. Я же тебе не предлагаю — до поросячьего визга...

— Ты дальше слушай. Мужик прилагает героические усилия, чтобы от колонны отлепиться, но едва делает шаг — тут же начинает заваливаться. И в падении успевает развернуться и обратно к колонне припасть. И так пару раз. Тут и я как раз подошел. Он, видно, мой сострадающий взгляд как-то почувствовал, спрашивает: ты в метро? Ну да, говорю. Ура, быстро говорит мужик, я с тобой, отлепляется от колонны и повисает на мне!

Щербак захохотал так, что они чуть не слетели в кювет.

— Так что алкоголь — это страшная вещь, Коля, даже когда сам не пьешь...

Сыщики почти доехали до Салтыковского лесопарка, притормозили не в том месте, что раньше, искали рожь погуще — теперь у них машина была выше, ее могли заметить.

Едва они подобрались поближе, железные ворота стали открываться.

— Везет же нам, — пробормотал Голованов.

— Везет — в смысле не везет или в смысле везет?

— Подожди-ка, это что у них за машина, Николай?

— «ЗИЛ» вроде.

— Да я не о том! Это же...

— Дерьмовозка, — подсказал Щербак.

— Вот именно!

— Ну и что с того?

— Что это значит, по-твоему?

— А что это может значить? Что с территории, арендованной фирмой «Дина», вывозят дерьмо. Мы камеры будем с деревьев снимать или нет?

— Да будем, будем, — сквозь зубы пробормотал Голованов, — подожди ты. Это же абсурд какой-то, только посмотри, как они осторожно выезжают, можно подумать, там полный бак этого самого...

— А может, так и есть.

— Да откуда столько? Ты там людей живых видел

на территории? Это же рота нужна, чтобы за два месяца столько наполнить.

— Не скажи, — с видом знатока покачал головой Щербак, — мне приятель рассказывал, как он в армии в офицерский толчок пачку дрожжей забросил, и там такое извержение вулкана началось!

— Я сам служил в армии, — сварливо сказал Голованов, — сам ходил на офицерский толчок, и ничего подобного у нас не происходило... Вот что. Мне просто интересно, что люди Медведя собрались делать под видом ассенизаторов, понимаешь? Ты думаешь, это действительно дерьмовозка?

— Понимаю. Давай проследим, а камеры потом снимем, в чем проблема?

Сыщики побежали через поле назад к своему джипу. Дождались, пока проедет «ЗИЛ», и осторожно пристроились следом.

Двадцать пять минут спустя ассенизаторы доехали до ничем не примечательной девятиэтажки на окраине Москвы, открыли подвал, сунули туда шланг и начали изображать бурную деятельность.

Сыщики приблизились настолько, что их чуткие носы уловили недвусмысленный запах. Щербак сказал с плохо скрытым сарказмом:

— Самое забавное, что дерьмом действительно воняет. — Впрочем, интуиции своего приятеля он доверял, наверно, даже больше, чем собственной, так что болтал он в основном для поддержания нужной атмосферы.

— Коля, ты лучше посмотри туда, — сказал Голованов.

Щербак проследил направление его взгляда и присвистнул. В какой-то сотне метров от девятиэтажки располагалось районное отделение милиции. Было очевидно, что внимание двух ассенизаторов приковано именно к отделению, более того, в ушах обоих были наушники, по их мимике и телодвижениям очень похоже было, что они что-то или кого-то подслушивают.

— Паршивые дела, — выразил общую мысль Щербак.

— Но что это вообще значит, черт побери?!

— Возможно, Медведь решил устроить чистку не только в ФСБ, но и в МВД: Потому что могу предположить с высокой долей вероятности, что сейчас его ребята пишут, как там за стеной менты кого-нибудь трусят или берут взятки. Как думаешь, Денису об этом нужно знать?

— Обязательно. Ну что, бросим их и вернемся за камерами?

— Нет уж позвольте, — возразил Щербак. — Следим так уж следим.

Спустя почти час ассенизаторы спрятали наушники, выдернули шланг из подвала и залезли в кабину. «ЗИЛ» развернулся и снова поехал за город. Сыщики двинулись следом. Голованов позвонил Максу и передал сообщение для Дениса о том, что они только что видели.

«ЗИЛ» тем временем снова выехал на Носовихинское шоссе и свернул к югу на Городецкой улице, то есть гораздо раньше Салтыковской. Спустя пять минут ассенизаторы повернули на восток, и дорога сразу же изменилась, асфальта тут уже почти не было, пошли страшные ухабы. Впереди виднелся какой-то песчаный холм, похоже, там был заброшенный карьер.

— Не пора ли нам остановиться? — предположил Голованов. — Тут же, кроме них и нас, ни одной машины. С этими разведчиками шутки плохи, я тебе говорю. И потом, что нам с ними делить?

Щербак затормозил. Они молча, не сговариваясь, проверили боеготовность своих пистолетов, Щербак захватил бинокль и молча спросил приятеля глазами: вперед?

— Нет, подожди, — возразил Голованов. — А если они вдруг вернутся, а наша тачка прямо на дороге стоит? Давай подъедем к холму с другой стороны? Только потише сможешь?

— Один черт, тут уже везде дорога — просто никакая...

Едва они подъехали к холму слева, раздался гулкий взрыв.

— Коля, туши все огни!

— Почему?

— Не знаю! Туши!!!

Щербак послушался и не пожалел.

Спустя полминуты из-за противоположной стороны песчаного холма показался уже знакомый им «шевроле». «ЗИЛа» не было. Дождавшись, пока джип уедет, Щербак с Головановым обежали холм и остановились. Внизу, в котловане, лежал взорванный «ЗИЛ», точнее то, что от него осталось.

— Уф, — выдохнул Щербак. — Что-то мне не по себе, Сева, что-то я нервничаю. Давай исчезнем, пока не заработали себе по инфаркту.

— Согласен. Пора прекращать наблюдение, иначе это может плохо закончиться. Мы и так слишком много узнали.

— Хотя бы?

— Хотя бы, например, то, что бригада Медведя — ложный след, и нужно все начинать сначала, — со вздохом сказал Голованов.

— Тогда опять звони Максу, пусть передаст эту глубокую мысль Денису.

Глава десятая

Первый раз за последнее время он променял медитацию на что-то другое. Но тут был такой бассейн, что сложно оказалось не соблазниться. У Дениса не было плавок, поэтому он разделся полностью и, прыгнув в прохладную воду, мощными гребками рассек податливое голубое пространство. Бассейн был круглый, едва ли больше пятнадцати метров в диаметре, но для одного человека, который вовсе не стремится фиксировать свои рекордные секунды, этого оказалось предостаточно. Денис несколько раз пронырнул басссйн взад-вперед, потом перевернулся на спину и так застыл. Солнце припекало не сильно, пожалуй, в самый раз, чтобы не замерзнуть. Денис лежал неподвижно, волнение воды прекратилось, и даже круги по воде больше не шли. Его взгляд был устремлен в небо, но на самом деле он смотрел внутрь себя и думал о том, что же с ним происходит. Вот жил себе человек, занимался не таким уж бесполезным делом, помогал людям, потом поехал отдыхать за границу, и вдруг его оттуда вытягивают чуть ли не на президентском самолете, окунают в гущу политических и еще непонятно каких событий, потом сажают в тюрьму и требуют ответов на вопросы, которых у него нет.

Что все это значит? Кто в этом виноват? И что делать дальше?

Извечные русские вопросы, черт побери. Но кто же может дать на них ответ, кроме него самого?

Денис почувствовал, что на него кто-то смотрит. Но он продолжал смотреть в небо, и у него не шевельнулся ни один мускул. Хотя умом Денис понимал, что это невозможно, что смотреть на него тут некому, потому что в этом доме он один, хозяин уехал в Москву, и больше тут просто никто не может быть, ощущение постороннего присутствия не отпускало. А раз так, значит, кто-то действительно пялился на него. За последнее время Денис привык верить своим инстинктам, и они его не подводили. Он не поворачивал головы, не водил глазами, но все же чувствовал, что вызывает чей-то неослабевающий интерес. Денис вспомнил о том, что купается совершенно голый, и из этого сделал вывод, что за ним подглядывает женщина. Ну что ж, хоть он и не эксгибиционист, но — на здоровье, хотелось бы только надеяться, что женщина эта — молодая и хорошенькая, а не стокилограммовая тетка, припершаяся на соседнюю дачу проследить за помидорами.

Денис вспомнил последнее общение с генералом Спицыным и внутренне рассмеялся. Что он тогда ему посоветовал? Семь самурайских вдохов и выдохов, перед тем как принять решение? Может, стоит самому поменять индийскую методику на японскую?.. Денис вдохнул и выдохнул шесть раз, на седьмом вдохе погрузился на дно и застыл там, продолжая предаваться своим неспешным и не слишком веселым мыслям.

Итак, правильно ли он поступил, снова обратившись за помощью к своему коллеге Быковскому? Конечно, долг платежом красен, но не исключено, что в этот раз для Андрея Сергеевича, поселившего Дениса в своем загородном доме, риск окажется даже большим, чем прежде. Хотя по-прежнему о Быковском и его роли в ростовской операции не знает не только ФСБ, но и коллеги Дениса — оперативники «Глории». Даже Ванштейн пока не знает, в смысле — Пенгертон, потому что сказать этим ребятам — значит сразу же протрубить на весь мир. Другое дело, что за ними право первой ночи: Денис намерен был сдержать слово, и, когда придет время, именно «Товарищ либерал» первым сможет рассказать о подробностях ростовской истории. А Андрей Быковский, конечно, молодчина и настоящий профи, но вот и он уже начинает опасаться накаляющейся ситуации. Сегодня утром между ними состоялся такой разговор.

— Денис, может быть, тебе стоит уехать за границу? — сказал вдруг Быковский.

— Зачем это? — удивился Грязнов-младший.

— Мне кажется, — вздохнул директор детективного агентства «Винкельман и К°», — ты не совсем адекватно себя ведешь. Сначала Индия, потом московская тюрьма немного снесли тебе мозги набекрень. Ты недооцениваешь опасность. Не сегодня завтра тебя снова арестуют, и в этот раз никакой сделки с ФСБ не получится, им ведь до зарезу нужен козел отпущения. Я хочу тебе помочь нормально, по-человечески, а не просто пряча тебя в подвале и ожидая у моря погоды. Ты же сам голову в петлю суешь!

— Согласен, — кивнул Денис. — Хотя подвал у тебя вполне комфортабельный.

Они сидели на деревянной, увитой плющом веранде и пили чай. Здесь же Денис и спал ночью. Было здорово.

— Вот и славно, — обрадовался Быковский. — У меня в Белоруссии есть канал для нелегального перехода границы, даже документы менять не придется. На западе, знаешь ли, лучше жить под своим настоящим именем, если, конечно, ты не в розыске Интерпола. А если вдруг наши спецслужбы тебя там вычислят и потребуют экстрадиции, то ты заявишь, что это политическое дело и оно шито белыми нитками. Западные СМИ сразу с этим охотно согласятся, что и сыграет решающую роль. Там общественное мнение со счетов просто так не сбросишь! Поживешь в свое удовольствие, помедитируешь. Твой гениальный программист мог бы, наверное, незаметно снять со счетов «Глории» какую-то сумму, ее лучше взять наличными и переправить через надежных людей, чтобы за бугром не светиться в банках и не привлекать к себе ненужного внимания. А когда убийцу найдут — а его обязательно «найдут», ФСБ носом в грязь не ударит, — ты сможешь вернуться.

Денис засмеялся.

— Я что-то не так сказал?

— Ты не понял, Андрей Сергеевич, я согласен с тем, что ФСБ нужен козел отпущения. А со всем остальным не согласен. Включая мой отъезд за границу. Ведь козлом отпущения не обязательно будет невиновный человек. Им вполне может стать и настоящий преступник, тебе такое в голову разве не приходило?

Быковский был расстроен и только махнул рукой.

— Да я же в принципе не отказываюсь, — сказал Денис, — надо подумать.

Быковский сказал, что спешит на работу и что, если Денис надумает, они этот разговор продолжат вечером.

Денис предположил, что помимо всех остальных резонов Быковский уже просто опасается прятать его в собственном доме. Ну что ж, вполне нормальная здоровая реакция, в конце концов, он и так уже порядочно Быковского напряг, но пока, к сожалению, действительно нет лучшего места для отсидки.

После отъезда Андрея Денис связался с Максом и передал информацию для своего дяди, он хотел посоветоваться. Через четверть часа последовал ответ. Вячеслав Иванович тоже считал, что Денису лучше незаметно уехать за границу, если есть такая возможность. Денис договорился с дядей о деньгах.

Макс передаст их Вячеславу Ивановичу, а тот переправит через границу, а лучше через две, для начала в Германию. В этом поможет старый друг Питер Редцвей.

Потом Денис покупался, пообедал, поспал и снова оказался в бассейне. С момента отъезда Быковского прошло часов пять.

Денис, обдумывая нюансы отъезда, некоторое время лежал на дне бассейна, когда вдруг его в грудь что-то ткнуло. Оказалось, кто-то, стоя на бортике, настойчиво тормошил его длинной палкой со специальным приспособлением на конце — для чистки бассейна. Пришлось всплыть.

На бортике стояла девушка с перепуганным лицом, которое показалось ему смутно знакомым.

— Слава богу, вы живы! — закричала она.

— А почему должно было быть иначе? — спросил он.

— Я решила... — она смутилась, — что вас отравили... или вы покончили с собой... или...

— Или я Ихтиандр. К счастью, вы ошиблись. Как вас зовут?

— Алина...

— Алина, если вы дадите мне вон то полотенце, что у шезлонга валяется, то я вылезу из воды.

Она смутилась:

— Да, извините, конечно! — Подала ему полотенце и отвернулась.

Денис понял, что это она наблюдала за ним, когда он голый лежал на спине. И еще понял, почему ее лицо показалось ему знакомым. Это была Алина Красовская, помощница покойного тележурналиста Кондрашина, точнее, редактор программы «Итоги недели». У Дениса, конечно, профессиональная память на лица, но он, вероятно, слишком уж был занят своими мыслями, так что реальные вещи и люди, вдруг внедрявшиеся в его сознание, не сразу там находили свое место.

— Вы меня вспомнили? — робко спросила девушка.

Он кивнул и подумал, что сейчас эта миниатюрная стройная девушка в цветастых шортах и узеньком топике совсем не напоминает ту уверенную московскую деловую женщину, так по-хозяйски носившуюся в Останкинской студии.

— Вы следили за мной? — спросил Денис.

Она снова смутилась.

— Вы не поняли, Алина, я не это имел в виду. Вы следили за мной из города? Как вы меня тут нашли?

— Что вы?! У нас дача по соседству. Собственно, когда-то это все, — она сделала круговое движение рукой, — был наш участок, но пять лет назад мой отец продал половину Андрею Сергеевичу.

— Быковскому?

— Ну да.

Так вот оно что. Это было малореальное, почти фантастическое, но все же совпадение, которое случается в каждом деле максимум один раз, и которое так знакомо любому профессионалу.

— Угостить вас чаем? — любезно предложил Денис.

— Вот уж не знаю... — девушка почему-то испуганно сделала шаг назад.

— У вас такой вид, точно я предложил что-то непристойное, — засмеялся Денис.

В сотую долю секунды что-то заметив в ее зеленых глазах, он положил на плечо девушке свою еще мокрую руку. Это произошло само собой — ее взгляд, его движение навстречу, ее легкий вздох... Топик соскользнул сам собой.

— Только не тащи меня в бассейн, Ихтиандр, — еле слышно пробормотала она.

Полтора часа пролетели как один миг...

Потом она говорила:

— Я об этом мечтала, когда только тебя в первый раз увидела.

— Надо было сказать.

— Тогда все было бы не так.

— Это точно.

— Никогда не занималась любовью с человеком, объявленным в розыск, — засмеялась Алина, закуривая неизвестно откуда взявшуюся сигарету. — Хотя я честно обрадовалась, когда тебя выпустили! Ты удивительный человек, стоило тебе один день побыть на свободе, как ты тут же нашел Пенгертона! Как тебе удается спецслужбы с носом оставлять?

Они лежали прямо на траве, подложив все то же полотенце.

— Это фамильное... А вот насчет розыска — неудачная шутка, — сказал Денис. — Надеюсь, все же до этого не дойдет.

— Ты с луны свалился? — Ее застенчивость после близости как ветром сдуло, Алина легко и просто перешла на «ты». — Уже случилось!

— То есть как? Откуда ты знаешь?

— Перед тем как я с работы уехала, пришли свежие новости, и эта в том числе. А я думала, ты тут прячешься, а ты, оказывается, ничего не знаешь! Можно мне в твой бассейн? — Не дожидаясь ответа, она сиганула вниз.

Денис следил за ее гибкой фигуркой и думал: ну да, ведь Алина Красовская работала на телевидении, кстати, на канале СТВ, принадлежащем Чегодаеву.

Не верить ей у Дениса оснований не было, но он все же поднялся и сходил в дом. Там, в кухне, на столе лежал его ноутбук. Денис быстренько залез в Интернет и посмотрел последнюю сводку московских новостей.

Алина Красовская была права. Ордер на его арест несколько часов назад выдала Мосгорпрокуратура. Значит, поскольку ни дома, ни в офисе его не нашли, тут же объявили в розыск. Вот ведь... Быковский как в воду смотрел. Эх, надо было сваливать из страны гораздо раньше...

Ну да что теперь мечтать, теперь и до Белоруссии не так-то просто будет добраться. Нет, о том, чтобы смыться за кордон, нужно на время забыть. Этого-то как раз от него и будут ждать — бегства, так что лучше сидеть тут, у них под боком. Тогда едва ли найдут...

А девушка? — подумал вдруг Денис. Что, если это все же не случайность, что, если она — часть чьей-то игры? Не похоже, конечно, но если так, то лучше держаться к ней поближе. Совместить приятное с полезным... Фу, какой цинизм... А что делать, жизнь такая — один большой сплошной цинизм. Но, как говорил Кришна, общение, в которое люди вступают ради удовлетворения своих чувств, лишь порабощает их. И только то же самое общение со святой личностью приводит человека на путь освобождения, даже если он не подозревает, с кем общается...

А может, стоит считать всех, с кем он, Денис Грязнов, общается, святыми личностями? Ванштейна, Спицына и прочих?

Начнем с Алины. Пусть она сегодня будет святой личностью.

Он натянул джинсы и выгоревшую на солнце футболку и вернулся к бассейну с бутылкой холодной минеральной воды и двумя стаканами. Прежде чем налить, прислонил бутылку к ее животу, и Алина радостно завизжала.

Денис снова устроился рядом и принялся ненавязчиво выпытывать, что еще интересного происходит в мире прессы. Алина, проработав немало времени рядом с такой видной фигурой, как Кондрашин, привыкла быть в курсе всех светских и профессиональных новостей. Оказалось, что Джордж Пенгертон дал хорошего пинка временному управляющему Алексашину, причем сделал это виртуозно. Созвал пресс-конференцию, на которую съехались многочисленные представители журналистского мира. Подразумевалось, что он будет говорить о своем недавнем пребывании в плену у чеченских боевиков.

Поначалу так и было. Пенгертон, весь заклеенный пластырем, выглядел эффектно. Особенно когда, потрясая пачкой документов (закон о печати, устав издательского дома и пр.), заявил, что сидящий рядом господин Алексашин находится в издательском доме незаконно. Алексашин отреагировал на удивление нервно, опротестовывая слова своего оппонента, он зачем-то попытался вырвать у него из рук упомянутую пачку документов, в ответ на что получил увесистую оплеуху, кинулся на Пенгертона снова и получил второй раз, после чего отлетел вместе со стулом. Это было не хуже чем знаменитые публичные драки Жириновского. Телевизионщики локти потом себе кусали, что не показали это действо в прямом эфире, хотя все, разумеется, фотографировалось, снималось и уже сейчас наверняка вовсю крутится по ящику. Можно пойти посмотреть...

— Потом, — отмахнулся Денис. — А что еще?

— Еще, говорят, зреет очередной скандал, связанный уже непосредственно с Ванштейном. Когда Пенгертона похитили, Ванштейн начал печатать документы, которые ему прислали чеченские полевые командиры, о некоторых вещах, о которых в проправительственных СМИ, таких, например, как наш канал СТВ, говорить не принято. Ты не читал?

— Нет, но я вроде что-то об этом слышал.

— Так вот, теперь подобные материалы появились в английских и американских газетах. Как они там оказались — никто не знает.

— Разные материалы?

— Я не знаю, я их не читала.

— Откуда тогда знаешь?

— У нас в эфире сегодня прошел материал об этом. «Вашингтон пост» и «Дейли телеграф» напечатали...

Значит, Пенгертон с благословения Ванштейна начал сливать компромат на Запад, сообразил Денис. «Вашингтон пост» и «Дейли телеграф» — это газеты не пустяковые. Если два таких монстра согласились напечатать одинаковые материалы, значит, у них есть основания верить русским журналистам. Это большой скандал, может, даже грандиозный, который как минимум призван выдернуть Ванштейна из-за решетки, как максимум — открыть новые горизонты перед его бизнесом, а скорей всего — дать ему пропуск в мир большой политики. Если Кремль не сможет документально все опровергнуть, он сделает из Ванштейна героя и правдолюбца. М-да... Вот это работка...

Денис вытер вспотевший лоб. И ведь именно он, и никто другой, дал Пенгертону возможность так развернуться. Впрочем, есть оправдание: он просто помогал человеку, попавшему в беду, такая у него работа.

— Давай-ка посмотрим эти материалы, — предложил Денис. Он вынес на веранду ноутбук, подключил его к мобильному телефону, вошел в Интернет и стал искать то, о чем говорила Алина.

Статьи действительно оказались почти одинаковыми. Лишь предваряющая редакционная шапка у них была немного разной, а потом без каких-либо различий цитировались материалы, «полученные из компетентных источников».

— Что там написано? — нетерпеливо спросила Алина. — Я не читаю по-английски.

— «...Настойчивые слухи о создании в России нового ведомства для контроля над спецслужбами находят теперь однозначное подтверждение...» Ну и так далее.

— Ты что-нибудь понимаешь?

— Куда уж понятнее, — усмехнулся Денис и отключился от Сети. — Знаешь что, давай забудем на время о большой политике и займемся чем-нибудь приятным...

Тут зазвонил телефон, оставленный Алиной возле бассейна. Она кивнула ему, улыбаясь, и побежала на звонок. Денис любовался ею, буквально останавливая мгновения. Но это было недолго. Он заметил, что улыбка быстро сходит с лица Алины.

— Да, я поняла, — сказал она потухшим голосом и сунула трубку в карман. — Звонили с работы. Мне нужно срочно ехать. Там у нас кое-что...

— И что же? — равнодушно спросил Денис.

— Я не могу тебе это говорить, — прошептала Алина.

— Именно мне? — уточнил он.

— Ни тебе, ни кому другому.

— Если сегодня это будет в эфире, я все равно узнаю, — напомнил Денис. — Я и все другие.

— В общем... — Алина вздохнула. — Приехал босс, злой как черт...

— Чегодаев?

— Да. Он вообще у нас нечасто появляется. А тут, говорят, пожаловал с целой сворой каких-то странных людей...

Люди Медведя, подумал Денис, не иначе.

— Позвал к себе всех редакторов новостных программ, и сейчас они сочиняют опровержение «грязных инсинуаций» в английской и американской прессе. Только меня там нет. Мне надо ехать, Денис... Каким-то тридцать седьмым годом попахивает... Я боюсь, — призналась она после некоторой паузы. А не ехать — еще больше боюсь. Что делать, а?! — На ресницах ее блестели слезы. Настоящие. Никакая это не подстава, подумал Денис, и ему сразу стало стыдно. Живая, настоящая девочка. Искренняя и трогательная.

— Ты езжай, езжай, — успокаивающе сказал он. — Не волнуйся и езжай. Это твоя работа все-таки. Тридцать седьмой год тут ни при чем. Там твои друзья, увидишь их — сразу успокоишься.

Она кивнула, обняла его за шею, постояла несколько секунд и убежала. Потом вернулась и осторожно спросила:

— А про тебя теперь никому нельзя говорить, да? Ты прячешься, да?

— Умница, — кивнул Денис. — Только «никому» — это означает действительно никому, включая родственников и близких подруг. — По ее глазам Денис понял, что его последние слова лишними не были. — А лучше всего, когда уедешь отсюда, сама выбрось из головы, что ты меня видела.

— А... но мы же еще увидимся? — в ее голосе была робкая надежда.

— Конечно, — уверенно кивнул Денис, совершенно не будучи в этом уверен.

Алина просияла и убежала.

Два часа спустя Денис смотрел плоды творческого труда телеканала Чегодаева.

Изящная брюнетка, политический обозреватель СТВ, посверкивая цыганскими глазами, ворковала:

«Мы просим у мирового журналистского сообщества солидарности, такое поведение американских и английских коллег просто неприемлемо! Если даже на минуту допустить, что их грязный пасквиль — правда, то есть если им, паче чаяния, стали известны российские государственные секреты, то какое они имели право оглашать их на весь мир?!»

— Короче, требуем расстрелять их как бешеных собак, — с отвращением резюмировал Денис и выключил телевизор.

Он побродил по саду, думая о том, что за последние несколько дней это уже третья московская дача, где ему пришлось побывать. Впрочем, в отличие от двух ванштейновских, у отнюдь не миллионера Быковского все было в образцовом порядке.

Если канал СТВ выдает такие заявленьица, значит, на Чегодаева здорово давят. С другой стороны, его СМИ всегда занимали позицию либо на сто процентов прогосударственную, либо, если в этом не было особой нужды, оппозиционную по отношению к линии, которую проводили газеты Ванштейна. Денис, конечно, мало что в этом понимал, но даже ему было очевидно, что до недавнего времени два медиамагната по своему могуществу были неравны: наличие у Чегодаева телеканала давало возможности, о которых Ванштейн и мечтать не мог. Один неглупый человек когда-то говорил Денису, что работа на телевидении меняет кого угодно, даже просто прикосновение к миру голубого экрана, а уж если ты сам на нем регулярно появляешься, да еще в прямом эфире, то крышу может снести запросто.

Чегодаев, конечно, никаких телепрограмм не делал и в прямом эфире не сидел, зато он владел всем этим сразу и по частям, и его неадекватность проявлялась в других масштабах, чем у редактора новостных программ или популярного телеведущего. Он чувствовал власть над людьми на огромной территории, от Калининграда до Камчатки, и Денис мог только догадываться, сколь сладостен был для Чегодаева этот наркотик и кто раз за разом услужливо наполнял его шприц.

Денис вернулся в дом и написал короткое сообщение Максу:

«Поинтересуйся у наших друзей, не захотят ли они посмотреть на одного зверя в его берлоге?»

Ответ пришел через несколько минут. Очевидно, Щербак и Голованов находились рядом.

«Ты рехнулся?»

Денис реагировать на это не стал, решил подождать, пока Сева с Николаем перестанут горячиться и обсудят между собой реальную возможность наблюдения за генералом Медведем.

Через шесть минут последовала новая реакция:

«Стимул будет?»

Значит, господа частные детективы не против рискнуть. Возможно, именно дерзость задачи и привлекала, Денис на это рассчитывал. Он усмехнулся и постукал по клавишам:

«Именное оружие — от меня лично».

«А разрешение на внесезонную охоту организуешь?»

Денис поскреб затылок...

«Лучше зарегистрируем акционерное общество

профессиональных браконьеров. Представляете, сколько будет желающих?»

«Какие есть идеи?»

«Легче всего — в машине. В этом году совсем мало колорадских жуков, что плохо сказывается на урожае. Подкатите с информацией обо мне. Только отрепетируйте и взвесьте каждое слово».

На первый взгляд фраза *«В этом году совсем мало колорадских жуков, что плохо сказывается на урожае»* была абсурдна. Почему же тогда это плохо сказывается, если их мало? Как раз наоборот — хорошо!

Но вот почему.

«Колорадский жук» — это была радиоуправляемая модификация миниатюрного подслушивающего устройства — дорогая и, что немного обидно, одноразовая игрушка, но Денис не поскупился и приобрел несколько штук на выставке «Охранные системы — XXI век». Радиоуправляемость ее состояла в том, что можно было подать команду, и «жучок» просто тихо расплавлялся, оставляя после себя крохотный бордовый комочек пластика, по цвету действительно напоминающий колорадского жука.

Генерал-майор Медведь не был в бешенстве, так могли подумать люди, которые его мало знали. Но поскольку подобных было большинство, то у окружающих сложилось именно такое мнение. На самом деле Медведь был в состоянии, близком к панике, ибо в настоящий момент вся его карьера повисла на волоске. А надо сказать, что к своим тридцати шести годам Герман Иванович карьеру сделал блестящую. Элитный армейский контрразведчик числился помощником президента безо всяких формулировок, но, конечно, кто хоть раз слышал о Медведе, не мог сомневаться, что он занимается исключительно вопросами, связанными с безопасностью на федеральном уровне. Досужие сплетники давно уже приписали Медведю просто демоническое влияние, которое он якобы оказывал на главу государства, но это было не так. Другое дело, что он много сил прикладывал в этом направлении, но все было непросто. Президент позволял Медведю осуществлять кое-какие самостоятельные шаги и даже немного стимулировал его интриги против ФСБ, однако и спрашивал по конкретному результату, которого пока что — кот наплакал. Возможно, если бы все планы удались, то существующая конкуренция между силовыми ведомствами раз и навсегда отошла бы в прошлое, а помощник президента в равной степени курировал бы их все — разделял бы и властвовал. Для этого в первую очередь необходимо было отменить должность секретаря Совета безопасности, который вместе со всем своим огромным бюрократическим аппаратом формально как раз и осуществлял функции, которыми Медведь хотел заниматься тайно и единолично. Но чтобы свалить секретаря Совбеза, недавнего выходца из ФСБ, нужно было убедить руководство страны в том, что в самой Службе безопасности дела творятся — хуже некуда. Опытный карьерист, Медведь давно знал, что лучший компромат на конкурента — это не свидетельство его предательства или двойной игры, а доказательства некомпетентности и профнепригодности.

Медведь не питал личной неприязни, скажем, к Спицыну, начальник антитеррористического отдела ФСБ для него вообще не существовал как человек. Это была просто шахматная фигура на доске, в самом центре сражения, которую нужно было ликвидировать как можно скорее.

Обдумывая сей сложный гамбит и роли в нем Ванштейна, Пенгертона, Чегодаева, Медведь не заметил телефонного звонка. Собственно, звонок был не совсем звонок: Медведь не любил посторонних шумов, сбивающих стремительный ход его мысли, так что на приборной панели «мерседеса», в котором он ездил, были три лампочки, свидетельствующие о поступающих звонках по трем линиям, одна из которых связывала его напрямую с канцелярией президента, вторая — с собственной секретаршей, наряду с водителем, самым доверенным лицом, а третья — так сказать, запасная, известная лишь небольшому кругу его оперативных сотрудников. Больше звонить было некому, поскольку семьи и друзей у государственного человека генерала Медведя не было.

Водитель покашлял:

— Герман Иванович...

Медведь увидел, что звонок идет по первой линии, значит, говорить предстоит с президентом. Он внутренне собрался. Глава государства еще не обсуждал с ним публикации в английской и американской прессе. Ну что ж, возможно, сейчас будет принято какое-то судьбоносное решение.

Генерал взял трубку и произнес своим железным голосом:

— Медведь.

В президентском аппарате работает немало сотрудников, но на связь с Медведем выходил обычно один и тот же молодой человек, немного картавый голос которого генерал узнал бы и в бреду. Однако сейчас в трубке послышался какой-то кашель, потом кто-то с легкой хрипотцой сказал как бы куда-то в сторону:

— Да погоди ты, сейчас сигарету потушу... Да, уже

дозвонился, не мешай. Извините, Герман Иванович. Мне нужно с вами встретиться.

— Кто вы? — удивился Медведь.

— Я сотрудник частного охранного предприятия. У меня есть для вас важное сообщение...

— Позвоните моему секретарю и...

— Вы не понимаете...

— Это вы не понимаете! Послушайте, откуда у вас этот номер?!

— Я говорю последний раз, — сказал неизвестный, — перебьете меня снова — брошу трубку. У меня сообщение, касающееся *вашей* безопасности. А не вашего секретаря. Если *вас* это интересует, давайте встретимся.

— Хорошо, — сказал изумленный генерал. С ним так никто не разговаривал уже несколько лет. Последним был отец, артиллерийский генерал-лейтенант, но он после инсульта уже не говорит.

— Я подсяду к вам в машину, для этого подъезжайте прямо сейчас на угол Большой Пироговской и переулка Хользунова.

И раздались короткие гудки.

Медведь подумал минуту, затем перезвонил доверенному специалисту, контролирующему телефонные переговоры.

— Мне только что звонили. Я хочу знать: откуда, кто и так далее...

— Да, Герман Иванович...

Медведь ждал.

Через некоторое время последовал ответ:

— Герман Иванович, определить звонок не удалось. Какое-то сложное блокирующее устройство.

— Что?! — зарычал Медведь. — А у вас что тогда?! Вы же там набиты ультрасовременной техникой по самое не могу!

— К сожалению, объяснения этому у меня нет, — голос звучал растерянно, и Медведь пожалел, что наорал. Проколы у всех случаются, хотя этот — уж очень не вовремя.

— Едем на угол Большой Пироговской и переулка Хользунова.

Шофер растерянно посмотрел на шефа: вообще-то они направлялись в Кремль, уж не ослышался ли он? Медведь ободряюще кивнул, мол, давай, жми.

— Знаю это место, — сказал водитель. — Там морг недалеко.

Медведь криво усмехнулся, черный юмор он ценил. Работа была такая.

...Притормозив там, где его просили, Медведь подумал: а вдруг дело правда касается моей безопасности, вдруг сейчас подойдут ребята с автоматами и расстреляют в упор. И никто не узнает, что киллеры мне встречу назначили, а я сам, как дурак, сюда приперся.

На перекрестке было пустынно. Медведь уже начал сомневаться, что встреча состоится, как в стекло машины постучали. Водитель выглянул со своей стороны и сказал:

— Он один. Руки пустые.

Медведь открыл дверцу и пустил незнакомца к себе на заднее сиденье. Рядом с ним оказался мужчина под сорок, ничем не примечательной наружности, в джинсах, кроссовках и льняной рубахе навыпуск. Он широко улыбался и жевал жвачку. Последнее разозлило Медведя больше всего.

— Может, объяснитесь, наконец? — холодно сказал он.

— Герман Иванович, моя судьба в ваших руках. Ни секунды не сомневаюсь, что я не успею до дома доехать, а вы уже будете знать, кто я такой, так что скрывать мне нечего. Меня зовут Николай Щербак.

Я вам не соврал, я — сотрудник частного охранного предприятия «Глория», иначе говоря, детективного агентства. О нем вы, возможно, слышали, поскольку наш директор помимо своей воли за последнее время стал шибко популярным человеком.

— Я понял, — сказал Медведь. — Грязнов. Я с ним знаком.

— Не знал этого, — от всей души соврал Щербак. — Тем лучше. Я не буду вас уверять, что Денис Андреевич чист как слеза ребенка. Бог даст, он и сам это докажет, кроме того, я верю в наше правосудие почти так же сильно, как в наши спецслужбы, которые из кожи вон лезут, чтобы его подставить.

Медведь улыбнулся краешком рта.

— Но я здесь не за этим, — продолжал Щербак. — У меня информация, что на вас готовится покушение.

— Откуда такие сведения?

— Мне это передал Денис Андреевич. Упреждая ваш вопрос, могу сказать, что не знаю, где он находится. Когда после выхода из СИЗО он заехал домой, некто, не назвавший себя, сообщил ему по телефону о том, где находится похищенный чеченцами глава издательского дома «Товарищ либерал». Сегодня утром Грязнов связался со мной и рассказал, что был еще один звонок — относительно вас. Поскольку предыдущая информация анонима подтвердилась, Грязнов решил, что и теперь стоит проявить бдительность. Сегодня вечером, когда вы вернетесь к себе домой, в тот момент, когда подъедете к дому, взорвется припаркованная рядом машина, это окажется какая-то отечественная модель. В ней будет заложено восемьсот грамм тротила. Сами понимаете, взрыв будет такой силы, что ваш «мерседес» не уцелеет. Кстати, если я не ошибаюсь, он не бронированный.

— Не ошибаетесь... — Медведь замолчал, обдумывая услышанное. Либо это провокация, либо правда — третьего не дано. Если провокация — чтобы не стать мишенью для врагов, нужно вести себя как обычно, разумеется предприняв меры безопасности. Если это правда — тем более. — Ладно. Что вы хотите? — Он посмотрел на Щербака. У того было вполне спокойное лицо, ни один мускул не выдавал прикладываемых к этому усилий.

Щербак пожал плечами:

— На ваше усмотрение: виллу на Бермудах или бордель в Турции.

— Я серьезно вас спрашиваю.

— И я серьезно. Ничего такого, в чем бы я действительно нуждался, вы мне дать не в состоянии.

— Правда? — иронично усмехнулся генерал. — Вы, кажется, не совсем понимаете, кто я.

Щербак засмеялся:

— А может, это вы отвыкли иметь дело с живыми людьми, которым плевать на вашу власть и погоны? Я вот, например, влюблен в одну замужнюю женщину. Ну и что же теперь, вы доставите мне ее на дом в оригинальной упаковке? Нет, Герман Иванович, считайте, что я просто выполняю свой гражданский долг, а также просьбу своего шефа и друга — предупреждаю вас. Как вы поступите по отношению к нам в дальнейшем — ваше личное дело.

— Откуда все-таки у вас мой телефон? — спросил Медведь. — Вы хоть представляете себе, что это за номер и кто может по нему звонить?!

— Я же детектив, — снова засмеялся Щербак и кивнул на прощание: — Желаю здравствовать... — Он вышел из машины и свернул за угол.

Оба, и водитель, и Медведь, отчего-то смотрели на табличку, на которой было написано: «Переулок Хользунова».

— Хользунов, Хользунов, — пробормотал шофер, разворачивая «мерседес», — странная какая фамилия.

— Это летчик. Герой Советского Союза, в Испании в тридцатые воевал, — машинально объяснил всезнающий Медведь.

— Понятно... Наверно, репрессировали потом.

— Нет, не успели, он в авиационной катастрофе погиб.

— Ну, значит, повезло, — сказал шофер.

Медведь молчал, потрясенный этой мыслью.

— Как жук? — спросил Голованов, после того как Щербак, переждав отъезд «мерседеса», зашел во двор и сел в «форд-маверик».

— Прилепил к сиденью, — сказал Щербак, — у него под правой ногой.

— Не собьет случайно?

— Так давай послушаем и узнаем.

Голованов кивнул и осторожно покрутил настройку приемника. Голос Медведя был хорошо узнаваем, но звучал все тише. Медведь, видимо, говорил с водителем:

«...о том, что сейчас слышал, никому ни слова, понял?»

«Так точно, Герман Иванович».

«Подними стекло, мне надо поговорить... Пригласите Чегодаева... Да, он ждет моего звонка...»

— Коля, гони за ними, если ты представляешь, куда они поехали, а то совсем звук уйдет!

Сыщики выехали на Большую Пироговскую, покрутились вокруг квартала.

— Да вон же они, — недовольно сказал Голованов.

— Я раньше тебя заметил, — обиделся Щербак. — Не могу же сразу внаглую к нему прилепиться.

— А прослушку в его тачку засовывать можешь! — засмеялся Голованов.

...Быковский позвонил и сказал, что сегодня не приедет, он все-таки руководит ЧОПом, занятым охраной ВИП-персон, а с ними, с этими козлами толстозадыми, часто случаются нестандартные ситуации, ну и так далее.

— Да что ты извиняешься, — сказал Денис, — это же я должен извиняться, что у тебя тут засел как бедный родственник.

— Не бедный родственник, а беглый каторжник! — засмеялся Быковский.

— А, ты уже в курсе...

— Плохие новости, знаешь ли, быстро распространяются... Слушай, я вот что подумал, может, мне с твоими ребятами в контакт войти, узнать, что там у них происходит? Наверняка же к ним приходили...

— Нет уж, Андрюша, — взмолился Денис, — хоть ты останься в стороне от этого кошмара, я тебя прошу! Я и так столько народу втянул. Того, что ты для меня делаешь, — уже выше крыши...

— Ну как знаешь. Кстати, вариант с Белоруссией не отпадает, не дрейфь. У меня есть кое-какие идеи, увидимся — расскажу.

Денис анализировал информацию, поступающую от коллег. Их решение прекратить наблюдение за бригадой Медведя он решительно одобрил, хотя подумал было, что крутиться рядом с местом убийства Кондрашина люди Медведя могли не ради наблюдения за действиями следственных бригад, а потому что проводили собственное расследование. Все-таки Медведь предлагал ему работу в таком (!) ведомстве, а он, возможно, оказался, с точки зрения больших государственных людей (к которым Медведь себя, без сомнения, причисляет), банальным грабителем.

Снова и снова разглядывая карту Москвы, где он сам обозначил дом, из которого люди Медведя якобы откачивали дерьмо (Коле Щербаку для этого пришлось туда еще раз специально съездить, чтобы зафиксировать адрес, ну а Макс, как водится, постоянно был на связи — все передал), Денис видел вокруг обычный спальный район: дома, школа, детсад, поликлиника, магазины, метро. Вероятно, действительно наблюдение велось за отделением милиции.

Но что это нам дает? Как будто ничего.

На дворе стемнело. Помедитировать, что ли?

В саду раздались шаги — приехала Алина. А это что нам дает? Очень и очень многое.

Вечером к стоянке перед домом Медведя медленно подъезжал «мерседес». Это только с виду была его машина, на самом деле для операции был найден другой автомобиль, на который были повешены такие же, как у генерала, номера. За рулем сидел бывший армейский разведчик Астахов, рядом его боевой друг Спиридонов. За тонированными стеклами никого из них видно не было.

— Ты что-нибудь видишь? — спросил Спиридонов.

— Я вижу только, что парковаться негде, все забито. А Герман говорил, что тут всегда пустая парковка.

— Да, но бомба должна быть в отечественной тачке, а тут...

Действительно, на парковке стояли «ауди», «БМВ», «мерседесы», «вольво» и ни одних «Жигулей» или «Волги».

— Так будем парковаться или нет?

— Герман сказал — нужно. Он хочет, чтобы было покушение. Такие вещи рейтинг поднимают. Поставим машину и свалим, посмотрим, что будет.

— Жалко такую тачку гробить, — после паузы сказал Спиридонов. — Я на «япошку» целый год копил...

— И не говори... Ладно, куда же встать-то... А это что?! Е-мое! Отъезжаем.

Единственное свободное место на парковке соседствовало с маленьким голубым... «Запорожцем».

Астахов и Спиридонов отъехали подальше и смотрели на него во все глаза. Вот это наглость — въехать на такой дедушкиной колымаге на парковку возле элитного дома. Да как он сюда вообще влез, на охраняемую территорию?

Они пошли выяснять этот щекотливый момент.

Охранник при въезде сказал, что документы у водителя были в порядке, парковочный талон как у всех тутошних постояльцев, а в лицо он ему не заглядывал, не помнит, кто там был, много уже времени прошло.

— Ну я не знаю, позвонить Герману, что ли? — засомневался Астахов. — По-моему, что-то не так.

— Витя, — улыбнулся Спиридонов, — ты скажи честно, не веришь ему, да? Думаешь, он сам все придумал?

— Да уж не знаю, что и думать, — крякнул Астахов.

— Смысл в чем? Бомба взрывается, когда наш «мерс» подъезжает, так?

— Так.

— Значит, она или радиоуправляемая, или мы сами включаем взрыватель под асфальтом, когда паркуемся. Выходит, Герман нас подставляет? Однозначно грохнемся.

— Почему мы раньше до этого не додумались? — спросил, весело улыбаясь, Астахов.

— Мы додумались, просто оба молчали, — глядя прямо ему в глаза, сказал Спиридонов.

Они, не сговариваясь, отправились к «Запорожцу». Подошли с той стороны, где опасности быть не могло — справа, там оставалась щель между машиной и стеной дома. Оттуда было видно, что под водительским сиденьем лежит пластиковый пакет. От него к двери шел какой-то шнур.

— Фигня, — сказал Спиридонов, — я умею с такими штуками управляться. Взорвемся, значит, взорвемся. У меня долгов до черта. Главным образом все — Герману. Ему же хуже.

Четыре минуты ушло на то, чтобы перочинным ножом вскрыть правую дверцу. Спиридонов медленно потянулся к пакету, начал медленно открывать его.

— Рома, не натягивай шнур, — предупредил Астахов. — Пусть пакет с бомбой остается на месте.

— Да знаю я, — процедил Спиридонов, и в тот же миг раздался мощный хлопок.

Астахов не стал уклоняться от того, что выпало на долю его боевого друга, и тоже принял удар на себя. Оба остались живы. В сущности, они даже не были ранены. Это оказалась «бомба-обманка», заряженная пакетом с тремя литрами зеленой краски. Эти три литра долго не смывающейся зелени были сейчас на боевых друзьях. Свою машину они сберегли.

«Запорожец», который использовали оперативники «Глории», чтобы запудрить мозги вельможному генералу и иметь возможность во время этого деликатного процесса всунуть ему в машину «жучок», имел свою долгую и славную историю. Он много лет принадлежал одному участковому врачу, но практически не ездил, поскольку, лично доказывая пациентам преимущества здорового образа жизни, доктор объезжал их на велосипеде. Потом взрослый сын доктора, по образованию — новый русский, пересадил папу на более престижную машину. А «Запорожец» доктор подарил своему любимому пациенту, который никогда не болел и к которому заезжал на велосипеде просто поговорить за жизнь, поскольку здоровья пациент был отменного. Этот красивый жест эскулап сделал не без задней мысли, ибо в результате сложилась анекдотичная ситуация: автомобиль и его новый владелец были почти тезками: «Запорожец» и Запорожченко. Господин Запорожченко был программистом и вообще мастером широкого профиля, и уж у него-то машина не простаивала. «Запорожец» был голубого цвета, и приятели г-на Запорожченко прозвали его «голубой «порш». Среди приятелей был, в частности, директор детективного агентства «Глория» Денис Грязнов.

Но как-то раз господин Запорожченко вышел из дому, сел в машину, которая была припаркована у подъезда, и не смог ее завести. Когда он открыл капот, который, как известно, у «голубого «порша» расположен сзади, он слегка удивился: из машины был изъят двигатель. Кому он понадобился — этот сакраментальный вопрос не давал несчастному автовладельцу покоя. Он поделился несчастьем с Денисом, и Грязнов, то ли из дружеского расположения, то ли из спортивного интереса, взялся за это дело. Точнее, дело было поручено знатному автолюбителю — Филиппу Агееву, который в свободное время принялся обхаживать соседей господина Запорожченко и собирать у них всякие-разные сведения о том, что происходит в их нелегкой жизни.

Денис уже и думать забыл об этой истории, когда радостный Филя сообщил, что двигатель найден: в целости и сохранности он был обнаружен в подвале дома, где жил господин Запорожченко, когда туда спустился электрик по причине замены проводки. Это был новый электрик в местном РЭУ, старого выгнали за пьянку, и именно он-то, старый электрик, вероятней всего и был незадачливым похитителем мотора.

Однако тут выяснилось новое обстоятельство. Господин Запорожченко за прошедшие три месяца полностью смирился с утратой и купил себе новую машину, тоже «Запорожец» (иные гоночные модели он уже не признавал), теперь красный, срок эксплуатации всего десять лет, рыночная цена 100 долларов США. В знак же признательности за потраченное время и проявленный героизм найденный мотор вместе с кузовом он бескорыстно передал в дар детективному агентству. И вот теперь этот маленький ветеран чудовищных советских дорог служил в «Глории». Использовали его сыщики для поднятия собственного настроения, и вот когда в тактических целях нужно было задержать кого-то, двигавшегося на дорогой иномарке (желательно на «мерседесе»), навстречу гордости немецкого машиностроения появлялось голубое чудо с берегов Днепра. За рулем был неизменно лучший гонщик «Глории» — все тот же незаменимый Филя Агеев, и кто знает, сколько анекдотов приходило ему на ум, когда он на «Запорожце» таранил «мерседес». Дальнейшие события носили различный характер, иногда Филе на помощь приходил коллеги, но большей частью он справлялся сам, приводя в еще большее изумление побитых толстошеих владельцев «мерседесов». В «Глории» не без оснований считали, что своими действиями они стимулируют поток народного остроумия.

И вот этой истории пришел конец. «Запорожец» встретил свой последний «мерседес».

Сыщики немного погрустили и пообещали Агеву, что, когда они станут старыми, богатыми и толстыми («То есть никогда», — тут же сказал Филя), они непременно сделают «Запорожцу» памятник.

Денис Грязнов не спал в эту ночь, потому что был с женщиной, Медведь — потому что был вне себя от бешенства, а Николай Николаевич Спицын — от досады.

Спицын кусал себе локти: ну зачем он отпустил Грязнова?! Обещанной информации частный сыщик так и не предоставил, а теперь и вовсе слинял. Сомнительно, правда, что знание того, как Грязнов-младший управился в Ростове, помогло бы раскрыть убийство Кондрашина и пролило свет на похищение Пенгертона...

В какой-то момент Спицын хотел позвонить дяде беглого директора «Глории», начальнику МУРа, и уже взялся было за трубку, но вовремя передумал. Ну что он, в самом деле, скажет Грязнову-старшему? Пожалуется на нелегкую генеральскую жизнь? И тот сдаст ему родного племянника? Черта лысого.

Спицын сидел за столом и смотрел на чистый лист бумаги, который вполне мог стать его прошением об отставке. На него здорово давило начальство. Сегодня вечером он имел неприятный разговор даже не со своим шефом — директором ФСБ, нет, ему напрямую позвонил секретарь Совета безопасности и крайне неприязненным голосом поинтересовался причинами столь безрезультативной работы.

В дверь робко поскреблись. Спицын удивился: в такое-то время? Жена? Дети? Собака? Потом он вспомнил, что все еще находится в своем кабинете на Лубянке.

В щель просунулась голова капитана Кудряшова:

— Не спите, Николай Николаевич?

— Заходи, давай кофе, что ли, выпьем. Или, может, чего покрепче. — Спицын встал и прошелся по кабинету — размять ноги. — Знаешь, Петя, я когда с начальником МУРа общался у него, на Петровке... ну по поводу этих наркоторговцев, которых ты брал, так мы с ним, когда обо всем договорились, выпили в конце разговора по рюмке коньяку, у него, знаешь ли, отличный коньяк, штук пять бутылок разных, все в сейфе стоят, а кроме них там — только пистолет. Ни одной папки, ни одного документа, представляешь?! И ничего, работает человек, и ведь неплохо работает, все так говорят. Может, нам тоже себе бар в сейфе завести, как считаешь?

Кудряшов смотрел на него не мигая.

Черт его знает, что у мальчишки в голове, впервые за все время совместной работы подумал Спицын. Может, и стучит на меня потихоньку куда-нибудь, тому же Медведю, скажем?

— Ну ладно, что у тебя? Порадуешь чем-нибудь?

— Боюсь, вряд ли. — Кудряшов положил папку на стол. — Вот результаты экспертизы по похищению Пенгертона...

— Своими словами и попроще давай. Не то время суток, чтобы про калибры и группы крови рассуждать.

— На даче в Абрамцеве, где держали Пенгертона, все обгорело, и никаких следов похитителей обнаружить не удалось. Показания Дениса Грязнова о перестрелке опровергнуть нечем. Пенгертон уверяет, что похитителей было двое, чеченцы по выговору, но лиц он не видел. По убийству Кондрашина по-прежнему тоже ничего нового. Следствие застопорилось. Поскольку нет возможности найти настоящего убийцу Кондрашина, я решил проверить алиби Грязнова на момент убийства. Послал оперативников, чтобы потрясли всех постоянно тусующихся около станции «Юго-Западная»: продавцов, дежурных в метро, беспризорников... Наши ребята показали им фотографии Грязнова.

— Разумеется, ничего?

— Не совсем. Один торговец вроде бы вспомнил, что Денис или мужик, похожий на Дениса, покупал у него минералку. Но он не уверен. И это вообще все, чего удалось добиться. Ну и... В общем...

— Говори давай, что ты мнешься, как красна девица...

— Совсем плохие дела. В прессу кто-то подбросил информацию, что в Москве готовится новый грандиозный теракт.

— Что?! — подскочил Спицын. — Куда именно?! Кто напечатал?! «Товарищ либерал» небось?

— Нет, мне сообщили с телевидения, с канала СТВ, у меня там есть информатор. Им дважды звонил аноним.

— Может, шутка? — с надеждой сказал Спицын. — Школьники часто балуются.

— Увы, нет. Такие звонки на телевидении фиксируются и быстро отслеживаются, там работает наше подразделение, очень грамотные ребята, моментально определяют, откуда звонят — из автомата ли, с городского телефона, с мобильного... Так вот эти звонки отследить не удалось. Такой трюк, Николай Николаевич, школьникам не под силу. Либо это правда, либо провокация со стороны тех, кто хотел бы это сделать, но по каким-то причинам не торопится. Теперь что касается «Товарища либерала». Там у меня тоже есть источник. Господин Пенгертон написал статью для завтрашнего номера. К сожалению, снять копию пока не удалось, жду в ближайшие часы. Но есть черновики.

— Очередной компромат о действиях федералов в Чечне? — мрачно усмехнулся Спицын, надевая пиджак.

— Отнюдь. Это снова о деле Кондрашина. Нам сейчас это интересно?

— Ты что, издеваешься? Говори немедленно!

— Суть в следующем. Чегодаев понял, что он — рогоносец, рассвирепел, заказал Кондрашина и отобрал камешки у неверной жены. Очень складно написано. Народу понравится.

Значит, так, принялся лихорадочно соображать Спицын. Кремль не знает, как перед Западом оправдаться после этих публикаций в «Дейли телеграф» и «Вашингтон пост», а тут Пенгертон готовит им новую свинью. Общественное мнение уже практически на его с Ванштейном стороне. Пока газеты появятся на прилавках и в почтовых ящиках, есть еще часов пять. Надо его упредить и дать Кремлю возможность показать, что мы и сами с усами. Что можно сделать? Взять в оборот Чегодаева, и пожестче.

Спицын, не раздумывая ни секунды, позвонил секретарю Совета безопасности и изложил диспозицию. Тот, надо отдать ему должное, сразу проснулся и быстро понял расположение фигур на доске. Соображал недолго.

— Николай Николаевич, я — за! Берите миллиардера в оборот. К полудню получим санкцию на его арест, а пока — вызывайте на Лубянку и трясите посильнее, главное — напугайте. Вряд ли он даст промашку и сделает какое-то признание, но нам с вами сейчас нужно продемонстрировать решительное действие.

— Если к моменту выхода газеты «Товарищ либерал» все вдруг узнают, что Чегодаев уже у нас, мы здорово поднимем рейтинг, — сказал Спицын, думая совсем о другом — о возможном теракте, но зная, что хочет услышать сейчас крупный чиновник.

— Точно! Знаете что? Поступим так. Позовите телевизионщиков, не сообщайте для чего, и я сам приеду его допрашивать! Вам даже лучше не светиться, Николай Николаевич, наблюдайте со стороны, занимайтесь своими текущими делами.

— А это не перегиб? — осторожно поинтересовался Спицын.

— В самый раз.

В начале восьмого утра за Чегодаевым приехали люди из ФСБ. Анастасия в эту ночь была у матери. Чегодаев некоторое время не верил в происходящее и несколько раз изучал документы офицеров Федеральной службы безопасности. Спицын, по здравом размышлении, решил лично не участвовать в этом представлении, но, когда его сотрудники были уже на месте, он позвонил Чегодаеву и попросил не волноваться, объяснив, что это пока не арест и повода для того, чтобы поднимать шум, нет. Напротив, столь ранний визит подчеркивает понимание спецслужбами деликатности возникшей ситуации и ее стремление сделать все незаметно для широкой публики, дабы избежать пересудов.

— Стремление незаметно упрятать меня за решетку?! — взвыл Чегодаев. — Как Ванштейна?!

— Напрасно вы так, Степан Петрович, — по-отечески проворковал Спицын. — Приезжайте, и мы обо всем поговорим. К вам накопились вопросы.

Чегодаев бросил трубку, потом подумал, снова взял ее и позвонил Медведю. Чегодаев знал один из трех магических телефонов Медведя, по которым с ним можно было связаться в любое время суток.

— Герман, — сказал Чегодаев трагически голосом, — Герман, за мной пришли!

— Это кто еще? — проскрежетал Медведь. — Я только что наконец заснул!

— Герман, ты не понимаешь?! За мной пришли!!!

Медведь, выслушав сбивчивые и неопределенные жалобы олигарха, в конце концов сказал:

— Не забудь вызвать своего адвоката.

Глава одиннадцатая

Денис заснул на рассвете и проснулся, разбуженный Алиной. Она как завороженная приклеилась взглядом к телевизору, левой рукой роняла пепел в кровать, а правой — трясла Дениса. Алина смотрела экстренный выпуск новостей. Было половина десятого утра.

Около восьми утра террористы захватили московскую школу. В заложники были взяты около сотни детей и с десяток учителей. Никакие требования пока не выдвигались, но группа парламентеров из трех человек во главе с депутатом Госдумы была... просто расстреляна на подходе к школе.

Денис сначала не поверил, но телевизионщики тут же показали кадры, как три тела на носилках, покрытые простынями, заносили в кузов «скорой помощи».

«Известно следующее, — говорил молоденький репортер, специализирующийся на «горячих» репортажах. — Террористы отказываются от продуктов, воды, врачей».

Откуда это было известно, оставалось непонятным.

В это время шли кадры с бьющимися в истерике родителями и деловито снующими спецназовцами.

«По нашим сведениям, — продолжал репортер, — о штурме никто даже не заикается, но совершенно очевидно, что он готовится».

Денис встал и оделся. Алина непонимающе смотрела на него.

— Тебе разве не надо в Останкино? — спросил он. — Какая у тебя машина?

— «Мицубиси», — пролепетала она. — Спортивное купе...

— Очень хорошо. Я поведу.

Она сразу поняла, что спорить бесполезно, и бросилась собираться.

...Ехали молча и стремительно. Денис высадил Алину на Фестивальной улице со словами:

— Здесь ходит маршрутка, пять минут — и ты на метро. Потом все объясню. — И он умчался.

Денис ехал к этой самой школе, а точнее, к отделению милиции, в котором расположился антитеррористический штаб. Это было то самое отделение милиции, рядом с которым работали «ассенизаторы». Дважды Дениса пытались тормозить ППС, он не останавливался, ехал дворами, выскакивал на красный свет, петлял, сигналил, но не сбавлял скорость, ударил какое-то «рено» правым крылом, встречную «Волгу» — левым. Наконец добрался до оцепления, отчаянно сигналя, заставил молоденьких милиционеров расступиться, проехал еще сотню метров, выскочил из машины, оттолкнул на ходу двух человек, кому-то ударом локтя разбил нос, увернулся еще от нескольких омоновцев и наконец ворвался в корпус детского сада, вокруг которого было припарковано много машин с государственными номерами: черные «Волги», несколько джипов и даже БТР.

Это, конечно, и был антитеррористический штаб. Денис успел заметить, что перед входом прямо на земле сидели десять — двенадцать человек в странных расслабленных позах. Они походили на отдыхающих и запасных игроков на баскетбольной скамейке.

Детей отсюда давно эвакуировали. В тот момент, когда на Денисе повисло три человека, в коридор вышел Спицын, привлеченный поднявшимся грохотом. Спицын был одет в полевой камуфляж.

— Что, черт возьми, происхо... О, вот так встреча, молодой человек! На ловца и зверь бежит. Отпустите его. Впрочем, нет, наденьте сначала наручники.

— Ну, конечно, — пробормотал Денис, восстанавливая дыхание. — Хотите, чтобы я сломал вашим ребятам шеи?

— Ладно, — сказал Спицын. — У вас есть что сказать? Идите за мной.

Они зашли в какую-то комнату, где было еще пятеро фээсбэшников, совещавшихся над картой школы. Они сидели на крохотных детских стульчиках, но Денису это почему-то не показалось смешным.

— Выйдете все, живо, — распорядился Спицын.

Семь вдохов, семь выдохов, подумал Денис. Самурайская методика. Время действовать.

— Я слушаю, у меня мало времени!

Больше всего Денис боялся сейчас, что Спицын будет глух, что им движет обида и честолюбие. Денис старался говорить не медленно и не быстро, глядя генералу в переносицу, так учили его в Индии. Тогда слова, минуя уши, сразу попадут в сердце...

— Николай Николаевич, цель боевиков — не дети.

— Вот как? — насмешливо сказал Спицын. — А

кто? Может, они решили ограбить школьную библиотеку?

— Нет, они действительно пришли убивать. Но это не террористы.

Лицо Спицына окаменело.

В этот момент в комнату заглянули два человека.

— Не мешайте нам! — рявкнул Спицын.

— Николай Николаевич?! — изумленно сказал один из двух, и по голосу Денис узнал его. Это был секретарь Совета безопасности. А второй, вероятно, директор ФСБ. Вот это да!

Дверь закрылась.

— Но дети тут ни при чем, — повторил Денис. — Это — не фанатики, страдающие за веру. Это наемники. Их цель — руководство ФСБ. Секретарь Совбеза, лично вы, подразделение «Альфа», все самые ценные кадры. Это же «Альфа» там перед входом?

— Откуда вы знаете? — поразился Спицын.

— Да у них это только что на лбу не написано. Так вот, террористы захватили школу, точно рассчитав, где расположится антитеррористический штаб. А перед этим закачали в подвал девятиэтажного дома, соседнего со штабом, три кубометра взрывчатки.

— Откуда вы это знаете?!

— Случайно узнал, так вышло. Мои сотрудники следили за этими людьми, не зная, кто это. Они видели ассенизаторскую машину, шланг от которой был протянут в подвал. Три кубометра — такова емкость дерьмовозки. Террористам отлично известна вся ваша процедура: сколько времени отводится на переговоры, в какой последовательности станут действовать фээсбэшники, когда они решатся на штурм и когда прибудут штурмовики. И тогда... — Денис закашлялся.

— ...произойдет взрыв, — бесцветным голосом

сказал Спицын. — Но что же делать? Эвакуировать штаб нельзя, среди толпы на улице наверняка есть террористы, они не должны видеть, что мы выходим...

— Да очнитесь же, генерал! — закричал Денис. — Никакие они не террористы!

Спицын молча смотрел на него расширившимися зрачками. Может, он и понял, но — государственный человек — не смел сказать это вслух.

Денис подошел к нему вплотную:

— Это люди генерала Медведя.

— Медведя...

Спицын подошел к окну и посмотрел на школу. Отсюда ее было видно хорошо.

— Если предположить, что вы правы и за всем стоит Медведь, тогда?..

— Необходимо немедленно действовать. Вам не нужны сейчас никакие доказательства! Вы же профессионал, пришло время принимать решение. Решите для себя, кто там в этой школе, и действуйте.

Спицын повернулся, и Денис увидел другого человека. Он даже словно немного помолодел, решившись наконец назвать своего врага по имени.

— Поскольку взрыв должен проводиться дистанционно, нужно лишить террористов такой возможности. Но как?

— У меня было время подумать, — сказал Денис, — пока я сюда ехал. Можно на несколько минут заглушить все радиочастоты, пусть ФСБ останется без связи, черт с ней, но тогда будет возможность влезть в подвал и просто отсоединить взрыватель.

Спицын кивнул.

Через десять минут Спицын отобрал двух человек, которым верил абсолютно, и начал операцию. Не предупредив никого, он отключил всю связь и включил глушилку. На площадь перед школой выехала машина «скорой помощи», из которой высунулся человек с громкоговорителем и принялся кричать одни и те же фразы, суть которых сводилась к следующему: граждане террористы, разрешите войти в здание врачу и медсестре, чтобы они осмотрели заложников. Вопли эти повторялись непрерывно, по сути дела не давая «гражданам террористам» возможности ответить.

Когда Денис вместе с двумя саперами, переодевшимися в гражданскую одежду, обходил детский сад, он увидел телевизионную группу СТВ. На крыше машины сидела Алина. Они встретились глазами, и она зажала себе рот руками.

Через четыре минуты группа спустилась в подвал девятиэтажки.

— Надо было собаку взять, — пробормотал один из саперов, как выяснил Денис, капитан, проведший в Чечне четыре года. — Знаешь анекдот? Чечня, минное поле, табличка: «Мин почти нет».

— Шуму много, — возразил второй, он был постарше, подполковник, и, по его собственным словам, не выезжал за пределы Московской области уже год, потому что почти каждый день находилась работа. — Неофициальная информация, не цитируйте меня, — добавил, улыбнувшись, подполковник.

Денис кивнул. Они переходили из помещения в помещение уже около получаса.

— Вам ничего не кажется странным, молодые люди? — спросил подполковник.

Капитан с Денисом посмотрели друг на друга и покачали головами.

— Тогда идем дальше.

Прошло еще семнадцать минут. В кармане Дениса

пискнул телефон, который ему сунул Спицын. Денис прислонил его к уху.

— Мы ждем, — сказал Николай Николаевич где-то очень далеко.

— Мы тоже, — сказал Денис.

Прошло еще полчаса. За это время саперы прошли шесть больших подвалов.

— Господи, почему их так много?! — спросил капитан. — Здесь что, катакомбы были?

— Видимо, что-то вроде этого, — пробормотал подполковник. — Потому они и выбрали такое место. Я повторяю свой вопрос. Что здесь странно?

Тут снова позвонил Спицын:

— Наш переговорщик замолчал, но они все равно не отвечают на просьбу пустить доктора.

— Не пускайте ни в коем случае! — испугался Денис.

— Вот и я так думаю. Ладно...

— Итак, я снова спрашиваю, — терпеливо повторил подполлковник, — что странно, что не так?

— Очень чистый подвал, — машинально сказал Денис.

— Вот именно. Чистый и... сухой. Они здесь все отремонтировали, сантехника в идеальном состоянии, так у нас не бывает, чтобы ничего не текло. Мы на верном...

— Стоп, — сказал капитан, — я на нее наступил.

«Это конец, — промелькнуло в голове у Дениса, и он зажмурился. — Раз, два...»

Алина спустилась с машины и пошла послушать, что говорят в толпе. Та состояла из двух частей, меньшая — родители и родственники тех, кто оказался в школе, большая — окрестные жители, праздные зеваки и все остальные, кто неминуемо составляет основную часть публики в таких ситуациях. Как водится, тинейджеров и пенсионеров было значительно больше, чем людей другого возраста. Родителей и родственников можно было определить по телефонам — те, кто был в школе и имел мобильную связь, звонили постоянно, но у многих скоро стали садиться батарейки. Слухи о требованиях террористов были самые противоречивые: от ста миллионов долларов до обмена детей на президента. Как, наконец, выяснила Алина, заложники сами позвонили и сказали, что обнаружили записку в одном из классов на доске:

«Здание заминировано. Соберитесь все в спортивном зале и ждите наших переговоров с властями. Не пытайтесь спускаться на первый этаж. Не зовите на помощь, все, кто подойдет к школе ближе чем на семьдесят метров, будут расстреляны».

Люди плакали и утешали друг друга, тут же рядом смеялись и пили кока-колу. Алина встретила нескольких знакомых журналистов, которые так же, как она, потерянно бродили среди людей, забыв о своих профессиональных функциях.

В школьных окнах было темно, из некоторых торчали пулеметные стволы. В толпе циркулировали разговоры о том, что террористов человек двадцать, или тридцать, или сто, что все окна, двери, крыша заминированы и так далее.

Какие-то подростки недалеко от Алины внимательно изучали амуницию спецназовцев, перемещающихся в толпе, а другие тем временем насчитали в окнах школы десять пулеметов.

То тут, то там звучали слова «Буденновск» и «Норд-Ост», и это действовало особенно угнетающе.

Действительно, подумала Алина, ведь нет же ни одного мало-мальски удачного прецедента освобождения заложников. Что-то будет...

— ...А мне утром такой сон оборвали, — сказал подполковник, сбрасывая с плеч на землю свое оборудование. Раздалось гулкое эхо.

Денис от ужаса чуть не присел.

— Вы что?!

— Если сразу не рвануло, значит, живем пока, — объяснил подполковник. — А раз живем, значит, работаем.

Денис вытер холодный пот и подумал, что рядом с ним профессионалы, и надо хоть немного расслабиться, невозможно все время быть ответственным за все. Что будет — то и будет, и никак иначе. Все тщета и ловля ветра. И Будда и Кришна тут ни при чем, это из Екклезиаста.

Капитан осторожно отступил. Специальным устройством, похожим на фен, он раздул пыль на том месте, куда стал. Постепенно они расчистили требуемый участок. Оказалось, в фундаменте была выдолблена ниша, в ней лежал сосуд с какой-то жидкостью.

Саперы посмотрели друг на друга.

— На что ставишь? — спросил подполковник.

— Десять баксов на жидкий аммонал, — предложил капитан.

— Черт, я тоже хотел. Тогда отменяется... Денис, посветите сюда, пожалуйста.

Денис сделал, что просили, и увидел, что к взрывчатке двумя проводками был подсоединен мобильный телефон.

— На него позвонят?

— Да. Это приведет в действие взрыватель. Теперь

нам предстоит волнительная процедура перерезания проводков. Кино смотрите? Красный или зеленый?

— Я за красный, — сказал капитан.

— Тебя никто не спрашивает. Денис, красный или зеленый?

— Откуда я знаю?! — Денис почувствовал, что все его хладнокровие, воспитанное абракадабра-йогой, окончательно полетело в тартарары. — Это же ваша работа! Наверно, красный, раз он говорит!

Подполковник вздохнул, протянул к проводкам руку с маленькими кусачками и завис над красным.

Денис почувствовал подступающую тошноту.

— Давайте быстрее, — попросил капитан, — не ровен час, позвонит.

Подполковник нахмурил брови, еще ближе просунул кусачки и вдруг перевел руку и разрезал зеленый провод.

У Дениса закружилась голова. Он пощупал свою щеку. Жив. Напарники тоже рядом. Уф-ф, какое облегчение.

— Как хорошо, что вы его не послушали...

— Ничего хорошего, — строго сказал подполковник и перерезал красный провод.

Президент каждые четверть часа выслушивал доклады из антитеррористического штаба. В кабинете кроме него были ближайший помощник и Герман Медведь. Доклады президенту по видеосвязи делал директор ФСБ, он и руководил операцией. В первом докладе он сообщил, что тактические функции осуществляет начальник антитеррористического отдела ФСБ генерал-лейтенант Спицын. Что это означало, было непонятно, и президент вопросительно посмотрел на Медведя. Тот нахмурился и сказал:

— Я согласен с вами. Спицын не годится. Он, может быть, неплохой человек, но его время прошло. У него не та реакция. Кроме того, он скомпрометирован своими мутными связями с чеченскими похитителями людей, он ведь...

Президент сделал движение рукой, он смотрел новости Би-би-си. Формулировки английских журналистов были гораздо жестче тех, что они только что слышали по российскому телеканалу. Президент поднял брови.

Медведь вздохнул, и президент снова посмотрел на него.

— Возможно, сейчас не лучший момент, — с трудом выговорил Медведь, — но, кроме меня, это вам никто не скажет. Даже не знаю...

— Ну говорите же!

— Ладно. ФСБ провалит операцию.

— Почему?!

— Потому что они делали это уже неоднократно. Потому что они именно это умеют делать лучше всего, простите мне грубое выражение, они облажаются! Они инертны и предсказуемы. Террористам наверняка наперед известен каждый их шаг. Трех парламентеров уже расстреляли. Куда смотрела ФСБ?

— Что вы предлагаете?

— Нужно срочно разработать другой план. Неожиданный и смелый. И дать его осуществить нашей новой службе. Мы не зря так тщательно подбирали людей и шлифовали их навыки.

— Подождем, — сказал президент. — Штурмовать все равно пока нельзя, будет море крови. Подождем их требований. Они же не убивают заложников, как уже бывало прежде. Это неплохо. Дадим ФСБ время. А вы, Герман Иванович, пока разрабатывайте свой план. Тот, который неожиданный и смелый.

...— ...мобила-то ничего, «моторола», последняя модель, — где-то далеко-далеко заметил капитан. — Я бы себе с удовольствием взял, но нельзя — вещдок. Может, на ней «пальчики» есть.

Я на облаках, подумал Денис. Я сижу на облаках, и мне хорошо. Нет, подождите, я же должен переродиться в кого-то другого. Как там у Высоцкого было... хорошую религию придумали индусы, что мы, отдав концы, не умираем насовсем... Надеюсь, я не Филя Агеев, он слишком много ест, я этого не перенесу...

— Вообще-то, — лукаво сказал подполковник, — это такая система, тут надо оба проводка перерезать. Очень просто, даже лапидарно. Детский сад, одно слово.

— Да, во всех смыслах детский сад! — засмеялся капитан.

— Пошли вы оба, — отвернулся от них Денис. — Клоуны...

— Не обижайтесь, Денис, — попросил подполковник. — Вы — ничего. Чаще новички хуже на такие трюки реагируют. Обычно физиология дает сбой.

Через несколько минут они выбрались наружу. Денис увидел, как к оцеплению подъехала черная «Волга» с хорошо знакомым номером. Это был его дядя. Когда Денис вернулся в детский сад, Спицын затолкал его в ту же самую комнату, где они говорили раньше. На крошечном столике там стоял термос с горячим кофе и бутерброды.

— Не хочу, — помотал головой Денис.

— Может, выпить?

— Я не пью.

— А что вы вообще делаете из того, чем нормальные люди занимаются? В туалет ходите?

— Спросите у тех, кто меня в СИЗО сторожил.

— Ладно, не дуйтесь, Денис, можно я без отчества? Не время сейчас для обид, потом со мной поквитаетесь. Давайте дальше думать. Смотрите, до чего я своим жалким генеральским умишком допер. У Медведя же нет смертников, жертвовать своими людьми он не станет. И уйти в перестрелке они не смогут, это вам не Чечня. Значит?..

— В школе их просто нет? — предположил Денис.

— А расстрел переговорщиков?

— Я понял, понял! — Денис застряс Спицына за плечи. — Они установили камеры наблюдения и пулеметы с детекторами движения. То есть когда расстреляли переговорщиков — это произошло автоматически!

Спицыну понадобилось некоторое время, чтобы понять.

— Но как это проверить, чтобы, если вдруг вы ошиблись, обошлось без жертв?

— Элементарно. Пустите броневики перед школой, пусть ездят взад-вперед.

Спицын только покачал головой. Потом сказал:

— Слушайте, Денис, зачем вам эта ваша частная контора?

— Ну нет, — сказал Грязнов-младший. — Только не вы. Вы единственный, кто меня еще на работу не звал. Оставайтесь таким и дальше, Николай Николаевич, так вы мне больше нравитесь. Как вы думаете, они заминировали входы и выходы, крышу, или это туфта?

— Наверняка. — Спицын сжал кулаки. — Но если мы все правильно поняли, детей подрывать Медведь не собирается. Ему нужно стать героем. Стать героем он смог бы после того, как мы послали бы людей на штурм и они там полегли.

— Не факт, опять-таки они могли въехать на бронированных машинах, но, как только был бы отдан приказ на штурм, ваш детский сад наверняка взлетел бы на воздух, и операцию передали бы Медведю.

— Ладно. Значит, как только в пулеметах закончатся патроны, можно освобождать заложников.

Кроме БТРов Спицын придумал еще кое-что. Спецназовцвы соорудили катапульту и с расстояния в сотню метров подбрасывали к окнам школы автомобильные покрышки. Пулеметные очереди начали крошить их, толпа завизжала и отступила подальше, но через некоторое время вернулась к допустимой границе. Потом пошли БТРы. Скоро огонь ослабел, а потом и вовсе прекратился.

Когда все было кончено, в школу проникли саперы, а вокруг снова ездил БТР, на нем сидел капитан Кудряшов с громкоговорителем и выкрикивал инструкции для заложников: никуда не перемещаться до специальной команды. Еще через четверть часа заложникам разрешили спуститься на первый этаж, и через окна они выбрались наружу. Толпа зааплодировала.

С разминированием входа в школу возились еще два часа, но так ничего и не вышло. Тогда взрывное устройство расстреляли из водяной пушки. На месте входа теперь зияла огромная дыра. Большинство школьников были в восторге.

— У вас есть оружие? — спросил Спицын.

Денис покачал головой.

— Давайте ваши руки сюда.

— Генерал...

— Лучше я сделаю это тихо, чем со скандалом и при телевизионщиках.

Он прав, подумал Денис и подставил руки под приготовленные наручники. Спицын втолкнул его в свою «Волгу» и сказал водителю:

— Ну-ка пойди пообедай.

— Где же я здесь пообедаю? — растерянно заозирался парень.

— Вон отсюда! — заорал Спицын.

Потом завел машину и поехал в сторону центра. Оцепление расступилось перед набирающей скорость «Волгой».

Денис успел увидеть удивленное лицо своего дяди, он прикуривал сигарету, но так и остался стоять со спичкой в руке, разглядев лицо племянника в пролетевшей машине.

— Куда мы едем?

— А вы угадайте, Денис Андреевич.

— Надо же, — усмехнулся Денис, — снова отчество появилось... Николай Николаевич, что вам проку от моего ареста? Вам не мной сейчас надо заниматься. У вас — Медведь! У вас отпечатки пальцев на взрывчатке, я уверен, они там есть, у вас масса мелких улик...

— Мелкие улики разваливают любое крупное дело.

— Николай Николаевич, смотрите. С благословения президента создается структура для контроля над спецслужбами, так? Медведь планирует стать ее боссом, так? Но если, допустим, Коржаков стоял с Ельциным на танке, ну и все такое, то Медведь нынешнему президенту — никто, просто помощник. Понятно, что, став врио начальника вышеупомянутого ведомства, он желает закрепиться на этом месте и заполучить максимум власти. Власть эту может дать ему президент. Следовательно, необходимо дискредитировать в глазах президента нынешних руководителей спецслужб, организовать себе поддержку в прессе (при этом фактически не афишируя существование комитета), проявить феноменальное знание дела и удивительный стратегический талант.

— Что вы мне азбучные истины талдычите? — раздраженно оборвал Дениса Спицын. — Что тут нового?!

— А вот что! Проще всего заработать авторитет на борьбе с террористами. Так?

— Ну, допустим. Если только получится. Только тут — или грудь в крестах, или голова в кустах.

— Успех будет обеспечен, если террористы — карманные. Итак, первый шаг Медведя: похитить известного всей стране журналиста (Кондрашина) и в качестве одного из похитителей представить человека, чеченца, пригретого ФСБ...

— Исмаилова! — ахнул Спицын и остановил машину.

— Точнее, его труп. Все-таки вы тугодум. Как вас начальство терпит?

— Оно еще хуже, — угрюмо сказал Спицын. — Говорите дальше.

— ФСБ придется отмываться. Второй шаг: нужно устами Чегодаева (собственно, ради этого был выбран Кондрашин, а выкуп потребовали лично у Чегодаева) заклеймить ФСБ за некомпетентность. Третий шаг: запустить слух о готовящемся чеченском теракте в Москве...

— Был такой слух, — сказал Спицын. — Сегодня ночью.

— Вот видите! ФСБ начнет обычную рутину с проверкой паспортов, поездов, чеченских диаспор и прочее. А «террористы» захватят школу. И Медведь точно знает, где расположится антитеррористический штаб. И туда закладывают бомбу с тем, чтобы подорвать «Альфу» и больших перцев из ФСБ, когда они там соберутся. ФСБ действует по протоколу, а Медведь в это время наверняка твердит президенту, что все не так и надо срочно придумать другой план.

Финальная точка: он взрывает всех в штабе на хрен! Президент хватается за голову, рыдает на груди Медведя и умоляет его спасти ситуацию, что тот с блеском и делает. Президент называет его своей правой рукой. Но! Во-первых, Ванштейн узнал о создании нового силового ведомства и нашел способ начать печатать «чеченские дневники» — на самом деле материалы, опасные для Медведя. Ванштейна пришлось закрывать. Медведь был в бешенстве и постоянно давил на Чегодаева, чтобы тот всячески в своих СМИ это опровергал!

— Откуда вы это можете знать? Это все досужие домыслы!

— Я это слышал собственными ушами.

— Как это? — изумился Спицын. — Или, может, ваши индийские штучки позволяют вам перевоплощаться в птичку и влетать к Медведю в окно?

— Примерно так и было. Я некоторое время слушал его разговоры.

— Что?! Вы шутите?!

— Нет, у меня есть записи, я поставил «жучок» в его машине.

— Как вам это удалось?

— Детали неважны. Во-вторых, пешка, которую Медведь собирался использовать и забыть...

— Пешка — это вы?

— Да. Пешка — некий частный детектив, но он, как назло, засветился на краже бриллиантов, убийстве Кондрашина (сейчас неважно, что я ничего этого не делал, я же все равно влип!), еще с ним зачем-то встречается Спицын... короче, надо все проверить и что-то предпринять на всякий пожарный. Вот как рассуждает Медведь. А эта проверка привела к тому, что мои сотрудники — оперативники «Глории» — стали свидетелями закладки взрывчатки. Ну что вам еще надо? У вас сейчас одна задача — не дать Медведю отмазаться.

— Еще кое-что забыли, — сказал Спицын.

— Вроде нет.

— Не «нет», а «да». Вот это. — Спицын открыл наручники.

Неужели убедил? — подумал Денис. Фантастика. Повезло. Мужик хороший попался. Твердый, хоть и тугодум. Да мы все тугодумы.

— Где вас высадить, Денис?

— Давайте прямо тут.

— Ладно... — Спицын, не глядя Денису в глаза, сказал: — Надеюсь вас еще увидеть... Нет, я не могу не спросить! Ну хоть убейте, не понимаю: почему все-таки именно вы были выбраны для передачи выкупа?!

— Хотите знать правду? Я тоже этого не понимаю.

Спицын уехал.

Надо удирать, подумал Денис, пока он не передумал. Может, я сегодня ему в чем-то и помог, но вдруг он вспомнит, что является генералом ФСБ, а я — беглый не пойми кто. Каторжник, как говорит Быковский.

Денис вспомнил, что у него есть мобильный телефон, врученный Спицыным. Он позвонил Грязнову-старшему:

— Дядя Слава, ты где?

— Там, где ты меня в последний раз видел. У меня тут какой-то крендель из газеты «Товарищ либерал» интервью берет. Фактически силой. Я его пытаюсь убедить, что не имею ко всему этому никакого отношения, а он вот спрашивает, как я отношусь к тому, что мой племянник находится в федеральном розыске, и не мешает ли это моей карьере.

— Какие еще новости?

— Паршивые. Не знаю, можно ли по телефону...

— Говори, он чистый.

— Сейчас отойду в сторону. Значит, так. В опломбированном чемоданчике, который недавно пересек немецкую границу, и в чемоданчике, где должны были быть деньги для одного молодого человека... В общем, Реддвей его вскрыл, ты уж не обессудь, и денег там не было.

— Бриллианты Чегодаевой?!

В трубке воцарилось молчание. Потом Грязнов-старший покашлял и сказал:

— Слушай, ну это даже неинтересно. Ты же убиваешь всю интригу на корню. Или... ты знал? Но откуда же они взялись?

— Дядя Слава, записывай адрес и пошли туда опергруппу. Я наконец понял, что со мной случилось...

Если утром Денис просто забрал у Алины машину, то сейчас ему пришлось угонять чужое транспортное средство. Вот уж чего он никогда в жизни не делал и даже не представлял себе, как вскрывать замки без ущерба для внешнего вида авто. Наверно, Филя Агеев мог бы прочитать на эту тему целую лекцию, но ведь не было же рядом Фили Агеева. Денис выбрал неприметную «шестерку», такую же точно, на какой Филя и ездил, и просто выбил ногой боковое стекло.

Меньше чем через час он был на даче Быковского.

Только бы не опоздать. Дело в том, что на даче Быковского Денис кое-что забыл. Он забыл там... ее хозяина. Ведь это же добрейший Андрей Сергеич его подставил. Ведь это только профессиональный детектив Быковский мог сыграть роль «Щербака», украсть камни и убить Кондрашина!

Как же он, Денис, был слеп.

Ведь это Быковский прятал Дениса у себя и уговаривал уехать, то есть сбежать и утащить за собой шлейф недоказанной невиновности. Ведь это Быковский, под видом денег Дениса, переправил за границу бриллианты, а потом, оказавшись за бугром вместе с Денисом, очевидно, планировал зажить долго и счастливо и отнюдь не умереть с Денисом в один день, а убрать его тут же.

Что им двигало? Жадность? Скорей всего. Тогда действительно все сходится. Если для Медведя шесть миллионов долларов — это просто фигня на постном масле по сравнению с той неограниченной властью, до которой он собирается дорваться, то для Быковского — очень даже приличная цель, которая, видимо, оправдала все средства. Узнав о камнях, когда Денис обратился к нему за помощью, Быковский решил заполучить их. С этого момента обратной дороги не было, преступление следовало за преступлением.

Денис зашел в дом. Никого.

Кое-что было в беспорядке, как будто кто-то в спешке собирался. Похоже, он опоздал. На стороне Быковского опыт и фора во времени, Денису его не догнать.

Он вышел в сад, к которому уже так привык за последнее время. Выходит, это убежище, которое он так полюбил и где встретил Алину, было логовом дракона?

Но какая же связь между Быковским и Медведем? Быковский работал на него? Вряд ли, слишком независимая личность. Тут просто какой-то общий интерес, вернее, целое пересечение преступных интересов.

Похищение Кондрашина планировалось исключительно для развития скандала с целью дискредитации ФСБ. Причем Исмаилова должен был убить тот, кто принесет выкуп. С одной стороны, этот человек должен владеть оружием, с другой — не быть спецназовцем, так что какого-нибудь своего человека Медведь светить не хотел. Наверняка Быковский предложил ему идеальную кандидатуру — частный детектив с кристальной репутацией и дядей-генералом.

Денис потер виски.

Подумать только, что он сам, собственноручно вручил Быковскому пистолет, из которого заранее был убит Исмаилов! А через несколько минут этот же пистолет оказался в руках Дениса, и началась «перестрелка», бывшая на самом деле фарсом...

Он подошел к бассейну.

Сзади раздался характерный звук, ошибиться было невозможно: сотни раз Денис слышал его в тире и не так уж и редко в жизни. Это пистолет снимали с предохранителя. Он повернулся, уже зная, кого увидит. Сзади с пистолетом Макарова в руке стоял Быковский, улыбаясь все той дружеской, даже несколько отеческой улыбкой. Неужели я не сплю, подумал Денис. Пуля — дура, штык — молодец. Дура-то дура, а сейчас ведь убьет меня. Меня убьет дура...

— Значит, ты с самого начала был связан с Медведем?! — не выдержал Денис.

Быковский спокойно пожал плечами и переложил пистолет из одной руки в другую.

— Армейская разведка. Мы все когда-то служили вместе. Я, он, Астахов. Только Медведь, видишь ли, потом стал контрразведчиком, а это совсем другая психология... Но связан? — Быковский рассмеялся: — Это слишком сильно сказано. На некоторое время у нас был общий бизнес, вот и все.

— Скажи мне только одну вещь... Зачем ты?.. Почему именно я?

— Почему я выбрал тебя в качестве козла отпущения? — усмехнулся Быковский. — Боюсь, не поймешь. Да ни почему! — Быковский вдруг разозлился. — Может, просто потому, что ты и твоя сраная «Глория» слишком много о себе возомнили!

— Оказывается, не зря, — тихо заметил Денис.

— Да уж. — И Быковский выстрелил.

И попал ему в недавно раненную руку. Потому что он выстрелил, уже падая в воду: получил сзади сильный толчок в спину.

Тоже теперь падающий, правда на бортик бассейна, Денис увидел Алину, держащую приспособление для чистки бассейна.

— Штык — молодец! — закричал ей Денис.

У Алины лицо стало испуганным. Наверно, я выгляжу как полный идиот, подумал Денис. И, наверно, давно, примерно с тех пор, как вернулся из Индии.

Пистолет лежал на дне, Быковский вынырнул и ухватился рукой за бортик бассейна. Тогда она ударила его снова. На этот раз Быковский погрузился надолго.

— Ты его утопишь, — испугался Денис. — Хватит того, что жмуриков на меня каждый день вешают. Давай вытаскивать гада. И побыстрей. Спать хочется — сил нет никаких.

Литературно-художественное издание

Незнанский Фридрих Евсеевич

ЗАСНУВШИЙ ДЕТЕКТИВ

Редактор *В.Е. Вучетич*
Художественный редактор *О.Н. Адаскина*
Корректор *Е.Н. Петрова*

Общероссийский классификатор продукции
ОК-005-93, том 2; 953000 — книги, брошюры

Санитарно-эпидемиологическое заключение
№ 77.99.02.953.Д.000577.02.04 от 03.02.2004 г.

ООО «Издательство АСТ»
667000, Республика Тыва, г. Кызыл, ул. Кочетова, д. 28
Наши электронные адреса: WWW.AST.RU
E-mail: astpub@aha.ru

ООО «Агентство «КРПА «Олимп»
121151, Москва, а/я 92
E-mail: olimpus@dol. ru

При участии ООО «Харвест». Лицензия № 02330/0056935 от 30.04.04.
РБ, 220013, Минск, ул. Кульман, д. 1, корп. 3, эт. 4, к. 42.

Республиканское унитарное предприятие
«Издательство «Белорусский Дом печати».
220013, Минск, пр. Ф. Скорины, 79.

Незнанский Ф.Е.

Н44 Заснувший детектив: Роман / Ф.Е. Незнанский. — М.: ООО «Издательство АСТ»: ООО «Агентство «КРПА «Олимп», 2004. — 348, [4] с. — (Агентство «Глория»).

ISBN 5-17-024312-Х (ООО «Издательство АСТ»)
ISBN 5-7390-1313-5 (ООО «Агентство «КРПА «Олимп»)

На Северном Кавказе похищен журналист — Леонид Кондрашин. За него требуют выкуп — коллекцию драгоценных камней, которые олигарх Чегодаев, владелец телеканала, где работал журналист, подарил на свадьбу своей молодой жене. У похитителей есть требование: драгоценности им должен передать один безоружный человек — частный детектив Денис Грязнов. Российские власти и спецслужбы в полном недоумении: во-первых, они понятия не имеют, кто это такой, во-вторых, почему на него пал выбор, и, в-третьих, где его вообще найти?!

УДК 821.161.1-312.4
ББК 84(2Рос=Рус)6-44